Die magischen Büch

Ray und Ru

Chrissy F

ZUBIN
ABIONA
MILVA
LYS
CALIXTO
ORELLA
LIOBA
NEVA
ORLA

Chrissy Em Rose

Die magischen Bücher

Ray und Runa

Originalausgabe 2021

www.chrissy-em-rose.de
Lektorat und Korrektorat: Jacqueline Luft- Lektorat Silbenglanz
Umschlaggestaltung: Ria Raven Coverdesign
www.riaraven.de
Bilderquelle Shutterstock
Illustration: © Bianka Behrend
Instagram: bibibuecherverliebt
Satz: Christiane Schmitt

Herstellung und Verlag:
BoD - Books on Demand, Norderstedt
ISBN: 9783753496481

Dies ist eine fiktive Geschichte. Ähnlichkeiten zu
verstorbenen oder lebenden Personen, Orten oder sonstigen
Begebenheiten sind rein zufällig und nicht beabsichtigt.
Bibliografische Information der Deutschen Nationalbibliothek:
Die Deutsche Nationalbibliothek verzeichnet diese Publikation
in der Deutschen Nationalbibliografie.
Detaillierte bibliografische Daten sind im Internet
auf www.dnb.d-nb.de abrufbar.

Für alle Krieger dort draußen.

Überraschung

Zwei Tage waren vergangen, seit die Gefährten die Insel Abiona verlassen hatten. Jetzt wäre die perfekte Möglichkeit, sich Gedanken darüber zu machen, wie es mit den neu gewonnenen Informationen weitergehen sollte.

Leandra war die Auserwählte. Nur sie konnte die Bücher finden. Xanders Sohn, der wie seine Mutter tot geglaubt war, lebte und war ein begabter Magier. Es gab einen Magierzirkel und Leandra war verheiratet mit Davin ... und dann war da noch dieser Ringfluch. Über all das hätte Brian im Normalfall bei der Überfahrt nachdenken können, doch sie waren auf Viggos Schiff.

Der immer fröhliche Mann, der einst als sogenannter fliegender Kapitän sein Brot verdient hatte, war inselweit für sein vorlautes Mundwerk bekannt. Seit die Gefährten vor Jahren sein halbfertiges Schiff von einem Klabautermann befreit hatten, genossen sie einen besonderen Stellenwert bei ihm. Allerdings war Viggo sehr anstrengend und immer darauf bedacht, jedem seine gut gemeinten Ratschläge ans Herz zu legen. Die Reisen mit ihm waren weder erholsam noch konnte man auf ruhige Minuten hoffen.

Der kleine Mann trieb Xander regelmäßig an seine Geduldsgrenze und auch Taras, den man nicht so schnell aus der Ruhe brachte, war genervt. „Ich halte das mit dem Kerl nicht länger aus. Wenn er mich weiterhin mit seinen Weisheiten belehrt, werfe ich ihn bei der nächsten Gelegenheit über Bord", schimpfte der ehemalige Spion und setzte sich zu Brian, Jerry und Davin, die in ein Kartenspiel versunken waren.

„Was hat er denn jetzt schon wieder?", fragte Brian brummig und legte seufzend eine Karte ab.

„Er hat Xander und Lillien bezüglich des Elterndaseins im Wickel und dass es besser sei, sie würden wie eine *richtige* Familie zusammenleben."

„Und was genau hat das mit dir zu tun?", murmelte Brian, ohne von seinen Karten aufzuschauen.

„Xander hat nichts Besseres zu tun, als ihm von meinen Kindern zu erzählen. Jetzt musste ich mir eine halbe Stunde einen Vortrag über väterliche Pflichten anhören", stieß Taras genervt hervor und schenkte sich ein Glas Wurzelschnaps ein.

„Dass er eine weltlichere Ansicht als du hat, kannst du ihm nicht übel nehmen. Ich finde es nur lästig, dass er kein Ende findet und ein Thema ewig ausdiskutieren muss", nuschelte Davin gähnend, beobachtete jedoch aufmerksam das Spiel. Obwohl er sich erst vor Kurzem der Gruppe angeschlossen hatte, hatte er schon jetzt einen guten Draht zu den Kameraden.

Zu Brians Leidwesen.

***

„Ich meinen doch nur, dass ihr jetzt nicht mehr herumreisen können! Ihr müssen euch ein Haus kaufen und Kinder bekommen." Viggos Stimme und sein fremder Akzent schallten in Leandras Ohren.

Ihre Stimmung war auf dem Tiefpunkt. „Wer von euch hat ihm das mit der Hochzeit erzählt?" Mit zornrotem Kopf und völlig genervt betrat Leandra, gefolgt von Viggo, den Gemeinschaftsraum.

Sie selbst hatte das Thema mit der Hochzeit weit von sich geschoben, da es eine rein formelle Angelegenheit gewesen war, um an das vierte Buch zu kommen. Es war Teil des Rätsels gewesen. Die Auserwählte hatte einen Nachkommen von Rafail heiraten sollen und das hatte sie getan. Dass Davin Magie in den Adern hatte, war noch immer ungewohnt. Gerade weil er sich vehement dagegen aussprach.

Alle Blicke wanderten zu Taras, der sofort reumütig den Kopf einzog. „Ich musste das Thema wechseln, sonst hätte er mich nicht in Ruhe gelassen", gab er kleinlaut zu und füllte sein Glas mit Wurzelschnaps.

Noch bevor Leandra etwas erwidern konnte, stürmte der kleine Mann hinter ihr vor und auf Taras zu. „Nein, nein und noch mal nein! Auf meine Schiff, ihr trinken euch nicht voll", schimpfte Viggo und riss Taras die Flasche aus der Hand.

„Da geht sie hin, meine Hoffnung auf Gleichgültigkeit!“, jammerte er theatralisch und winkte Viggo hinterher, der mit dem Schnaps den Raum verließ.

Jerry stieß die Luft aus und beugte sich unter den Tisch, um mit einer neuen Flasche in der Hand hervorzukommen. „Hier nimm! Bevor der Prinz noch zur Prinzessin wird.“ Er gab der Buddel einen Schubs, damit sie über den Tisch rollte. Taras fing sie mit finsterer Miene auf.

Die Tatsache, dass Taras von dem Königshaus von Abiona abstammte, und wenn man es genau nahm, der eigentliche Thronanwärter war, sorgte immer wieder für Sticheleien unter den Männern.

Davin und Brian lachten herzlich über Jerrys Worte. Taras verschwand mit rollenden Augen aus dem Gemeinschaftsraum.

„Spätestens morgen werden wir auf Zubin ankommen und solange versuche ich, Viggo aus dem Weg zu gehen“, sagte Leandra und setzte sich auf einen freien Platz.

Seit sie wusste, dass sie die Auserwählte war, hatte sich alles verändert. Diese Gabe, wie Liam es nannte, oder Fluch, wie es in Leandras Ohren richtig klang, konnte übertragen werden, indem man sie tötete. Wenn sich das herumspräche, würde sie schnell zum Angriffsziel werden. Es fühlte sich seltsam an, die Person zu sein, von der die Zukunft der Magie abhing, doch sie hatte es akzeptiert. Auch mit dem Ringfluch, der sie und Davin aneinanderband, hatte sie sich abgefunden. Es ließ sich nicht ändern. Bis Liam eine Lösung gefunden hatte, mussten sie durch die Ringe verbunden bleiben. Die Magie, die von ihnen ausging, führte Leandra und Davin jede Nacht, sobald sie schliefen, zueinander. War einer wach, passierte dies nicht. Wenn Brian Leandra in den Arm nehmen wollte, wurden sie sofort auseinandergerissen und die Kriegerin flog in Davins Arme. Bei Taras wiederum nicht. Gefühle spielte demnach eine große Rolle. Anders war es bei Küssen. Natürlich hatte Taras das persönlich ausprobiert, um zu sehen, wann der Fluch auslöste. Mehr wussten sie über die Empfindlichkeiten dieser Magie allerdings nicht.

Liam hatte den Gefährten einige Bücher mitgegeben, die vielleicht Hinweise zum Fundort und Rätsel des letzten Buches beherbergten. Er selbst hatte keine Ahnung und konnte ihnen bei der Suche nicht helfen. Zum einen weil er sich vom letzten Kampf erholte und zum anderen war die Insel Abiona von ausgehungerten Kelpies überrannt worden. Der Zirkel, dem Liam angehörte, versuchte alles in ihrer Macht Stehende zu unternehmen, um die Bestien zu bändigen.

Leandra verscheuchte die Erinnerungen des Kampfgeschehens, die ihr einen Stich versetzten. Sie litt unter dem Verlust ihres treuen Wolpertingers Wotan, doch die Bilder, die sie im Schlaf heimsuchten – von Davin, der Selena, ohne mit der Wimper zu zucken, den Kopf von den Schultern schlug – machten ihr am meisten zu schaffen. Ihr Blick huschte zu ihrem frisch Vermählten und als hätte dieser es gespürt, fing er ihn mit ausdrucksloser Miene auf. Manchmal wünschte sie sich, sie könnte seine Gedanken lesen.

Bestimmt griff sie nach einem von Liams Märchenbüchern, die auf der Bank lagen, und wedelte Jerry zu. „Hast du schon etwas gefunden?"

Jerry verneinte kopfschüttelnd. „Ehrlich gesagt nicht den Hauch einer Ahnung. Diesmal wird es nicht so einfach werden. Weder Taras noch Xander oder Liam haben eine Idee."

Niemals zuvor war jemand, der sich mit der Suche der Bücher beschäftigt hatte, so weit mit seinen Recherchen gekommen. Die Kriegerin wunderte sich daher nicht im Geringsten.

Leandra stand auf und schlurfte durch das Schiff Richtung Schlafplatz. Denselben Weg war sie damals gegangen, als der Klabautermann sie unter Deck gelockt hatte. Diese Erinnerungen trieben ihr ein Schmunzeln auf die Lippen. Damals war alles im Rohbau gewesen. Heute erinnerte nichts mehr an das Geisterschiff, das vor Jahren von einem kleinen Kobold besetzt gewesen war. Wie unsicher sie sich gefühlt hatte. Wie aufregend dieses Abenteuer gewesen war! All das hatte sie schon bewältigt und ermutigte sie in höchstem Maße zu dieser letzten Suche. *Das letzte Buch.* Ein Schauer breitete sich in ihr aus. *Ein letztes Abenteuer.* Es war überlebenswichtig, es so schnell wie möglich zu beschaffen, denn würde sie es nicht tun, würde jemand versuchen, ihr diese Gabe abzunehmen.

Wo sich das letzte Buch wohl versteckt hielt? Das erste hatte Tim geborgen. Das zweite hatte die Kriegerin mit ihren Kameraden im Elfenwald gefunden. Nummer drei war bei den Zwergen versteckt und vier bei den Kelpies in einer Truhe in einem See verwahrt gewesen.

Leandra entzündete eine Kerze und stopfte sich ein Kissen hinter den Rücken. Ihre Lesemotivation war absolut im Keller und sie überflog die Geschichten halbherzig.

Prinzen, die Drachen ritten, Prinzen, die Prinzessinnen retteten, ein fliegender Frosch, der eine junge Prinzessin begleitete. Diese Geschichten waren alle nicht die, die zu den Büchern gehörten. *Prinzen und Prinzessinnen …* Leandra seufzte.

Eines Nachts im Vollmondschein,
da wollten zwei allein sein.
Sie liefen in den Wald sehr schnell,
der Mond erleuchtete die Lichtung hell ...

Ein Kloß, der sich nicht schlucken lassen wollte, bildete sich in ihrem Hals. Die Geschichte hatte zur Findung des Wolpertingers beigetragen. *Wotan ...*

Mit schnellem Blinzeln schaffte sie es, die aufkommenden Tränen zurückzuhalten. Schnell schlug sie das Buch zu. Die Tür zur Kajüte öffnete sich und Davin kam herein. Sein braunes Haar war akkurat frisiert. Wie immer wirkte er ausgeruht und kampfbereit. Wie er das machte, war Leandra schleierhaft.

„Was ist los? Du siehst genervt aus", sagte er und löste seinen Waffengürtel.

Sie verzog das Gesicht und legte das Buch zur Seite. „Ich bin gerade über eine alte Geschichte gestolpert, die mich an Wotan erinnert."

Davin setzte sich neben Leandra, ohne sie anzuschauen. „Ehrlich gesagt fehlt mir der kleine Kerl auch ein wenig. Ich glaube, wir wären gute Freunde geworden", gestand er ernst.

Leandra musste grinsen. Sie wusste, dass sich Davin mit dem Wolpertinger schwergetan hatte, aber Wotan hatte komischerweise oft seine Nähe gesucht. Sie griff nach seiner Hand, was ihn aufschauen ließ, und drückte sie sanft. „Danke", flüsterte sie.

„Für?" Seine blauen Augen fixierten sie.

„Für alles. Dass du das eben gesagt hast, dass du uns begleitest, dass du mir das Leben gerettet, dass du mich geheiratet hast, um dann mit mir in einen Fluss voller hungriger Kelpies zu springen. Danke einfach für alles!“ Ihr Herz schlug schneller. Sie wusste, dass sich ihr Kindheitsfreund nicht aus Abenteuerlust ihnen angeschlossen hatte, sondern nur wegen ihr. Dieses Danke war schon lange überfällig.

Davin streichelte mit seinem Daumen über Leandras Handrücken. Er gab keinen Ton von sich, sondern heftete seinen Blick auf die ineinander liegenden Hände. Eine Zeit lang saßen sie so nebeneinander und Leandra befürchtete, dass er ihren Herzschlag hörte, so still war es. Diese Vertrautheit war nicht neu und doch fremd. Zu oft hatte sie sich einreden wollen, dass sie nicht mehr als Freundschaft für ihn empfand, doch das Kribbeln in ihrem Bauch war ein verräterisches Zeichen, das sich immer öfter meldete.

„Es ist spät und wir sollten schlafen gehen“, durchbrach er die gespenstische Ruhe und legte ihre Hand auf ihren Oberschenkel.

Die junge Kriegerin hatte einen wunden Punkt angesprochen. Davin wollte nicht hier sein, um sich an der Suche nach den Büchern zu beteiligen. Er mochte auch nicht der Nachfahre eines gefährlichen Magiers sein. Doch er wollte bei ihr sein und versuchte, sein Bestes zu geben. Leandra bewunderte ihn dafür.

Mit einem lauten *Rums* und einer heftigen Erschütterung wurde Leandra aus dem Schlaf katapultiert.

„Was war das?“, fragte Davin, der dicht bei ihr lag.

Taras und Jerry waren die Ersten bei der Tür und schauten auf den Flur hinaus.

Ein ungutes Gefühl machte sich in der Kriegerin breit. „Was ist los?“, fragte sie, nachdem Taras mit gezogenem Schwert auf den Flur trat.

Jerry legte einen Zeigefinger auf den Mund, um Leandra anzudeuten, dass sie still sein sollte. Irritiert schaute sie sich in der Kajüte um und stellte fest, dass weder Lillien noch Xander oder Brian anwesend waren.

Was geht hier vor? Während Leandra ihr Schwert zog, war Davin schon aus der Tür getreten.

Warum war alles so still? Zu still. Sie huschte in den Flur und sah keinen ihrer Kameraden.

Auch aus der Kajüte, in der die Elfen untergekommen waren, drang kein Mucks.

Leandra umklammerte ihr Schwert mit beiden Händen. Ihr Herzschlag war ruhig, doch jeder einzelne Muskel spannte sich an. Die hölzerne Treppe, die an Deck führte, knarrte bei jedem Schritt. Die Stille war erdrückend. Ein ungutes Gefühl überkam die Kriegerin. Das Schiff schaukelte sachte, doch es war nicht das einzige, das hier lag.

„Überraschung!"

Leandra zuckte zusammen und wäre vor Schreck fast die Treppe runtergefallen. Um sie herum hatten sich nicht nur die gesamte Schiffscrew und ihre Gefährten versammelt, sondern auch einige altbekannte Gesichter von früher. Cliff, Sculley, Jesse, Zac, einige Elfen und sogar Mariella und Felizitas erkannte Leandra auf den ersten Blick. „Was ist hier los?", stotterte sie und ließ das Schwert sinken.

Xander wollte gerade antworten, als Viggo vortrat. „Eine Fest für dich!" Er zeigte auf das aufgebaute Frühstück, das vorbereitet worden war.

Lillien drückte Leandra fest an sich und flüsterte ihr ins Ohr: „Wir dachten, die Auserwählte könnte mal einen ruhigen, stressfreien, ungefährlichen und normalen Tag gebrauchen."

Leandra lugte zu Taras, der Mariella fest im Arm hielt. Das Mädchen war gewachsen und wirkte nicht mehr so kindlich, wie sie es in Erinnerung hatte. Xander hatte seine kleine Tochter auf dem Arm, die sich immer wieder schüttelte vor Lachen, wenn sie mit ihrer Hand über seinen Dreitagebart streichelte. Davin unterhielt sich angeregt mit einem fremden Mann. Brian und Jerry standen mit Jesse, Sculley und ein paar Elfen zusammen. Viggo gab seiner Crew Anweisungen. Alle wirkten entspannt und zufrieden.

Leandras Herz machte einen Hüpfer. „Das ist so verrückt. Danke!"

Lillien nahm ihre Hand und zog sie zu den Getränken. „Sculley hat extra Waldwein von den Elfen mitbringen lassen." Die Meisterin schenkte Leandra ein und prostete ihr zu. Die Gefährten hatten den Wein das erste Mal bei den Elfen getrunken. Tamir, der Elfenkönig, hatte den Menschen als Dank ihrer Rettung ein großes Fest organisiert. Seither waren sie enge Verbündete.

„Die kleine Prinzessin … schau dich nur an, was für eine hübsche junge Frau aus dir geworden ist." Cliff hatte sich den beiden Damen von hinten genähert. Leandra hatte ihren alten Mitschüler schon ewig nicht mehr gesehen. Sie erinnerte sich noch gut an seine Skepsis ihr gegenüber. Er hatte sich über den weiblichen Zuwachs in Xanders Schülergruppe am wenigsten gefreut.

„Das letzte Mal, als wir uns begegnet sind, hast du mich zu Ullrich geschleift, wie kommt es, dass du jetzt auf unserer Seite stehst?", fragte Leandra und zog eine Augenbraue nach oben.

„Dinge ändern sich." Er hob die Schultern hoch und inspizierte sie von oben bis unten, was ihr unangenehm war. Sein Blick blieb an dem Ring an ihrem

Finger hängen, bevor er den Weg zu ihren Augen fand. „Sieben Jahre ist es her, seit wir dich aufgesammelt haben, und ich muss zugeben, ich habe dir damals höchstens ein halbes Jahr gegeben, bevor du versuchst, aus der Ausbildung rauszukommen."

„Ich hab dir gleich gesagt, du unterschätzt sie", stichelte jetzt Zac, der genauso aussah wie früher. Seine braunen Haare standen wild zerzaust vom Kopf.

Leandra konnte nicht glauben, dass die beiden hier waren. Sie fühlte sich in ihre Jugend zurückversetzt, nur dass sie jetzt älter und reifer waren. Die Kriegerin strahlte übers ganze Gesicht und die drei führten ein angeregtes Gespräch. Sie erfuhr, dass Lillien sie aufgesucht hatte, um sie für ihr Trainingslager anzuheuern. Die Meisterin hatte allerhand ehemalige Schüler von Xander oder Spione, die mit Taras zusammengearbeitet hatten, ausfindig gemacht, und versucht, sie für die Gruppe zu gewinnen. Zum größten Teil war ihr das gelungen.

Leandra hatte nicht den Hauch einer Ahnung, was die anderen im Hintergrund alles erreicht hatten. Sie hatte sich so sehr mit der Büchersuche und der Recherche beschäftigt, dass sie alles andere ausgeblendet hatte. Natürlich waren die einen oder anderen Informationen durchgedrungen, aber nicht in dieser Ausführlichkeit, in der Leandra dies eben erfahren hatte.

Kaum waren die ehemaligen Mitschüler verschwunden, kam Jesse auf sie zu. Die Narben in seinem Gesicht erinnerten die Kriegerin an den Kampf mit Tim im Zwergendorf. Sein Gesicht war damals völlig zerschnitten gewesen. „Also ich muss schon sagen, du überraschst mich immer wieder aufs Neue", flötete er und drückte sie zur Begrüßung fest an sich.

Sofort stieg Panik in Leandra auf. *Der Ringfluch.* „Oh, pass auf, umarmen kann ganz schön schnell komisch werden", warnte sie und schob ihn sanft von sich.

„Ich habe es schon von Davin berichtet bekommen", sagte er lachend und nahm ihre Hand, um den Ring zu mustern.

„Komische Geschichte, nicht wahr?", fragte sie verhalten und spürte, dass sie beobachtet wurde.

Brian stand abseits an der Reling und war von zwei Elfendamen umzingelt. Eine davon, wie hätte es auch anders sein sollen, war Lira.

Leandra schaute mit hochgezogenen Augenbrauen zu der jungen Frau, die ihn anschmachtete. Seit dem Tag, an dem die Menschen auf die Elfen getroffen waren, hatte sich die junge Elfe Hals über Kopf in Brian verliebt. Früher hatte sie Eifersucht verspürt, doch dem war nicht mehr so. Sie hatte vor einigen Wochen wahrgenommen, dass sie nicht mehr das für den Krieger fühlte, was sie noch vor einem halben Jahr empfunden hatte. Brian wie auch sie hatten sich in verschiedene Richtungen entwickelt. Sie war entschlossener und mutiger denn je und er stand ihr mit seinen tadelnden Worten immer öfter im Weg und bremste sie aus. Seit sich Davin ihnen angeschlossen hatte, spürte sie dies nur noch deutlicher. Er löste Gefühle in Leandra aus, die Brian schon lange nicht mehr hervorrief.

Sie lauschte nur halbherzig den Worten von Jesse, der ihr ebenfalls von dem neuen Lager berichtete. „… Lillien und die Elfen haben wirklich Großes geschaffen!", beendete er den Satz und verabschiedete sich.

Brian drückte sich an den beiden Elfen vorbei und bahnte sich einen Weg zu Leandra. „Wahnsinn, was hier los ist, oder?" Er prostete ihr mit einem Becher zu.

„Ja, so viele alte Gesichter. Von manchen hätte ich nicht gedacht, dass wir sie noch einmal sehen." Sie lächelte und musterte ihren Kameraden. Sie verdankte ihm so viel und hoffte inständig, dass sie ein freundschaftliches Verhältnis beibehalten könnten. Ihre Gefühle ihm gegenüber hatten sich verändert. Sie hatte sich verändert.

„Ich sehne den Tag herbei, an dem wir endlich ohne jegliche Einschränkung zusammen sein können", flüsterte er.

Leandra versetzte es einen Stich. Immer wieder hatte sie versucht, ihm klarzumachen, dass sie keine Beziehung mehr wollte. Immer wieder hatte er darauf beharrt, dass sie unter dem Einfluss der Ringe stehe und es sich ändern werde, wenn sie dieses Ding los sei.

Leandra wusste es allerdings besser. Ihre Gefühle und Gedanken wurden nicht beeinflusst, sie hatte ihm schon vor der Hochzeit klar gesagt, dass sie den Abstand brauche.

„Ich dachte, sie ist verheiratet", ertönte jetzt die Stimme von Lira, direkt neben Brian.

„Woher hast du denn diese Information?", fragte der Krieger genervt und drehte sich zu ihr um.

„Bist du nicht auch verheiratet?", stellte Leandra jetzt die Gegenfrage und erntete einen überheblichen Blick.

„Das ist was anderes", entgegnete die Elfe und stützte die Arme in die Seite.

„Lira! Jetzt hör doch um Himmels willen endlich auf! Ich weiß nicht, ob und wann du es verstehst ... Ich liebe diese Frau hier und möchte keine andere!", knurrte er streng und drehte sich mit verliebtem Blick zu Leandra.

Eigentlich hätten ihr diese Worte schmeicheln müssen, doch das taten sie nicht.

Lira stapfte wütend davon und die Krieger standen sich unbeholfen gegenüber. Vermutlich erwartete Brian eine Reaktion, doch Leandra presste nur die Lippen aufeinander, um diesem vorhersehbaren Diskussionsthema aus dem Weg zu gehen.

„Lass uns zu den anderen gehen, das ist deine Feier und da sollte die Hauptperson nicht fehlen“, beschloss er und beugte sich zu ihr vor, um ihr einen Kuss auf die Stirn zu geben.

„Brian!“ Leandra wollte zurückweichen, doch es war zu spät. Die unsichtbare Macht ergriff sie und schleuderte sie an Davins Seite. Der Krieger, der nicht damit gerechnet hatte, ließ seinen Becher fallen und fing Leandra im letzten Moment auf. Das Herz klopfte ihr bis zum Hals.

Brian zog schuldbewusst seinen Kopf ein und biss sich fest auf die Zähne.

„Ist dir eigentlich aufgefallen, dass uns das andersrum noch nicht passiert ist?“, sagte er in ernstem Ton und half ihr, sich aufzustellen.

„Haha, sehr witzig“, entgegnete sie genervt, auch wenn ihr Herz bedeutend schneller schlug.

Die Feier dauerte den ganzen Tag und sie genossen die Unbeschwertheit in vollen Zügen. Am Abend trottete Leandra nach unten, um ihre Sachen zu packen. In der Nacht wollten sie das Schiff verlassen, um mit den anderen nach Zubin zu segeln. Das neu errichtete Lager wartete darauf, erkundet zu werden.

„... mir fehlen drei von diesen Fläschchen, Taras. Sie sind nicht ungefährlich. Sie heilen zwar jemanden sehr schnell, aber sie haben leider auch eine Schattenseite.“

Leandra erkannte Felizitas' Stimme. Die Geliebte von Taras war nicht nur die Mutter seines zweitgeborenen Kindes, sondern auch eine ausgezeichnete Heilerin.

Die Kriegerin musste an den beiden vorbei, um zu ihrer Kajüte zu kommen. Sofort erfüllte Stille den Flur. „Lasst euch von mir nicht stören", entschuldigte sie sich.

„Feli vermisst, seit wir wegen der Schnabeltiermilch bei ihr waren, drei kleine Fläschchen aus ihrem geheimen Vorratsraum. Weißt du vielleicht etwas darüber?", fragte Taras.

Leandra erinnerte sich an ihren Besuch, doch von Fläschchen oder einem geheimen Raum wusste sie nichts. Verneinend schüttelte sie den Kopf.

„Vielleicht hat sie Mariella genommen, sie kennt dein Versteck", versuchte Taras, eine Erklärung zu finden, und fuhr der Frau beruhigend über die Oberarme.

„Sie weiß, dass sie da nicht allein reindarf", entgegnete diese kopfschüttelnd. Sie schürzte ihre Lippen, eine Angewohnheit, die Leandra hin und wieder bei ihr gesehen hatte. In ihrem Blick lag große Sorge.

Ein lautes Knarren unterbrach die Überlegung. Brian torkelte angetrunken die Treppe hinunter. „Hier ist aber schwer was los!", lallte er, zeigte auf die drei im Flur und rief nach Jerry.

„Was wird das denn?", fragte Leandra und musterte ihn von oben bis unten.

„Der Meister hat gesagt, wir sollen die Taschen packen, also machen wir, was der Meister befiehlt", rief er und hob belehrend den Zeigefinger.

Mit einem lauten Poltern und schneller, als man reagieren konnte, rutschte Jerry kopfüber die Treppe hinunter und schlug mit dem Schädel die gegenüberliegende Wand ein.

„Ach du lieber Himmel“, schrie Felizitas und hob schockiert die Hände vor den Mund.

Brian musterte den Krieger, der sich seinen angestoßenen Kopf hielt. Leandra konnte ihren nur schütteln.

„Trottel“, schimpfte Taras und versuchte, Jerry hochzuziehen.

„Ohu Wai … Das war ein rasanter Abstieg“, nuschelte dieser und ergriff Taras' Hand, die er ihm entgegenstreckte. „Ahhh Spreißel!“, fluchte Jerry und zog sofort die Hand zurück.

Leandra konnte nicht mehr an sich halten und lachte laut los. Felizitas eilte zu Taras und hievte mit ihm den Verunglückten auf die Füße.

„Komm mit, ich ziehe den Splitter raus“, sagte die Heilerin.

Jerry grinste sie breit an.

„Benimm dich!“, warnte ihn Taras und verpasste ihm einen Schlag auf den Hinterkopf.

Trainingslager

Sculleys Schiff war mit Viggos vertäut worden und über eine Planke brachten die Krieger und Weiterreisenden ihr Hab und Gut von einem Schiff aufs andere.

Mit einem dumpfen Geräusch rollten zwei Elfen ein Fass Wein in die Mitte des Oberdecks. Jubel brach aus und vier andere Elfen spielten auf Instrumenten lustige Lieder. Umgehend entstand eine Tanzfläche, die Taras mit Felizitas lachend eröffnete.

In Leandras Augen waren die beiden ein schönes Paar, doch Taras würde sich nicht binden, dafür war er ein zu großer Lebemann und genoss seine Freiheit in vollen Zügen.

„Das ist so ein verrückter wilder Haufen, ich bin froh, dass ich mich euch angeschlossen habe“, gestand Davin und reichte Leandra einen Becher. „Danke“, sagte er noch und prostete ihr zu.

„Für was?“ Sie hob den Becher und ließ ihn sachte gegen seinen stoßen. Davin wirkte unbeschwert und glücklich. Das Strahlen seiner Augen aus Kindertagen war zurückgekehrt und bereitete ihr ein Kribbeln im Bauch.

„Hmm, lass mal überlegen. Danke, dass ich Teil dieser Gruppe sein darf, dafür, dass du Teil dieser Gruppe bist, dass du mich überredet hast mitzukommen, dass ich an deiner Seite kämpfen und dir immer wieder das Leben retten darf. Danke für dieses Abenteuer und danke für dein Vertrauen in mich!“

Leandra grinste und prostete ihm noch mal zu. „Das mit deiner neuen Arbeit hat ja dank des Ringfluches nicht geklappt. Hast du neue Pläne nach diesem Abenteuer?“

„Ich habe mir überlegt, wenn wir den Ringfluch los sind, in Abiona zu studieren“, sagte er mit ernster Miene.

Leandra entgleisten sämtliche Gesichtszüge. Taras' Nichte, die gleichzeitig Prinzessin von Abiona und Liams Freundin war, hatte sich einen Narren an Davin gefressen. Jede Gelegenheit, ihm zu erklären, wie unnütz seine Ausbildung gewesen war, hatte sie genutzt. Luna war sogar so weit gegangen, ihm einen Platz an ihrer Universität zu sichern. „Das meinst du nicht ernst?!“

„Hey, warum denn nicht? Dort gibt es bestimmt einige hübsche Frauen und nach meinem Abschluss bin ich Luna gleichgestellt, ich könnte mich mit der Prinzessin zusammentun.“ Seine Miene war undurchdringlich.

Leandra wurde heiß und kalt zugleich. Sie starrte ihn mit offenem Mund an und suchte nach den richtigen

Worten. *Er will was?!* Sich Davin mit einem Stapel Bücher unter den Arm geklemmt vorzustellen war nicht so einfach.

Nach ein paar Sekunden des Schweigens lachte er laut los und hob ihr die Hand entgegen. „Das war ein Scherz! Komm, lass uns tanzen gehen", forderte er sie auf.

Die Anspannung, die sich breitgemacht hatte, fiel von der Kriegerin ab. Für einen Augenblick hatte sie wirklich Angst gehabt, er würde sich, nachdem der Ringfluch gebrochen wäre, verabschieden und ein neues Leben weit weg von ihr starten. Auch die Anmerkungen, dass es dort sicherlich hübsche Frauen gebe, hatten ihr einen Stich versetzt. Sie wusste, dass sie keinen Anspruch auf ihn hatte und doch wollte sie solche Worte aus seinem Mund nicht hören. Mit einem Knuff in die Seite kam Leandra der Bitte nach und ergriff seine Hand.

Davin wirbelte sie über die Tanzfläche, als hätten die beiden das Tanzen miteinander gelernt. Es war ein rundum gelungenes Fest. Leandra fühlte sich befreit. Keine Ängste, keine Sorgen, keine Probleme, einfach nur frei von allem.

„Danke, Taras!", murmelte sie dem Dunkelhaarigen zu, nachdem er seine Tochter zu Bett gebracht hatte, und sich Leandra eine Erfrischung gönnte.

„Das haben wir alle gebraucht", entgegnete er abwinkend. Seine grauen Augen wirkten im Schein der brennenden Fackel müde. Er ließ sich neben Xander nieder, der seine schlafende Tochter im Arm hielt. Es war ein seltsames Bild, die Krieger mit ihren Familien zu sehen. Während ihrer Reisen hatte sie von dieser sanften Seite nichts gespürt.

„Da muss ich dir recht geben", sagte der ehemalige Meister und übergab die Kleine an Lillien.

Leandra ließ sich neben den Ältesten nieder und schaute der Meisterin hinterher. Sie hegte viel Bewunderung ihr gegenüber.

„Schau uns an! Väter, Trunkenbolde, Krieger, Kämpfer … Vielleicht werden wir langsam zu alt für so 'nen Kram", grummelte Taras und stupste Xander an.

„Xander ist fast vierzig … du noch nicht, oder?", fragte Zac und setzte sich zu den dreien.

„Das werdet ihr wohl nie erfahren", säuselte Taras theatralisch und machte die passende Handbewegung dazu.

„Er ist ein Jahr jünger als Xander", verriet Feli, die ebenfalls Platz nahm.

Taras schaute die Mutter seiner Tochter mit zusammengekniffenen Augen an.

„Also alt!", schlussfolgerte jetzt Jerry und gesellte sich mit Brian in die Runde. An seinem Kopf zeichnete sich eine dicke Beule ab. Am sinnvollsten wäre es gewesen, er wäre nach dem Sturz von der Treppe direkt in die Kajüte gegangen und hätte sich ausgeruht.

„Pass auf, sonst hast du gleich noch so ein Horn auf der anderen Seite!", warnte Xander schmunzelnd. Seine Narbe über dem rechten Auge würde ihn vermutlich lebenslang zeichnen. Die Kämpfe mit Tim und seinen Anhängern hinterließen schreckliche Spuren. Es wurde Zeit, dass dies ein jähes Ende fand.

Die Elfen samt Tamir fanden unter Deck einen Schlafplatz. Der Rest der Truppe blieb auf Deck sitzen. Sie erzählten, bis die ersten Sonnenstrahlen den Himmel erhellten. Langsam erahnte sie die Umrisse von Zubin und so gern die Kriegerin auf dem Meer war, so sehr freute sie sich auf das Festland.

„Tim hat das Lager gut aufgemischt, aber es wurde zum Glück keiner ernsthaft verletzt", sagte Sculley und

Leandras Blick fiel auf sein Holzbein, das er seit dem Kampf bei den Zwergen trug. Genau dieses hatte er Tim zu verdanken. „Wir bräuchten einen Deckungszauber – wie die Elfen."

Lillien hatte das Lager in den höchsten Tönen gelobt und mit einer Leidenschaft beschrieben, dass Leandra voller Vorfreude das Herz schneller schlug. Alte Meister, ehemalige Schüler, Spione und allerhand Freiwillige hatten sich ihrer Sache angeschlossen. Alle wollten an ihrer Seite kämpfen, um Tim und seine Männer in die Schranken zu weisen. Niemand wollte sich ausmalen, was es bedeuten könnte, wenn ein Magier so viel Macht besaß, dass er alle neun Inseln unterjochen konnte.

Leandra wollte mehr über all diese Menschen erfahren, die auf dem Schlachtfeld neben ihnen kämpfen wollten. Pläne mussten geschmiedet werden und das nicht zu knapp. An der Großmeisterfront gab es Neuigkeiten. Die Elfen hatten einiges zu berichten und man hatte versucht, etwas über Rafail herauszubekommen. Rafail war der Magier, der die Bücher gebannt hatte, und laut Liams Vermutungen war er derjenige, der sich als Ray ausgab und Leandra in ihren Gedanken und Träumen heimgesucht hatte. Das erste Mal war sie dem auffälligen Mann auf der Insel Neva begegnet. Sein lockiges rotes Haar stand wirr unter dem Hut hervor, während sein Rabe kopfnickend auf seiner Schulter saß. Sofort verscheuchte Leandra die Erinnerungen. Auf alle Fälle stand die nächste Zeit viel auf dem Plan.

Was jedoch viel interessanter wäre: Wenn der ehemalige Meister ihnen endlich erzählen würde, was er mit der Familie des wahren Thronerben zu tun hatte. *Thronerbe … Erbe …*

Leandra musste mehrfach blinzeln. Sie stand auf und nahm verschwommen wahr, dass ihre Kameraden weiter miteinander feixten, doch sie hörte sie nicht. Sie hob ihre Hände und legte sie auf die Reling. Es war eindeutig! Sie schlief nicht und hatte die volle Kontrolle über ihren Körper. Was ging hier vor? In schleierhaften Bildern sah sie parallel zu ihrer echten Umgebung, wie sich die schmale Frau aus ihren Visionen dem Jungen zuwandte.

„Hör mir genau zu! Ich werde dort runtergehen und du wirst genau in einer Stunde nachkommen. Nimm diese Flasche an dich. Komme, was wolle, beschütze sie mit deinem Leben! Nach genau einhundert Jahren wird sie sich von allein öffnen. Solange müssen du und deine Nachkommen dafür sorgen, dass sie niemand in die Hände bekommt. Du und deine Nachkommen seid ab jetzt die Wahrer des wahren Thronerben. Hast du das verstanden?“

Er nickte eifrig.

„Guter Junge, ich bin so stolz auf dich“, sagte sie in klar hörbarem Ton und gab dem Jungen einen Kuss auf den Haarschopf. Sie drehte sich jetzt einem Mann zu. „Du musst den Zugang zur Bibliothek zerstören. Ich wirke einen Zauber, der die Leute vergessen lässt. Keine Erinnerungen an das, was geschehen ist, keine Erinnerungen an mich oder ihn!“

„Und wenn er die Auserwählte gleich findet und ihr erklärt, was sie zu tun hat?“ Der Mann wirkte nervös.

„Er muss erst einmal zu Kräften kommen. Wenn er ihr hilft, verliert er alles!“

Der Junge schluckte heftig und die Frau beugte sich zu ihm herunter. „Ich habe gehört, wie du den Bann gesprochen hast. Wir werden uns nicht wiedersehen“, sagte der Kleine. Es war keine Frage, sondern eine Feststellung. Dem Jungen liefen dicke Tränen über die Wangen.

Die Bilder verschwanden und die Stimmen versiegten. Das Trampeln von umherlaufenden Menschen war zu hören. Leandras Herz raste vor Aufregung. Sie versuchte, das eben Erlebte zu sortieren.

„Ist alles gut bei dir?“

Sie bemerkte erst jetzt, dass sich ihre Fingernägel in das Holz der Reling gebohrt hatten. Lillien hatte die Hand auf ihren Oberarm gelegt. Sie spürte die Wärme, die von ihr ausging.

Schnell schenkte sie der Meisterin ein Lächeln und nickte. Sie hatte bisher niemandem von ihren Visionen erzählt und hatte es auch nicht vor. Erst einmal wollte sie selbst herausfinden, was es damit auf sich hatte.

Sie ließ den Blick über das Deck schweifen. Niemand schien mitbekommen zu haben, dass sie kurz weggetreten war. Und das sollte auch so bleiben. Ihr Herzschlag beruhigte sich langsam. Auch Lillien schien nicht weiter nachhaken zu wollen und erwiderte ihr Lächeln.

Die Kriegerin atmete tief durch und versuchte, so gelassen wie immer zu wirken. Innerlich war sie jedoch aufgewühlt. Sie wollte wissen, was es mit den Visionen auf sich hatte. Sie waren ihr damals wie auch jetzt wie ein Blick in die Vergangenheit vorgekommen. Sie hatte noch immer keine Möglichkeit gefunden, Xander auf die Wahrer des wahren Thronerben anzusprechen, der offensichtlich etwas mit seiner Familie zu tun hatte. Als sie Liam bezüglich seiner Vorfahren hatte ausfragen wollen, war er ihr ausgewichen und hatte sie an Xander verwiesen. Das alles wollte sie geklärt haben, bevor sie von ihren Visionen erzählen würde.

Lillien beobachtete sie aus dem Augenwinkel. „Ich wüsste zu gern, was dir durch den Kopf geht“, murmelte die Meisterin. „Ich erinnere mich noch sehr gut an den Tag, an dem ich dich das erste Mal gesehen habe."

Leandra schmunzelte, auch sie hatte den Tag noch genau vor Augen, als die Frau mit den langen schwarzen Haaren vor ihr stand und ihr den Auftrag erteilt hatte, Ketten aus den Zimmern ihrer schlafenden Mitschüler zu entwenden.

„Du warst noch ein Kind und musstest dich immer wieder bei deinen Mitschülern beweisen." Lilliens Blick richtete sich Richtung Insel.

„Ich hatte es nicht einfach", gab Leandra zu und doch war es eine wundervolle Zeit gewesen, an die sie sich gern zurückerinnerte. „Du warst mir oft eine große Hilfe."

Lillien drehte sich lächelnd zu der jungen Kriegerin um. „Wir mussten bei den ganzen Chaoten um uns herum zusammenhalten! Ich freue mich, wenn wir die Bücher haben und endlich wieder Ruhe einkehrt. Ich bin dieses Rumreisen so leid."

Leandra verstand die Meisterin. Auch wenn sie nicht immer aktiv bei der Suche dabei gewesen war, hatte sie ihnen stets den Rücken freigehalten und einiges organisiert. Sie hatte ihre Tochter oft in der Obhut eines Kindermädchens gelassen, um der Truppe zu helfen. Mehr als nur einmal hatte sie die Großmeister hintergangen und versucht, sie auf andere Spuren zu führen. Auch Lillien hatte Opfer gebracht, das wusste Leandra. „Ich bin froh, dich als Freundin an meiner Seite zu haben. Ohne dich und deine guten Ratschläge hätte ich sicherlich schon den ein oder anderen Versuch unternommen, aus dieser Aufgabe auszubrechen."

„Wir sind ein Team. Das waren wir und werden es bleiben. Wenn dieser ganze Spuk vorbei ist, haben wir uns einen ausgiebigen Mädelsabend verdient." Mit diesen Worten zog die Meisterin die Kriegerin in eine Umarmung und drückte sie fest an sich.

Alle begannen, ihre Sachen zusammenzusuchen, und versammelten sich an Deck. Mariella hatte die kleine Lina auf dem Arm und stand abseits bei Brian, der mit den Kindern Blödsinn veranstaltete, damit sie nicht im Weg standen. Leandra freute sich, Mariella gesund und munter zu sehen. Feli hatte ihr während der Feier erzählt, dass sie in letzter Zeit öfter kränklich gewesen sei.

Brian machte sich gut in puncto Kinderbelustigung, das musste Leandra zugeben. Lina war ein aufgewecktes Kind, das viel lachte, und als das Schiff anlegte, übernahm Brian sie. „Na dann wollen wir mal, kleine Prinzessin", murmelte er und hob sie auf die Schultern, um mit ihr über den Strand zu galoppieren.

Es war das erste Mal, dass Leandra ihre Gefährten so ausgelassen mit Kindern erlebte. Sogar Jesse, dessen Gesicht durch einen der Kämpfe gegen Tim mit mehreren Narben gezeichnet war, war bei den Kleinen sehr beliebt.

„Hier im Lager gibt es mittlerweile sehr viele Kinder, du wirst überrascht sein", erklärte Lillien und strahlte über beide Ohren.

Das Lager hatte eine kleine Anlegestelle für zwei Schiffe. An einem der beiden Plätze lag die Atara, Xanders ganzer Stolz. Das Schiff hatte schon einige Fahrten gemeistert und die Gefährten von einer zur nächsten Insel gebracht. Erinnerungen, die Leandra nicht mehr missen wollte.

Der Weg war nicht weit und sie stellte ernüchtert fest, dass das Lager nur mäßig geschützt lag. Ein Trampelpfad führte auf einen großzügigen Platz, der den Mittelpunkt bildete. Vermutlich diente er auch für Feierlichkeiten oder Verkündungen.

Ilona, die junge rothaarige Frau, die Xander auf seiner Flucht aus dem Schloss von Lys kennengelernt hatte, eilte auf die Ankömmlinge zu. Jerry hatte in den Jahren seiner Ausbildung heimlich Kontakt zu ihr gehalten und ihr den Auftrag gegeben, sich nach Verbündeten umzuschauen. Diesen hatte sie mit größter Zufriedenheit ausgeführt.

„Ilona! Du hast alles im Griff, wie ich sehe“, lobte Lillien, die ihren Blick über die Gebäude wandern ließ.

An einigen wurden Reparaturen vorgenommen, die auf den Angriff von Tim zurückzuführen waren. An dem großen Platz lagen das hochgebaute Haupthaus und vier Hallen, die sicherlich zum Trainieren dienten. Einige Außenplätze, auf denen schon das Bogenschießen, Schwertkämpfe und andere Übungen vollzogen wurden, erstreckten sich neben den Hallen. Den äußeren Ring bildeten unzählige kleine Hütten, in denen die Krieger und ihre Familien untergebracht sein mussten.

Leandra kam aus dem Staunen nicht mehr raus. Dieser Ort war kein einfaches Trainingslager. Es war ein eigenes Dorf. Hunderte Menschen mussten hier leben, zumindest war dieses Lager doppelt so groß wie das Elfendorf Halima.

Zwei junge Knaben rannten mit Holzschwertern an ihnen vorbei und achteten nicht auf die Neuankömmlinge.

„Ihr werdet das Lager später auf eigene Faust erkunden können. Doch zuerst zeige ich euch das Gründerhaus“, erklärte Ilona mit stolzgeschwellter Brust.

Leandras Blick huschte zu ihren Kameraden. Brian und Davin stand die Überraschung mindestens genauso in die Gesichter geschrieben wie ihr, doch Jerry konzentrierte sich mit verbissener Miene auf das gesamte Umfeld. Er inspizierte alles mit ernster Miene.

„Ist alles gut bei dir?“, holte ihn Leandra aus seinen Träumereien.

Als hätte man einen Schalter umgelegt, verzog er das Gesicht zu einem zufriedenen Grinsen. „Ein interessanter Ort“, gab er zurück und sein Augenmerk huschte zu Ilona, die nervös an ihren Fingern spielte.

Was ist denn jetzt los? Der Kriegerin blieb keine Zeit, um die Situation zu deuten, denn mit einem lauten *Rums* flog eine Tür auf.

Sie standen vor einem Haus, das aus der Menge herausstach. Zum einen war es größer als die Hütten drumherum und zum anderen wirkte es pompöser.

Kasper stand mit einem breiten Lächeln im Türrahmen und machte eine einladende Handbewegung.

„Scheiße ist der Zwerg groß geworden!“ Taras trat auf den Jungen zu und wuschelte ihm zur Begrüßung durch die Haare.

„Und du bist mich immer noch nicht losgeworden“, hickste der Heranwachsende, den die Gefährten bei der Flucht aus den Bergen mitgenommen hatten. Kasper hatte sich in einem Tavernenwagen, den die Krieger entwendet hatten, versteckt und jeder Versuch, ihn auf der Insel auszusetzen, war missglückt. Der Junge hatte sich in den Kopf gesetzt, als Krieger ausgebildet zu werden, und darauf bestanden, dass sie ihn mitnahmen, was sie letzten Endes getan hatten.

„Ist alles fertig?“, zischte Ilona in strengem Ton und blähte dabei ihre Nasenflügel auf.

Der Junge nickte bestätigend. Seine Augen funkelten vor Stolz und er studierte einen Krieger nach dem anderen. Bis sein Blick auf Davin fiel. „Bist du nicht –“

„Ist hier unsere Unterkunft?“, fiel Davin ihm ins Wort und drückte sich, ohne eine Antwort abzuwarten, in das Innere des Hauses.

Leandra erinnerte sich, dass Kasper ihr ein Bündel Geld mit einem Brief übergeben hatte, das beides von Davin stammte. Warum er ihn jetzt unterbrochen hatte, war ihr allerdings ein Rätsel.

Sie folgte ihm ins Haus. Der Duft von frisch geschlagenem Holz empfing sie ebenso wie das Gefühl von Geborgenheit. Das Haus bot einen großen Gemeinschaftsraum, den sie durchqueren mussten, um zu den anderen Räumlichkeiten zu gelangen. Im unteren Stockwerk befanden sich zwei geräumige Zimmer, die Taras und Xander zugeteilt waren. Oben drei weitere, die Brian, Jerry und Leandra gehörten.

Während Leandra noch dabei war, die Gemälde an den Wänden zu betrachten, stolperte Davin in das ihr zugeteilte Zimmer.

„Das ist Leandras Zimmer“, herrschte Ilona ihn an. Über die Situation mit den Ringen schien sie noch nicht aufgeklärt worden zu sein.

„Dann bin ich hier richtig“, entgegnete er.

Ilona stieg die Zornesröte auf die Wangen, ihre Nasenflügel bebten bedrohlich.

„Er schläft bei mir“, mischte sich Leandra ein, bevor die Situation eskalieren konnte.

Brian drängte sich zwischen die beiden Frauen, stieß die Tür zu seinem Zimmer auf und ließ sie mit einem lauten Knall in die Angeln fliegen.

„Wie gut, dass mein Zimmer neben deinem liegt.“ Jerry stöhnte und öffnete die Tür gegenüber von Brians Zimmer. Alle schienen übernächtigt. Die Stimmung war angespannt.

Leandra seufzte genervt und ließ Ilona im Flur zurück, um ihre neue Unterkunft zu inspizieren. Der Raum war weitläufig und hell, ein kleiner Tisch mit zwei Stühlen bildete den Mittelpunkt. Auf der rechten Seite fand sich ein geräumiges Bett. Ein gut bestückter Kleiderschrank stand neben einem Eckschreibtisch auf der linken Seite und im hinteren Bereich nebst einem Bücherregal führte eine Tür zu einem kleinen Waschraum.

Leandra war angenehm überrascht. Aus der Wand ragte ein Rohr, aus dem, wenn man einen Hebel umlegte, gut temperiertes Wasser floss.

Davin erkannte die Chance, um sich unter dem laufenden Wasser frisch zu machen. Schneller als Leandra lieb war, entledigte er sich seiner Kleidung.

„Kannst du mich nicht vorwarnen?" Eilig drehte sie den Kopf, bevor seine Unterhose zu Boden fiel, und flüchtete aus dem Raum.

„Das ist wie ein Wasserfall, nur besser", rief er aus dem Waschraum.

Leandra erwiderte nichts und schaute aus dem Fenster, das Richtung Hauptplatz zeigte. Sie spürte die eben aufgestiegene Hitze noch sehr deutlich auf ihren Wangen. Auch wenn es ihm nichts auszumachen schien, ihr Herz pochte schneller bei dem Gedanken, dass er sich beinahe vor ihr ausgezogen hatte.

Ihr Blick blieb fest auf den Platz gerichtet. Einige Mädchen spielten fangen. Lillien hatte nicht gelogen, was die Menge der Kinder betraf. Sie schienen fest integriert in diesen Alltag und niemand störte sich an ihnen.

Es klopfte an der Tür.

„Ja!" *Wer ist das denn jetzt?*

Eine Elfe mit vorstehenden Zähnen kam mit Maßband, Stift und Zettel herein. Ein Bild, das Leandra schon zu oft gesehen hatte. Die Elfen waren begabte Näher und hatten ihnen schon viel Kleidung hergestellt. Tamir hatte versprochen, dass die Elfen sie tatkräftig unterstützten, und somit hatten sich einige von ihnen hier niedergelassen.

„Ich soll den Mann ausmessen – wegen der neuen Kleidung", flüsterte die Elfe schüchtern und presste anschließend die oberen Schneidezähne auf die Unterlippe.

Dass sich Davin ihnen anschließen würde, war nicht geplant gewesen. Für die Kriegerin hing bestimmt schon Kleidung im Schrank. Es gab kaum fleißigere Wesen als die Elfen.

Leandra rief nach ihrem Gefährten, der triefend nass, nur mit einem Handtuch um die Hüfte, ins Zimmer kam. Sofort stolperte ihr Herz und sie zwang sich, auf die Elfe zu schauen.

Schamesröte stieg dieser ins Gesicht und sie stierte sofort auf den Boden.

Was ist nur los mit ihm? Er kannte die Elfen und ihre Empfindlichkeiten und auch sie fühlte sich unwohl in ihrer Haut.

„Ha, das ist mal der Wahnsinn! Daran könnte ich mich gewöhnen", sagte er und fuhr sich mit einem zweiten Handtuch durch die Haare.

„Sie will dich ausmessen." Leandra zeigte auf die schüchterne Elfe.

„Wegen was?", fragte er die Elfe direkt.

Ihr Blick haftete noch immer auf dem Boden. Sie gab keinen Mucks von sich.

„Sie nähen dir neue Kleidung", erklärte Leandra ungeduldig. Sie eilte auf seine Tasche zu und warf ihm eine Hose entgegen, was sie umgehend bereute.

Er fing sie auf, dabei rutschte ihm das Handtuch von der Hüfte und landete auf dem Boden.

Die Elfe schien kurz vor einer Ohnmacht zu stehen und ließ ein schrilles Quieken von sich hören.

Davin zog sich seelenruhig seine Hose an, während Leandra genervt brummte. Sie wusste, welche Wirkung die Menschen auf Elfen hatten, und war sich sicher, dass auch Davin das wusste und sich einen Scherz mit der Elfe erlaubte.

„Wie du ja schon festgestellt hast, gibt es hier ein weiteres Zimmer, in dem du dich hättest anziehen können", tadelte Leandra ihn und lugte zu der Elfe.

Ihre Wangen waren röter als jede Tomate, doch sie wendete den Blick nicht ab.

„Du hast mir die Hose zugeworfen!" Er hob das Handtuch vom Boden auf.

Die Elfe verharrte wie angewurzelt auf ihrem Platz.

Davin schaute jetzt von der Elfe zu Leandra und wieder zurück. „Was?", fragte er irritiert und hob die Arme.

Leandra schob die Elfe auf den Krieger zu, um ihr zu verstehen zu geben, dass sie ihn jetzt vermessen sollte. Das Theater würde sonst nie aufhören.

Vorsichtig näherte sie sich ihm und begann, Maß zu nehmen. Davin ließ die Augen nicht von ihr ab, was diese nervös werden ließ. Immer wieder schaute sie zu ihm auf, sagte jedoch nichts.

„Davin!" Leandra riss der Geduldsfaden. Er machte das mit Absicht.

Sein rechter Mundwinkel, der verräterisch in die Höhe schnellte, wenn er seinen Charme spielen ließ, hatte ihn verraten.

Nachdem sich die Elfe Notizen gemacht hatte, verließ sie eilig das Zimmer.

„Was habe ich denn jetzt schon wieder gemacht?", fragte er gespielt entsetzt.

„Hör auf damit, die wirst du nie wieder los!“, grummelte Leandra ernst und nahm sich einen frischen Stapel Kleidung, um im Waschraum zu verschwinden. Sie legte die schmutzige Kleidung in einen dafür vorgesehenen Korb und stellte sich unter den warmen Wasserlauf. Ein herrliches Gefühl.

Ihre Gedanken glitten zu der Situation von eben und sie fragte sich, ob sie wirklich Eifersucht verspürt oder die Situation an die von Brian und Lira erinnert hatte. Auch er war damals nur zum Ausmessen mit der Elfe verschwunden und eine gefühlte Ewigkeit später zurückgekommen. Seit dieser gemeinsamen Nacht war Brian die Elfe und Leandra die Erinnerungen an diesen Betrug nicht mehr losgeworden.

Beim Abtrocknen spürte sie deutlich den fehlenden Schlaf und als sie in das Schlafzimmer trat, stellte sie fest, dass Davin bereits gleichmäßig atmend im Bett lag. Er schlummerte wie ein kleines Kind, er wirkte so ungefährlich und verletzbar. Strähnen seines dunklen Haares fielen ihm in die Stirn. Seine sinnlichen Lippen waren geschlossen und selbst im Schlaf verhielt er sich so ruhig, als wäre er darin ausgebildet, auch hier möglichst unauffällig zu sein.

Leandra legte sich neben ihn. Wenn sie es nicht getan hätte, würde spätestens der Ringfluch sie zu ihm bringen. Zweimal hatten sie versucht, getrennt voneinander zu schlafen, doch es war hoffnungslos, immer wieder erwachten sie nebeneinander.

In den frühen Abendstunden wachte Leandra mit dem Kopf auf Davins Brust auf. Einen Arm hatte er um sie gelegt und hielt sie schützend fest.

Wie waren sie denn in diese Position geraten? Ihr Herz schlug schneller. Sie mussten sich voneinander fernhalten! Sie wusste, was Davin für sie empfand und wollte keine falschen Hoffnungen wecken. Ihr Auftrag war wichtig und sie wollte sich nicht von ihren Gefühlen leiten lassen. Sie hatte sich vorgenommen, keine Beziehung einzugehen, und das würde sie jetzt durchziehen. Auch wenn ihr Herz anderer Meinung war, musste sie stark bleiben. Für den Auftrag! Obwohl sie sich in seinen Armen wohlfühlte, pikte sie ihn in die Seite. „Du tust es schon wieder", brummte sie und befreite sich aus seinem Griff.

„Tut mir leid, Macht der Gewohnheit", entschuldigte er sich murmelnd.

„Als ob du in der Ausbildung so oft Frauen über Nacht bei dir gehabt hättest", spöttelte Leandra und band sich die Haare zu einem festen Pferdeschwanz.

„Dazu werde ich jetzt keine Stellung beziehen. Ich habe einen Bärenhunger." Sein laut knurrender Magen unterstrich seine Aussage.

Leandra fühlte mit ihm. Sie hoffte auf etwas anderes als diesen milchartigen Brei, den es oft auf Schiffen zu essen gab. Sie stand auf und warf ihm ein Oberteil zu.

Im Haus war es still. Vielleicht waren die anderen schon unterwegs und schauten sich das Lager an. Nachdem Davin angezogen war, machten sie sich auf den Weg in das Gemeinschaftshaus. Leandra fühlte sich ausgeruht. Auch wenn sie nur ein kurzes Schläfchen gehalten hatte, war sie erholt. Ein weiterer Saal mit vielen Tischblöcken eröffnete sich den beiden, als sie durch die Eingangstür schritten.

Jerry saß mit Ilona an einem der hinteren Tische. Die Kriegerin steuerte geradewegs auf die beiden zu. Sie war schon sehr gespannt, wie ihre Reise weitergehen sollte, denn ewig würden sie hier sicher nicht verweilen.

„Das Ehepaar“, äußerte sich Jerry spitzbübisch, als er Leandra und Davin entdeckt hatte. Sein Haar stand wirr vom Kopf ab, als wäre er gerade erst aufgestanden.

„Habt ihr euch ein wenig ausruhen können?“, fragte Ilona und rümpfte die Nase. Sie winkte einer Frau, die in der Nähe stand.

„Die Zimmer sind der Hammer!“, schwärmte Davin.

Jerry nickte, Ilona lächelte stolz.

Eine Dame brachte Leandra und Davin etwas zu essen. Braten mit Soße, Klöße und Gemüse. Sofort wanderte ihr Blick zu Davin, der sich ein Grinsen nicht verkneifen konnte. Es war eine Anspielung auf eine weniger damenhafte Aktion, die Leandra noch gut in Erinnerung hatte. Während eines Streitgespräches hatte sie sich einen halben Knödel in den Mund geschoben und ihn fast nicht kauen können.

Sie musste lachen, als er ihren Teller zu sich zog und den Knödel in kleine Teile schnitt.

Die beiden anderen Krieger verstanden nicht, was vor sich ging, und musterten sie mit hochgezogenen Augenbrauen. Leandra würde sie nicht aufklären, ganz im Gegenteil, sie genoss ihr Geheimnis und dass Davin jede Chance packte, um sie zum Lachen zu bringen.

Jerry nutzte das Schweigen, das aufgekommen war. „Wir werden jetzt eine Weile hierbleiben, Taras und Xander haben einiges zu regeln und Lillien ist schon auf dem Weg zu den Großmeistern. Wir haben von Xander Unterrichtseinheiten zugewiesen bekommen.“

Leandra schaute fragend von ihrem Teller auf.

„Das ist ein Trainingslager und wir sind die Köpfe dahinter. Die Menschen schauen zu uns auf und wir sollen sie unterrichten, wenn wir hier sind. Also überlegt euch bis morgen einen Trainingsplan. Davin soll nach dem

Mittagessen auf einem der Plätze eine Gruppe trainieren und Leandra am Nachmittag in der Halle Parcours unterrichten. Brian ist in der Schwimmhalle eingeteilt und ich muss zum Bogenschießen."

Was?! Leandra blieb das Stück Fleisch, das sie gerade schlucken wollte, im Hals stecken. Ein Hustenanfall ereilte sie. Schnell griff sie nach dem Becher Wasser, der vor ihr stand, und trank einen Schluck.

Davin spannte seine Kiefermuskeln an. „Wir sind nicht zum Unterrichten ausgebildet." Er legte seine Gabel nieder.

„Das Lager wurde von uns gegründet. Am Anfang war es nur als Unterkunft für uns und unsere Verbündeten gedacht. Aber die Nachfrage nach Trainingseinheiten stieg und Lillien hat gehandelt. Das Lager ist wie eine Ausbildungsstätte aufgebaut, um alle Verbündeten möglichst gut für einen Kampf vorzubereiten. Tim wird keine Ruhe geben, so viel steht fest."

Leandra wusste nicht, was sie sagen sollte. Sie ließ seine Worte erst einmal sacken. „Ich soll Menschen unterrichten?" Sie mochte den Gedanken nicht, anderen Leuten ihr Wissen weiterzugeben. Sie selbst hatte ja nicht mal die Prüfung abgelegt, wie sollte sie dann andere ausbilden? Sie steckte eine gelöste Haarsträhne in ihren Pferdeschwanz zurück und wartete gespannt auf die Antwort.

„Die Leute schauen zu uns auf! Es ist unsere Pflicht." Jerry stierte sie ernst an.

„Was wissen diese Leute denn?" Leandra wurde unwohl in ihrer Haut. Bestimmt hatte man ihnen eine halbe Wahrheit präsentiert, die die Gefährten wie Helden dastehen ließ, doch das waren sie nicht. Oft genug hatte auch Glück eine große Rolle gespielt.

„Sie wissen, dass du die Auserwählte bist", flüsterte Jerry und blickte sich zu allen Seiten prüfend um, als müsste er sichergehen, dass sie niemand belauschte. Seine Augen verengten sich zu Schlitzen.

Leandra wurde heiß und kalt zugleich. Wie hatten diese Informationen so schnell hierherkommen können? Wieso hatte sie jemand überhaupt ausgeplaudert? Davin hatte Selena geköpft, damit sie dieses Wissen nicht an Ullrich weitergab, und nun wusste es eine halbe Insel?!

Ihre Hände zitterten, was Davin nicht entging. Er griff nach einer und versuchte, ihr Halt zu geben.

„Wer hat diese Information hier breitgetreten?" Seine Stimme war ruhig.

Leandra wurde schwindelig. Man konnte ihr ohne Probleme die Gabe abnehmen. Man müsste sie nur umbringen. War diese Information auch schon bekannt? Wäre sie nur nicht mit diesem Fluch geboren worden! *Fluch … Geboren …*

Ilonas Lippen bewegten sich, doch sie hörte sie nicht. Bilder schoben sich vor ihre Augen und Leandra versuchte, ruhig zu bleiben. Es war wieder eine dieser Visionen, die sich vor ihre Sicht drängte.

Der Vollmond erleuchtete den Festplatz. Es war Orla. Ihre Heimatinsel. Eine ältere Frau rannte mit einem vollen Eimer Wasser über den Platz und verschüttete in ihrer Eile die Hälfte. Das war der Tag ihrer Geburt, sie erinnerte sich an die Bilder. In einer kleinen Seitengasse stürmte die Frau in ihr Elternhaus.

Eine Frau stöhnte und schrie vor Schmerzen. Die Kriegerin blickte durch das Fenster, doch sie konnte nur die Frau sehen, die mit einem Topf das Wasser erwärmte, das sie gerade geholt hatte. Ein kleiner dunkelhaariger Junge saß in einer Ecke und verzog schmollend seinen Mund. Silas …

Wieder war ein spitzer Schrei zu hören, bevor es einige Sekunden später still wurde. Leandra wandte den Blick Richtung Firmament. Wie schon beim ersten Mal flog eine feuerrote Sternschnuppe über den Himmel Richtung Nord-Osten. Ein leises, weit entferntes Grollen erklang zeitgleich mit dem Schrei eines Babys. Ein Mann kam mit einem kleinen Bündel auf dem Arm die Treppe herunter. Er trug seine Arbeitskleidung und wirkte müde. Papa …

„Silas, schau mal, hier ist deine Schwester." Er beugte sich zu dem Jungen herunter, der vorsichtig seine Hand nach dem Baby ausstreckte.

„Ich glaube, sie heißt Leandra", sagte der kleine Junge stolz und sein Vater musterte ihn überrascht.

Die Bilder verschwanden und die Geräuschkulisse des Speisesaals kehrte zurück. Ilona musterte Leandra skeptisch, doch sie unterbrach die Diskussion zwischen Davin und Jerry nicht. *Hat sie etwas bemerkt?* Ihr wurde warm, sie nahm eine aufrechte Haltung ein, als würde sie sich aus einer Überlegung lösen.

„Wir wissen es nicht. Xander und Taras wurden vorhin von den Menschen belagert und ausgehorcht. Zuerst haben sie alles abgestritten. Doch die Leute wissen Bescheid."

„Und was bedeutet das jetzt?" Das Zittern in ihrer Stimme konnte Leandra kaum unterdrücken. Sie wollte auf keinen Fall, dass Ilona Verdacht schöpfte, deshalb brachte sie sich direkt in das Gespräch ein.

„Sie sehen in uns große Krieger und wollen ausgebildet werden." Jerry lehnte sich lässig im Stuhl zurück.

Leandra schien ihr Schauspiel so gut zu beherrschen, dass nun auch Ilona den Blick abwandte. „Hier sind doch genug andere Ausgebildete, Spione und Meister", entgegnete sie in der Hoffnung, das Gespräch wieder voll aufgenommen zu haben. Es ging noch immer um die Aufgaben, die sie erfüllen sollten.

„Sie wollen von uns ausgebildet werden", sagte Jerry mit Nachdruck, fuhr sich durch die Haare und zerzauste sie erneut.

Leandra wollte niemanden ausbilden. Sie wollte das letzte Buch finden und diese Visionen samt Fluch loswerden. Das war der Plan!

„Was, wenn jemand Leandra schaden will?", fragte Davin.

Ilona stieß ein verächtliches Schnauben aus und ihre Nasenflügel blähten sich auf. „Jeden einzelnen Krieger, Meister und Schüler habe ich höchstpersönlich überprüft."

„Und warum sollte mich das jetzt beruhigen?" Davin war so direkt wie eh und je. Er lehnte sich auf dem Tisch vor und musterte die Rothaarige provozierend.

„Stopp", unterbrach Jerry die Sticheleien. „Wir machen das jetzt und fertig. Brian macht sich gerade mit der Schwimmhalle vertraut", erklärte er abschließend und drehte sich Ilona zu.

Davin warf geräuschvoll seine Gabel auf den Teller und stand auf. Er war sauer.

Leandra tat es ihm nach und folgte ihm nach draußen. „Davin warte", forderte sie ihn auf.

„Ich werde nicht zulassen, dass dir jemand etwas antut!", knurrte er und riss die Tür einer Halle so heftig auf, dass Leandra Angst hatte, sie würde aus den Angeln gerissen.

Wie schon vermutet befanden sie sich in der Schwimmhalle und Brian zog ein paar Bahnen im Wasser. Vier Elfen saßen in der Nähe und nähten, unter ihnen war Lira.

Drei andere Männer schwammen auf benachbarten Bahnen und unterhielten sich. Jetzt war der falsche Moment, um das Thema von eben aufzugreifen, das sah Davin wohl genauso, denn er holte tief Luft und versuchte, Ruhe zu bewahren.

Nachdem Brian die beiden bemerkt hatte, schwamm er an den Rand. Das Becken war groß und bot verschiedene Bodenhöhen. Es gab mehrere Sitzmöglichkeiten und Geräte, die man für Übungen unter der Wasseroberfläche nutzen konnte.

„Habt ihr schon eure Aufgaben bekommen?“, wollte Brian wissen und drückte sich am Beckenrand ab, um aus dem Wasser zu kommen.

Mit einem verlegenen Kichern tuschelten die Elfen hinter vorgehaltenen Händen, was Leandra lächerlich fand. „Ja, anscheinend sollen wir jetzt Lehrer spielen …“, fasste die Kriegerin wenig überzeugt zusammen.

„Ich habe das Gefühl, dass hier einiges anders läuft als zuerst angenommen, Lillien und Xander können von ihrer Meistertätigkeit nicht loskommen! Sie bauen sich hier eine Art Ausbildungsstätte auf“, mutmaßte Brian und beäugte die Gerätschaften, die in der Halle standen. „Das sind alles Sachen, die in unserem alten Zuhause genutzt wurden, sie haben sie hierhergeschafft.“

Sie schaute sich um. Er hatte recht. Sie erkannte einige Dinge aus ihrer Ausbildung wieder.

„Sie wissen *es*. Alle hier!“ Davin konnte seinen Ärger nicht unterdrücken.

Brian schien nicht lange überlegen zu müssen, bevor er wusste, was gemeint war. „Ich weiß“, entgegnete er und stierte Leandra sorgenvoll an. „Ich habe schon mit Xander gesprochen. Keiner kann sich erklären, wie diese Information so schnell hierherkommen konnte.“

Sie konnten sich hier nicht frei unterhalten. Alles wirkte fremd und sie fühlten sich mit ihren neuen Rollen überrannt.

„Wir müssen jetzt erst einmal das Beste aus der Situation machen", erklärte Brian und nickte zu den Männern, die sie belauschen konnten.

Auch wenn sie keine Lust darauf hatten, bereiteten sie gemeinsam ihre Aufgaben vor. Leandra und Davin halfen Brian beim Aufbau für einen Unterwasser-Parcours. Danach trugen sie Strohpuppen auf einen der Trainingsplätze, auf dem Davin morgen unterrichten sollte. Und zu guter Letzt spannten sie Seile quer durch die große Trainingshalle.

Mission Jerry

Nachdem die drei ihre Übungsplätze hergerichtet hatten und von Xander und Taras jede Spur fehlte, suchten sie Jerry auf, der mit Ilona zusammen auf dem Außengelände fachsimpelte. Er hielt einen großen Plan in der Hand und fuchtelte mit der anderen herum, während sie ihm mit einer Laterne Licht spendete.

„Jerry scheint das Kommando übernommen zu haben", scherzte Brian und sprang seinem Kameraden, der mit dem Rücken zu ihm stand, an die Schulter.

Dieser kam ins Straucheln und ließ die Karte fallen. „Depp", raunte er Brian an.

Leandra hob den Plan auf, trat in den Schein der Laterne und musterte ihn skeptisch. Er zeigte das Lager mit all seinen vorhandenen Gebäuden und Plätzen. Doch den Zeichnungen nach zu urteilen waren noch mehr Umbauten geplant. „Was ist das?", fragte sie.

Ilona riss Leandra die Karte aus der Hand und gab sie schnaubend an Jerry zurück.

„Jerry, was ist hier los? Wo sind Xander und Taras?"

Der Angesprochene verdrehte die Augen und faltete den Plan sorgfältig zusammen. „Nichts, ich habe mir nur angeschaut, wie weit man das hier ausbauen könnte, wenn wir noch mehr Menschen finden, die sich unserer Sache anschließen wollen", murmelte er.

„Du?", hakte Brian nach.

„Ich war neugierig", bestätigte er gleichgültig und winkte einem Mann zu, der in der Nähe stand. „Ihr entschuldigt mich." Er verschwand in dessen Richtung. Ilona folgte ihm schweigend.

„Sagt mal, ist euch was aufgefallen?", fragte Leandra und stierte zu den beiden Kriegern. Jerry war kein Mensch, der organisierte. Er hielt sich meist im Hintergrund und führte Aufträge aus.

„Ja, das sieht ja ein Blinder", antwortete jetzt Davin und verzog seine Lippe zu einem verschmitzten Grinsen. „Die Kleine steht total auf ihn!"

Leandra steckte sich genervt eine gelöste Haarsträhne hinters Ohr. Darauf wollte sie nun wirklich nicht hinaus.

„Seit wir hier angekommen sind, verhält sich Jerry anders, wirkt gestresst, ständig wälzt er Pläne und studiert Karten. Sonst hängt er auch immer bei uns rum und jetzt ist er kaum greifbar", äußerte Brian seine Vermutung.

Leandra nickte zur Bestätigung. „Genau das meine ich." Ihre Überlegung wurde von einer freudigen

Überraschung unterbrochen. Xander und Cliff schritten mit John auf sie zu. Sie freute sich, ihren ehemaligen Mitschüler wiederzusehen, und erinnerte sich noch sehr gut daran, wie Cliff und John ihr die Wunde am Oberarm genäht hatten, nachdem Tim sie mit dem Dolch verletzt hatte. Die beiden waren so gut darin gewesen, dass nur eine dünne verblasste Narbe zurückgeblieben war.

„Das glaube ich nicht!" Freudestrahlend breitete John die Arme aus und schloss die Kriegerin in eine feste Umarmung.

Für einen Moment hatte sie Angst, dass er den Ringfluch auslösen würde, doch es passierte nichts. Leandras Anspannung fiel ab. Sie wussten mittlerweile, dass Gefühle hierbei eine Rolle spielten, und doch rechnete sie immer damit, gleich in Davins Arme geschleudert zu werden.

„Ist das unsere kleine Leandra von früher?", fragte John und musterte sie aufmerksam. Er trug jetzt seine braunen Haare in schmalen geflochtenen Zöpfen nach hinten gebunden. Sein gestutzter Bart und die kleine Narbe an der Wange rundeten das Bild eines ernst zu nehmenden Kriegers ab.

„Jetzt fehlt nur noch Paul", murmelte Leandra grinsend.

„Der wird nicht kommen", sagte Xander seufzend. Seinem Gesichtsausdruck nach zu urteilen beschäftigte ihn etwas. Er wirkte angespannt – sein Grinsen war schon eine ganze Weile verschwunden. Mit einer Entschuldigung huschte er zu drei anderen jungen Männern, die ihn beobachtet hatten.

„Hey, alter Mann, wie sieht es aus? Prüfung zum Meister geschafft?" Brian schlug seinem früheren Freund John auf die Schulter.

„Pass bloß auf, ich bin nur drei Jahre älter als du! Und ja, ich habe offiziell die Prüfung bestanden", bestätigte er lächelnd.

„Sag mal, Prinzessin, was genau ist dieses Camp hier?", wollte Cliff wissen. Das flackernde Licht der Fackeln ließ seine ohnehin schon dunklen Augen noch finsterer wirken. Diesen Kosenamen hatte die Kriegerin noch nie leiden können. „Wir haben mit anderen ehemaligen Schülern von Xander ein ganzes Haus zur Verfügung gestellt bekommen. Die Zimmer sind sehr komfortabel eingerichtet, als wäre es eine Unterkunft für eine längere Zeit." Cliff wusste also genauso viel wie sie.

„Wir haben die Information, dass Lillien hier ein Lager errichtet habe, mit Kriegern und Spionen, die uns im Kampf gegen Tim zur Seite stehen sollen", erklärte Brian.

„Interessant. Ich bin hier, um Neulinge auszubilden", murmelte John.

Leandras Augenbrauen schoben sich dicht zusammen. Das Unbehagen, das in ihr aufkam, wuchs mit jedem weiteren Wort. *Was wird hier gespielt?*

„Wir haben Plätze zugeteilt bekommen, an denen wir morgen unterrichten sollen, das würde für deine Worte sprechen." Brian zuckte mit den Schultern.

„Ich muss heute Nacht mit einer Gruppe jagen gehen und Cliff ist kurz vor Sonnenaufgang für die Jagd eingeteilt", erklärte John.

Sie standen noch eine Weile zusammen und mutmaßten über ihren Aufenthalt und tauschten sich über die vergangenen Jahre aus. John hatte mit einem alten Meister zusammengearbeitet und hätte dessen Werk in diesem Jahr übernehmen sollen. Es kam anders. Die Ausbildung als solche wurde nicht mehr praktiziert. Die Großmeister hatten sich auf ihre Insel zurückgezogen.

Diese Antwort hatte John erhalten, als er einen seiner Schüler zur Prüfung anmelden wollte.

Auf allen Inseln herrschten Unruhen. Die Königshäuser wurden belagert von Menschen, die wissen wollten, was es mit dem Magier und den fünf Büchern auf sich hatte. Auch die Kelpieangriffe auf Abiona hatten sich herumgesprochen und versetzten die Bewohner in Angst und Schrecken.

Es war klar, dass sich die Ereignisse nicht ewig geheim halten ließen, aber dass sich alles so schnell wie ein Lauffeuer verbreitet hatte, war überraschend.

Leandra war froh, dass John sie über die Ereignisse aufgeklärt hatte, denn weder von Xander noch von Taras wäre das zu erwarten gewesen.

Es war mittlerweile später Abend und sie hatten sich schon längst auf ihre Zimmer verabschiedet. Leandra putzte sich gerade die Zähne, als Davin nur in eine weite Hose gekleidet auf sie zukam. Er blieb im Türrahmen stehen und beobachtete sie eine Weile schweigend. Sie spülte sich den Mund mit Wasser aus.

„Was?", keifte sie, während sie den Zahnpinsel, der aus Schweineborsten und einem dünnen Zweig bestand, an die Seite legte. Ihr gingen noch immer die Worte von John durch den Kopf. Er war hier, um Leute auszubilden, weil eine neue Ausbildungsstätte geschaffen werden sollte! Die Kriegerin fragte sich, ob sie nicht schnellstmöglich die nächste Büchersuche in Angriff nehmen sollten. Wenn die Bücher erst einmal alle sicher bei Liam wären, würde der Spuk ein Ende haben. Tim würden sie in den Griff bekommen und alles wäre wieder *normal*.

Davin strich sich sein Haar nach hinten. „Nichts, ich habe dich nur bewundert", flüsterte er schelmisch grinsend.

„Das ist gruselig!“, entgegnete sie und drückte sich an ihm vorbei.

„Was ist los, kleine Kriegerin?“

Leandra setzte sich im Schneidersitz auf das Bett und löste ihren Zopf. „Irgendwas ist hier faul. Xander hat viele alte Kameraden und einige seiner ehemaligen Schüler hier versammelt, die andere unterrichten sollen. Taras habe ich seit unserer Ankunft nicht mehr gesehen und Jerry verhält sich eigenartig. Uns wurde erzählt, es sei ein Lager für Krieger, die sich unserer Sache anschließen wollen. Doch John erzählen sie etwas von einer Ausbildungsstätte. Kinder und Frauen! Hier sind überall Kinder und Frauen! Wie passt das alles zusammen?“

Davin setzte sich neben sie und lehnte sich mit dem Rücken an die Wand. „Warum denkst du so kompliziert? Vielleicht hatten sie anfangs nur Verbündete gesucht und nachdem sich auch Unausgebildete ihrer Sache anschließen wollten, haben sie beschlossen, eine Ausbildungsstätte daraus zu machen. Die Frauen und Kinder leben hier, weil es ihre Männer, Brüder oder Onkel tun. Zumindest könnte ich mir das vorstellen. Warum zerbrichst du dir darüber den Kopf? Xander wie auch Taras haben einiges zu tun, um für Ordnung zu sorgen, deshalb können sie nicht ständig bei dir und den anderen sein.“ Davin gähnte laut. „Vertrau ihnen doch einfach. Manchmal ändern sich Pläne und nehmen neue Formen an.“

Leandra schielte ihn von der Seite an, während sie sich mit den Fingern ihr Haar entwirrte. Seine Worte ergaben Sinn und wahrscheinlich mussten sich Taras und Xander erst selbst einen Überblick über dieses Lager verschaffen, denn immerhin hatten sie vor nicht allzu langer Zeit gemeinsam auf dem Schlachtfeld gestanden und sich um andere Dinge gekümmert. „Das mag ja alles sein ... aber Jerry?! Was ist seine Rolle?“

Davin überlegte einen Augenblick, während er seinen Kiefer anspannte. „Wenn du willst, kann ich bei ihm einbrechen und schauen, was er im Schilde führt“, schlug er vor.

Leandra runzelte die Stirn.

„Ich meine das ernst, er wird nicht merken, dass ich bei ihm im Zimmer war. Du kannst auch mitkommen.“

Leandra wusste, dass Davin recht hatte, er war gut ausgebildet, er hätte vermutlich die Meisterprüfung ohne weitere Ausbildung auf Anhieb bestanden. Nervenkitzel kam in ihr auf. Sie dachte darüber nach, es wirklich zu tun.

„Na los, lass uns schauen, ob er noch wach ist“, forderte Davin sie auf.

Was hatten sie zu befürchten? Wenn er wach wäre, würden sie ihn zur Rede stellen. Die zwei schlichen Richtung Jerrys Zimmer. Sie legten ihre Ohren an die Tür und lauschten. Es war nichts zu hören.

Mit einem Schulterzucken öffnete Davin die Tür, die nicht abgeschlossen war, und betrat das Zimmer. Die Gewissheit, etwas Verbotenes zu tun, ließ ihren Puls höherschlagen.

Wie vermutet war Jerry nicht anwesend. Das Zimmer glich dem von Leandra und Davin bis auf das kleinste Detail, nur dass hier ein riesiges Papierchaos herrschte. Überall lagen Unterlagen und Dokumente zwischen gestapelten Büchern.

Wie hatte er so schnell solch ein Chaos anrichten können? Leandra hob einen der Zettel auf und las ihn. „Das ist eine Liste von allen Meistern, die hier in diesem Lager sind“, stellte sie fest.

Davin reichte ihr einen anderen Zettel. „Hier sind die drauf, die die Ausbildung beendet haben."

Leandra nahm den nächsten auf, auf dem sich ihr Name wiederfand. „Die, die abgebrochen haben", murmelte sie und legte alles zurück.

Leises Geflüster war aus dem Gang zu hören. Leandra und Davin schauten sich mit großen Augen an. Es waren Jerrys und Ilonas Stimmen, die näher kamen.

Der Krieger deutete auf den Wandschrank. Leandra schüttelte den Kopf. Allerdings hatten sie keine andere Wahl und so kam sie Davins Aufforderung nach. Sie verschwanden gerade in letzter Sekunde im Versteck. Ihr Herz schlug ihr bis zum Hals und sie versuchte, zwischen all der Kleidung eine Position zu finden, in der sie eine Weile verharren konnte. Wenn Jerry sie erwischte, würde er ihnen den Hals umdrehen. Durch die Lamellen in der Schranktür beobachteten Davin und Leandra das Geschehen.

„... ich möchte eine größere Stallung haben und wir brauchen die besten Pferde, die wir bekommen können", diktierte Jerry und machte sich einen Stuhl frei, um sich darauf niederzulassen. Wieder einmal schaffte er es mit kurzen Hangriffen, seine Haare durcheinanderzubringen.

„Habe ich notiert", bestätigte Ilona und setzte sich Jerry gegenüber auf eine Kiste.

„Was würde ich nur ohne deine Hilfe machen." Er seufzte und lehnte sich auf dem Stuhl zurück. Er wirkte gestresst und müde.

Ilona schmachtete ihn an, ohne etwas zu sagen.

„Ach ja, schau, dass wir neue Stoffe von Calixto bekommen und ich will wissen, bei wem Xander unsere Schwerter hat machen lassen, ich muss eine Großbestellung aufgeben."

Die Rothaarige schrieb seine Anweisungen fleißig mit.

Leandra schielte fragend zu Davin, doch dieser zog nur die Augenbrauen nach oben. *Wieso will er Schwerter machen lassen? Darum hat sich bisher immer Xander gekümmert. Warum bestimmt er, was hier wie gebaut wird?* Das alles ergab keinen Sinn.

Jerry massierte sich mit einer Hand die Schulter. Ilona schien das als Aufforderung zu verstehen. Sie stand auf, legte ihre Notizen zur Seite und begann, ohne zu fragen, seine Schultern zu massieren. „Du bist ja verspannt! Du solltest dir wirklich Ruhe gönnen", tadelte sie und knetete ihn ordentlich durch.

„Das ist mein Herzensprojekt, das weißt du genau, ich muss schauen, dass hier alles läuft", grummelte er und hielt ihre Hand fest.

„Ich helfe dir doch! Ich schaue morgen nach dem Rechten und du gönnst dir einen Tag Pause", schlug sie vor und schlenderte um den Stuhl, um sich vor ihn zu knien.

Jerry schaute die junge Frau vor sich mit hochgezogenen Augenbrauen an. „Ilona, du machst schon viel zu viel für mich. Jetzt bin ich hier vor Ort und werde das, was möglich ist, selbst regeln."

Die Strenge in Jerrys Ton schien sie nicht im Geringsten zu stören. „Lass mich dir doch helfen", flehte sie und fuhr ihm über die Wange.

Mit einer schnellen Bewegung umgriff er ihr Handgelenk und zog sie zu sich. „Hör auf damit", zischte er.

Davin grinste bis über beide Ohren und erntete einen bösen Blick von Leandra.

„Lass uns den Abend schön ausklingen lassen", säuselte sie und begann, sich die Knöpfe ihres Oberteils aufzuknöpfen.

Ein Kloß bildete sich in Leandras Hals. Sie hoffte, dass sie und Davin jetzt nicht Zeuge deren Liebesspiels würden. Sie schloss die Augen und rieb sich die Nasenwurzel. Unangenehmer konnte diese Situation kaum werden.

Eine sanfte Berührung von Davin ließ sie wieder aufschauen. Er wackelte belustigt mit seinen Augenbrauen. Die Kriegerin verstand nicht, was daran witzig sein sollte. Sie schämte sich in Grund und Boden.

Jerry beobachtete Ilona mit Argusaugen und rührte sich nicht. Sachte glitt ihr das Oberteil von den Schultern und entblößte ihren wohlgeformten Busen.

Bitte nicht! Ich hätte jetzt gern eine Vision! Natürlich kam keine, das wäre auch zu schön gewesen.

Jerry stand auf und machte einen Schritt auf Ilona zu. Er war einen halben Kopf größer als sie und musste daher nach unten schauen, um ihr in die Augen zu sehen. Langsam näherte er sich ihrer Wange und ließ seine Lippen darüber streifen.

Ich will aus diesem Schrank, sofort!

Ilona stöhnte vor Lust. Mit beiden Händen griff er nach ihrer Taille, um sie an sich zu ziehen. Das freudige Glucksen aus Ilonas Kehle ließ darauf schließen, dass ihr gefiel, was er mit ihr anstellte.

Davins Grinsen wurde immer breiter und er schüttelte den Kopf. Er fand die Situation, in die er sie gebracht hatte, zum Lachen.

Leandra hingegen schämte sich bis auf die Knochen. Ihr Gesicht war vermutlich röter als jede Tomate. Zumindest glühten ihre Wangen, als würden sie in Flammen stehen.

Ilona drückte ihren Unterleib gegen Jerrys, als könnte sie es kaum erwarten, dass sein Körper Besitz von ihrem ergriff. Die Hände des Kriegers wanderten von Ilonas Hüfte weiter nach oben.

Leandra schloss die Augen. Um nichts in der Welt wollte sie das, was gleich passierte, mit ansehen.

„Du wirst dich jetzt anziehen und mein Zimmer verlassen! Ich habe noch viel zu tun“, zischte Jerry.

Leandra riss die Augen auf und diesmal musste sie grinsen. Erleichterung machte sich in ihr breit. Ihr angespannter Körper lockerte sich. Das hatte sie nicht erwartet. Sie kannte Jerry seit Jahren und wusste, dass er kaum eine Gelegenheit ausließ, mit einer Frau das Bett zu teilen.

Gespannt schaute sie zu Ilona, die wie versteinert dastand. Jerry bückte sich, hob ihr Oberteil auf und drückte es ihr in die Hand. Sie öffnete den Mund, doch es kam kein Wort über ihre Lippen. „Was genau hast du nicht verstanden?“, herrschte er sie an.

Mit einer schnellen Handbewegung wischte sich Ilona über die Wangen. Sie zog in Windeseile ihr Oberteil über und verließ den Raum.

„Weiber!“ Jerry stöhnte auf und fuhr sich durch die Haare. Er nahm einen Stapel Blätter in die Hand und kritzelte darauf herum.

Auch wenn die Art und Weise, wie Jerry mit Ilona umging, schrecklich war, war Leandra dennoch erleichtert, dass er sie abgewiesen hatte. Noch einige Minuten vergingen und Leandra schliefen langsam die Beine ein. Sie fragte sich, ob sie die Nacht hier drin verbringen mussten. Doch Jerry meinte es gnädig mit ihnen und verschwand nach einiger Zeit im Waschraum.

Davin zeigte Leandra an, dass sie so schnell wie möglich die Kurve kratzen sollten, was sie auch gleich taten.

„O Mann! Ich hätte dieses Bild nie wieder aus meinem Kopf bekommen!“, sagte Leandra stöhnend und ließ sich nach vorn auf ihr Bett fallen. Das Adrenalin wollte sich nicht beruhigen.

Davin lachte laut und warf sich neben sie aufs Bett. „Er hat sie eiskalt abblitzen lassen!“

Leandra, die noch immer auf dem Bauch lag, hob empört den Kopf. „Zum Glück!“

Davin schwang sich über sie und begann, ihr die Schultern zu massieren. Ein Schauer durchfuhr sie, als seine großen Hände sie sanft kneteten, auch wenn sie ihn am liebsten runtergeworfen hätte.

„Oh, du bist so verspannt, du solltest morgen mal einen Ruhetag einlegen“, imitierte er mit hoher Stimme Ilona.

Leandra musste lachen. „Hör auf“, bettelte sie und sofort ging er zu einer Kitzelattacke über. Die junge Kriegerin versuchte, sich laut lachend aus seinem Griff zu befreien. Ihr blieb die Luft weg und sie flehte japsend um Gnade. Einmal mehr stellte sie fest, dass er um einiges stärker war als sie. „Ich gebe auf“, jammerte sie und drehte sich mühevoll auf den Rücken, nachdem er seinen Griff gelockert hatte.

Jetzt kniete er über ihr, drückte ihre Hände fest auf das Bett und lachte mit ihr zusammen. „Du bist stark“, stellte er fest.

Leandra kniff die Augen zusammen. „Soll das ein Scherz sein?“ Sie lag unter ihm und hatte nicht den Hauch einer Chance, sich zu befreien.

„Ich liebe es, wenn du lachst“, flüsterte er und strahlte sie an.

Ein Kribbeln durchfuhr Leandras Unterleib und mit einem Schlucken versuchte sie, ihren trockenen Hals zu befeuchten. „Geh runter von mir!“, forderte sie lachend. Sie machte Anstalten, ihn von sich zu werfen.

Davin rollte sich zur Seite ab und blieb auf dem Ellenbogen gestützt neben ihr liegen.

Leandra rieb sich die Lachtränen aus den verschleierten Augen und drehte sich ihm zu. „Was denkst du, spielt Jerry für eine Rolle hier?“

Davin musterte sie und schüttelte langsam den Kopf. „Die Rolle eines verdammt schlechten Liebhabers“, scherzte er.

Sie warf ihm ein Kissen entgegen. „Ich meine es ernst.“ Sie schnaubte und versuchte, böse zu schauen. Leider gelang ihr dies überhaupt nicht, da sie noch immer aufgekratzt war. So herzlich hatte sie schon lange nicht mehr gelacht. Davin brachte ihre kindliche Seite hervor und das tat verdammt gut.

„Wenn ich es nicht besser wüsste, würde ich behaupten, dieses Lager gehört Jerry“, mutmaßte Davin und legte sich gähnend auf den Rücken.

Leandra dachte über seine Worte nach und fragte sich, ob das möglich war. Jerry war doch die ganze Zeit über bei ihnen gewesen, wie hätte er das alles organisieren sollen?

Das Training

Es klopfte an der Tür.

„Raus aus den Federn, ihr habt heute viel zu tun!“, hallte Jerrys Stimme von der anderen Seite.

„Auf in den Kampf“, vermeldete Davin und sprang aus dem Bett, als hätte er zehn Stunden am Stück geschlafen. Wenn es hochkam, waren es gerade mal vier gewesen.

Leandra war wie gerädert und quälte sich vor das Waschbecken, um sich frisch zu machen. Davin putzte sich die Zähne und zog sich dabei an. Leandra beobachtete ihn aus zusammengekniffenen Augen. Sie hatte Mühe, sich auf den Beinen zu halten, und er machte gleich zwei Dinge auf einmal.

„Du siehst schrecklich aus", stellte er lachend fest, nachdem sie ihre Augenringe abgetastet hatte.

„Danke, ich hab dich auch lieb", gab sie zurück und warf ein Handtuch nach ihm, das er sofort auffing. *Wieso ist er immer so ausgeruht?*

Nachdem auch Leandra es geschafft hatte, in frische Kleidung zu steigen, spazierten sie gemeinsam zum Speisesaal. „Wo ist Jerry?", fragte sie und nahm sich einen Apfel aus dem Obstkorb, der in der Mitte des Tisches aufgestellt war. Allerhand Leckereien standen hier bereit. Von Brot über Eier mit Speck, Käse, Brei bis hin zu Obst.

„Er ist mit Taras, Xander und der Rothaarigen unterwegs", erklärte Zac und biss in eine Scheibe Brot.

„Wie war die Jagd?", wollte Davin von John wissen.

„Ach hör auf, das waren acht junge Kerle, die noch nie eine Waffe in der Hand hatten, geschweige denn sich leise vorwärtsbewegten." Er winkte verächtlich ab und fuhr mit Zeigefinger und Daumen die Barthaare um seinen Mund nach. „Das Einzige, was wir gefangen haben, war einen Hasen, der schon in einer Falle saß", legte John nach und alle am Tisch lachten.

„Ich bin gespannt, was mich erwartet", murmelte Brian und schob sich einen Löffel Brei in den Mund. Er war der Nächste, der unterrichten musste. Nach dem Frühstück sollte es losgehen und Leandra wollte dem Spektakel unbedingt beiwohnen.

Drei Männer und vier Frauen warteten motiviert in der Halle und schauten wissbegierig zu Brian, der sich langsam auszog. Sein Oberkörper zeigte Narben von den Kämpfen, die sie schon miteinander durchgestanden hatten. Sie waren verblasst und dennoch eine Erinnerung an das, was geschehen war. Er stellte sich vor und fragte in die Runde, wer denn schon Erfahrung mit Parcours im Wasser habe.

Alle schüttelten den Kopf. Die nächste Frage, ob schon jemand länger als dreißig Sekunden unter Wasser gewesen sei, wurde auch verneint.

Brian linste zu Leandra, die grinsend mit verschränkten Armen an einem der Tische saß. Hatte sie bei ihren ersten Trainingsstunden auch so verschüchtert gewirkt? Sie erinnerte sich nicht mehr, doch wenn es so war, wunderte es sie nicht, dass ihre Mitschüler damals so skeptisch ihr gegenüber gewesen waren.

Davin war nicht mitgekommen, er wollte sich auf den anderen Trainingsplätzen umsehen. Keiner der Krieger hatte jemals unterrichtet und Leandra war sehr gespannt, wie sich ihr Kamerad schlagen würde. Die jungen Männer waren interessiert und folgten Brian mit großen Augen.

„Aber schwimmen könnt ihr alle, oder?“, fragte dieser vorsichtig und alle nickten eifrig. „Das ist schon mal ein Anfang“, murmelte er und wuschelte sich durch das kurz geschnittene Haar.

Die nächste halbe Stunde gab sich Brian alle Mühe. Immer wieder erklärte er geduldig, half bei kleineren Problemen und rettete den ein oder anderen vorm Ertrinken. Leandra amüsierte sich köstlich, half allerdings nach einer Weile aus. Zu zweit erzielten sie kleine Fortschritte und waren zufrieden mit sich.

Als sich der Unterricht dem Ende neigte, fing die Kriegerin einen der Schüler ab. „Hannes, richtig?“

Der blonde Mann mit Zopf blieb stehen und starrte sie aus großen Augen an. „Ja.“ Die Antwort kam zögerlich.

„Wieso bist du hier?“

„Wie meinst du das?“

„Wie kam es dazu, dass du dich hier in dem Lager untergekommen bist?", fragte Leandra weiter.

Der junge Mann löste sein Haarband, was sein schulterlanges Haar über seine Schultern fallen ließ. „Mein Onkel holte mich und meinen Bruder vor vier Wochen von zu Hause ab und erzählte uns von einer neuen Ausbildung, die von Xander gegründet wurde. Jeder kennt die Geschichten von dem Krieger und seinen Schülern, die die Bücher suchen. Natürlich wollten wir unsere Chance nutzen, um von den Besten ausgebildet zu werden."

Leandra nickte dankend und ließ den Schüler weitergehen. Vielleicht hatte Davin recht und aus dem geplanten Lager war durch die Nachfrage und den Verlust der Ausbildung ein neues Ausbildungszentrum eröffnet worden.

Zum Mittagessen saßen Davin, Brian, Ilona, Leandra und Jerry zusammen. Ihr Zimmergenosse musterte Ilona spitzbübisch und bekam von Leandra einen Tritt unterm Tisch, was Brian nicht verborgen blieb. Die Kriegerin funkelte Davin eindringlich an.

„Hab ich was verpasst?", fragte Brian und runzelte die Stirn.

Jerry schaute von seinen Unterlagen hoch und als sich keiner äußerte, richtete er den Blick wieder nach unten.

„Du denkst an deinen Unterricht." Ilonas Nasenflügel blähten sich auf, eine Angewohnheit, die Leandra schon einige Male an ihr aufgefallen war. Die Rothaarige stellte keine Frage, es war mehr eine Erinnerung an Davin. Er nickte mit breitem Grinsen.

„Hör auf damit!", flüsterte Leandra. Ihr geflochtener Zopf fiel ihr über das Schlüsselbein, als sie den Kopf schief legte.

Der Angesprochene zog nur unschuldig die Schultern nach oben.

„Was tut er denn?“

Wie hätte Leandra Brian erklären sollen, was gestern Abend in Jerrys Zimmer vorgefallen war?

Ilona blickte zu den drei Kriegern und dann zu Jerry, der keinen von ihnen beachtete. Auch Davin sagte nichts, er stocherte in den Bohnen, die auf seinem Teller lagen.

„Seit wir hier sind, hängst du ständig mit der Nase in irgendwelchen Plänen. Was machst du da überhaupt, Jerry?“, fragte Brian jetzt laut.

Der Angesprochene hob den Kopf nur zögerlich. „Ich informiere mich nur über das Lager.“ Er faltete die Blätter zusammen und reichte sie an Ilona weiter.

„Ja klar … und Ilona ist deine Assistentin oder welche Rolle nimmt sie in deinem Leben ein?“, hakte Brian nach.

Davin verschluckte sich an seinem Tee und hustete heftig, was Leandra ihm wieder einen bösen Blick zuwerfen ließ.

„Und was ist mit euch beiden los?“ Brians warme braune Augen verfinsterten sich.

„Nichts“, entgegnete Leandra und gab Davin einen Klaps auf den Oberschenkel, um ihm anzudeuten, dass er sein unterdrücktes Lachen in den Griff bekommen solle.

Mit Wucht knallte Brian sein Besteck hin und stand wortlos vom Tisch auf.

Leandra verdrehte die Augen und eilte ihm hinterher. Sie wollte nicht, dass er sich ausgeschlossen vorkam. Schuldgefühle kamen in ihr auf. Sie holte Brian bei einem der Übungsplätze ein. „Hey, warte“, rief sie und griff nach seiner Hand.

Brian zog sie schnell zurück. „Ich ertrage das nicht, Leandra! Ich kenne diese Vertrautheit, die zwischen euch herrscht!“ Seine Augen spiegelten Trauer, Hass und Eifersucht wider.

„Das ist nicht so –“

„– wie ich denke? Nein, Leandra, ich denke nicht, ich sehe! Hast du Gefühle für ihn?“ Brian hatte es so laut gebrüllt, dass sich die Leute auf dem Trainingsplatz umdrehten.

Die Situation war Leandra unangenehm und Hitze kroch ihre Wangen hinauf. „Kannst du bitte ein wenig leiser sprechen?“

Er wich ihrem Blick nicht aus, sondern stierte sie auffordernd an. „Beantworte meine Frage“, forderte er.

Sie konnte sie ihm nicht beantworten, denn sie war gerade dabei, es herauszufinden. „Bitte, Brian –“

„Schläfst du mit ihm?“

Diese Frage traf Leandra wie eine Ohrfeige. Was erlaubte er sich hier überhaupt? Sie vor den Leuten so bloßzustellen.

„Nein, tut sie nicht.“ Davin schlenderte auf die beiden zu.

Brian betrachtete ihn feindselig. Diese Situation konnte nur böse enden.

„Davin, halt dich da raus“, bat Leandra ihn, doch Brian hastete auf ihn zu.

„Ich kenne die Geschichten von dir und deinen Kameraden. Sie ist mehr wert als das! Wenn du sie anfasst, garantiere ich für nichts“, zischte er und stapfte mit schnellen Schritten über den Platz.

Noch immer waren alle Blicke auf Leandra gerichtet, die am liebsten im Erdboden versunken wäre. Diese Eifersuchtsnummer war zu viel des Guten.

„Es tut mir leid." Davin spannte seinen Kiefer an.

Leandra ließ ihn stehen. Sie musste hier weg und zwar schnell. Ihre Füße trugen sie zu der Halle, in der sie bald ihren ersten Unterricht geben sollte.

Sie lief auf und ab. Sie war sauer! Sie wollte nicht, dass Brian so von ihr dachte! Auch wenn sie sich von ihm getrennt hatte, stieg sie nicht gleich mit einem anderen ins Bett.

Na ja, im Grunde steige ich schon mit Davin ins Bett. Sie stieß einen genervten Schrei aus, weil sich selbst ihre Gedanken über sie lustig machten.

Sie wollte Brian nicht verletzen, auch wenn sie ihm gegenüber zu nichts verpflichtet war. Sie hatten eine schöne gemeinsame Zeit erlebt und das wollte sie nicht wegen falscher Vermutungen und Eifersüchteleien kaputtmachen. Die Freundschaft zu ihm war ihr wichtig.

Wütend trat sie gegen eine der Übungspuppen, die hier herumstanden. Das tat gut. Ihre Angespanntheit schien sich zu lösen. Sie zog sich die Schuhe aus. Wieder holte sie aus und verpasste der Puppe einen zweiten Tritt. Diese wankte gefährlich hin und her. Ein weiterer Kick folgte und daraufhin der nächste … Leandra ließ ihrer Wut freien Lauf.

Aus Tritten wurden Schläge. Schweiß lief ihr über Gesicht und Rücken. Sie war sauer und wütend, aber vor allem hochkonzentriert. Ein Tritt für ihr Liebesleben! Einer für ihre Bestimmung! *Einer für Tim … und Ray …*

Ein kurzes Flirren in der Luft ließ Leandra wissen, dass sich eine der Visionen ankündigte. Nein! Nicht jetzt! Weiterhin trat sie auf die Puppe ein und versuchte, die Bilder aus ihrem Kopf auszuschließen. Vergeblich. Statt des dumpfen Geräuschs der Tritte hörte sie das Rauschen des Meeres und sah ein großes Schiff, an dessen Reling ein dürres Männlein stand.

„Einhundertelf Jahre, Krakur." Der Mann mit langem Mantel und großem Hut beobachtete eine langsam näher kommende Insel.

„Es ist fast schon Hohn, dass dieses Mädchen genau auf der Insel landet, auf der wir das vorletzte Buch gebannt haben."

„Wir müssen uns einen Magier suchen und das Mädchen. Wir müssen das Buch befreien, ich muss zu Kräften kommen." Ray ballte wütend die Fäuste und zerknitterte einen vergilbten Zettel.

Ein leises Surren war aus der Ferne zu hören. Reflexartig drehte sich die Kriegerin um und trat das, was gerade auf sie zuflog, mit einer schnellen Bewegung weg.

Ein stechender Schmerz durchfuhr sie. Sie biss die Zähne zusammen. Blut machte sich unter ihrem linken Fuß breit. Sie suchte nach dem Gegenstand, der sich in einer Ecke drehte. Es war ein Dolch. *Scheiße!* Keine Sekunde zu früh hatte sich die Vision aufgelöst, sonst würde die Kriegerin vermutlich mit durchbohrtem Rücken auf dem Boden liegen. Ihr Herz raste und das nicht mehr nur vor Anstrengung. Jemand hatte sie attackiert!

Wer war das? Zornig starrte Leandra zur Tür, durch die Taras mit fünf Leuten schlenderte. „Und so was könnt ihr dann auch in ein paar Jahren", erklärte er und die anderen plapperten wild durcheinander.

Brian stand ebenfalls bei der Gruppe. Leandras Herz setzte einen Schlag aus. Mit ihrem Oberteil wischte sie sich den Schweiß von der Stirn.

„Ich habe ihn gebeten, dir zu helfen", erklärte Taras und klopfte ihr auf die Schulter. Die Kriegerin hatte die Zeit völlig vergessen und musterte die fünf jungen Männer, die zum Teil älter waren als sie.

Brian lehnte sich an einen der Pfosten, an denen sie gestern die Seile befestigt hatten. Seinem Blick nach zu urteilen war er nicht freiwillig hier.

Taras verließ den Raum schneller, als er ihn betreten hatte.

Leandra holte tief Luft und herrschte den Ersten an, auf das Seil zu gehen. Sie fragte weder, ob er das schon einmal gemacht hatte, noch, ob er wusste, auf was er zu achten hatte. Auf eine Vorstellungsrunde verzichtete sie. Sie hatte keine Lust, die Lehrerin zu spielen, und die Anwesenden wussten vermutlich sowieso, wer sie war.

Brian kletterte wortlos mit dem jungen Mann nach oben und nahm sich die Zeit, um Informationen über sein Können einzuholen.

„Meinst du nicht, dass du deinen Fuß verbinden lassen solltest?“, fragte jetzt ein dunkelhaariger junger Mann, der vielleicht in Brians Alter war.

Das Brennen ihres Fußes ignorierte die Kriegerin gekonnt. Sie war schon so oft verletzt worden, dass sie Schmerzen gut kontrollieren konnte. Aber auf Belehrungen von unerfahrenen Schülern konnte sie verzichten.

„Runter, dreißig Liegestütze!“, fuhr sie ihn an und wischte sich eine verschwitzte Haarsträhne aus dem Gesicht.

Er beäugte sie irritiert. Gerade als er etwas erwidern wollte, stürmte Leandra auf den Mann zu, der sie ein gutes Stück überragte. „Wenn ich deine Meinung hören will, dann frage ich danach!“

Er nickte stumm und begab sich auf den Boden.

Leandra musterte die anderen drei. Als erste Übung für diese zog sie mit einem langen Stock eine Linie auf den Boden. Sie erklärte ihnen anhand einiger

Trockenübungen, wie sie über das Seil zu balancieren hatten, und schickte sie einen nach dem anderen zu Brian hoch.

Der Dunkelhaarige reihte sich nach seinen Liegestützen in die Reihe ein. Immer wieder stürzten die Teilnehmer unsanft auf den Boden.

Nachdem Leandras Wut verflogen war, nahm sie sich jedem Einzelnen an und erklärte ruhig und sachlich, wie sie am besten das Balancieren über das Seil trainierten.

Ihre Schüler waren interessiert und lernwillig, was die Situation erleichterte. Sie gaben sich Mühe und schlugen sich gut. Die Kriegerin erinnerte sich an den Unterricht bei Lillien und wie sie ständig diese Parcours hatte bewältigen müssen. Immer wieder war sie gefallen und immer wieder mit neuer Motivation nach oben gestiegen.

Nachdem alle den Aufstieg auf das Seil allein schafften, begab sich Brian nach unten und stellte sich zu Leandra.

„Ich glaub-“, begann er, doch Leandra unterbrach ihn sofort.

„Ich gebe Unterricht! Deine Vorwürfe können bis nachher warten.“ Ihr Blick war starr nach oben zu ihren Schülern gerichtet. Ihre Wut war gerade erst verklungen und das sollte auch dabei bleiben.

Der Erste betrat das Seil und nach kurzem Wanken schaffte er es, das Gleichgewicht zu finden, und bewegte sich zwar zittrig, aber dennoch ohne Absturz über das Seil.

Leandra jubelte und auch die anderen klatschten Beifall. Motivierend rief sie dem Nächsten zu, dass auch er es schaffte, wenn er sich konzentrieren würde. Sie war emotional angespannt. Mit jedem Einzelnen fieberte sie mit und rief mutmachende Worte aus.

Die Art, wie Xander sie früher unterrichtet hatte, diese distanzierte und bestimmte Vorgehensweise, war nicht ihre. Sie war davon überzeugt, dass ihre Methode mit Loben und Anspornen den Leuten guttat. Hier hätte es ihr in jüngeren Jahren sicherlich auch gefallen. Leandra bemerkte Brians Blick und schaute ihn fragend an.

„Nach so vielen Jahren hast du es noch immer nicht gelernt, deine Gefühle in den Griff zu bekommen", stellte er fest.

Sie drehte sich ihm mit hochgezogenen Augenbrauen zu. „Sprach der Mann, der mir vorhin eine übertriebene Eifersuchtsszene gemacht hat", konterte sie.

„Da ging es ja um dich! Da spielen meine Gefühle immer verrückt." Mit einem entschuldigenden Lächeln zuckte er mit den Schultern. Früher hätte sie diese Worte willkommen geheißen, heute lösten sie Mitleid in ihr aus.

Leandra deutete ihrer Gruppe, dass sie mit dem heutigen Unterricht fertig waren, und bedankte sich mit einem kleinen Applaus bei ihnen. Brian verabschiedete sich mit Handschlag und begleitete Leandra Richtung Heiler.

Das Pochen im Fuß, das sie die ganze Zeit über ignoriert hatte, war nun nicht mehr auszublenden.

Felizitas hatte einen eigens für sie eingerichteten Raum, in dem sie Verletzte behandelte. Vermutlich wohnte sie mit Mariella schon länger hier. Viel Gepäck hatten die beiden auf dem Schiff nicht dabeigehabt.

Wirklich jeder hatte einen Job zugeteilt bekommen, stellte Leandra fest. Der alte Heiler, der früher immer zu Xander und Lillien gekommen war, wenn sich einer der Schüler verletzt hatte, war auch hier. Leandra freute sich, ihn wiederzusehen. Er hatte sich kein bisschen verändert. Noch immer volles graues Haar, das wirr vom Kopf abstand, und eine Runde Brille auf der Nase. Er behandelte gerade einen jungen Mann und wirkte konzentriert, daher unterbrach die Kriegerin ihn nicht. Sie würde noch Gelegenheit bekommen, sich mit ihm zu unterhalten.

Leandra zeigte Felizitas ihre Wunde am Fuß. Brian war mitgekommen und setzte sich stillschweigend auf einen Stuhl in der Ecke.

„Was ist denn da passiert?“, fragte die Heilerin und bereitete sofort eine Reinigungslösung zum Ausspülen vor.

„Das war dein Liebster“, erklärte Brian knapp und Feli riss die Augen auf.

„Papperlapapp, sie hat nicht richtig aufgepasst“, verteidigte sich Taras, ohne auch nur ein Fünkchen Reue zu zeigen. Er hechtete gerade mit einem Mädchen auf dem Arm an dem Zimmer vorbei.

„Halt, wo willst du mit ihr hin?“, pfiff Felizitas ihn zurück.

Ein kleiner Junge, der dem Mädchen wie aus dem Gesicht geschnitten war, tapste hinter Taras her. Der Krieger antwortete nicht, man hörte nur noch das Zuschlagen der Tür.

„Wer war das?“, fragte Brian.

Leandra biss fest die Zähne zusammen, als Felizitas die Lösung über ihre Wunde kippte. Sofort bitzelte ihr Fuß und Tränen stiegen ihr in die Augen. Das Zeug brannte wie Feuer. Ihre Hände ballten sich zu Fäusten und eine Welle des Schmerzes überrannte sie.

„Das waren Taras’ Zwillinge. Seine bis jetzt jüngsten Kinder. Natalie und Nathaniel“, murmelte Felizitas und zog kleine Steine aus Leandras Wunde. Ihr blondes Haar war wie gewohnt in einen festen Knoten gesteckt und sie wirkte so anmutig wie immer.

„Ist die Mutter auch hier?“

„Nein“, antwortete Felizitas hochkonzentriert.

„Wo ist sie?“ Brian benahm sich wie ein kleines Kind. Das Frage-und-Antwort-Spiel beherrschte er ziemlich gut.

Leandra dagegen versuchte mit aller Kraft, die brennenden Schmerzen auszublenden, und hörte nur mit halbem Ohr zu.

Felizitas hatte ein dickes Vergrößerungsglas vor den Augen. „In irgendeinem Freudenhaus nehme ich an.“ Sie fädelte einen Faden in ein Nadelöhr, doch Brian gab nicht nach.

„Warum?“

Die Heilerin stach sich vor lauter Schreck in den Finger. „Himmel, Brian!“, herrschte sie ihn an. „Sie arbeitet dort. Sie ist eine Tänzerin. Taras hat die Kinder letztes Jahr zu mir gebracht.“

Leandra sah verwundert zu Brian. Auch für ihn waren diese Informationen neu. Er wollte gerade zur nächsten Frage ansetzen, wurde jedoch gleich unterbrochen.

„Ich muss mich konzentrieren“, fauchte Feli und begann, die Wunde zu nähen.

Schweißperlen traten der Kriegerin auf die Stirn. Sie stieß fest die Luft aus und atmete gegen den Schmerz. Bis der letzte Stich gesetzt war, schwieg Brian, aber nachdem sich Leandra langsam aufgesetzt hatte und die ersten Schritte lief, nutzte er noch einmal die Chance. „Was heißt *Tänzerin im Freudenhaus*?“

Felizitas rollte die Augen und stieß ihren Atem aus. „Sie ist eine Edelhure. Sie ist Teil einer Show und nachdem diese vorbei ist, kann man die Damen für viel Geld mieten.“ Sie wusch sich energisch die Hände. Das Thema stieß ihr bitter auf, das merkte jedes Kind. Zumindest dachte Leandra das.

„Und Taras hat das –“

„Brian! Würdest du ihn das bitte selbst fragen.“ Mit viel Elan warf Felizitas das Handtuch, mit dem sie sich eben die Hände abgetrocknet hatte, auf einen Tisch.

Brian hob beschwichtigend die Arme und führte Leandra aus dem Zimmer.

Das Auftreten war im ersten Moment befremdlich, jedoch hatte Feli ihre Arbeit so gut verrichtet, dass Leandra mit etwas Vorsicht laufen konnte.

Besuch

Es war mitten in der Nacht, als Leandra von einem leisen Geräusch geweckt wurde. Sofort waren ihre Sinne geschärft.

„Davin?" Die Dunkelheit hüllte das Zimmer so ein, dass sie nur schwach eine Silhouette erkannte.

„Ich wollte dich nicht wecken", antwortete er leise, während er sich umzog, um sich ins Bett zu legen.

„Wo warst du denn?" Leandra rieb sich schlaftrunken die Augen. Sie fühlte sich wie gerädert.

„Ich habe versucht, an Informationen zu kommen."

Die Kriegerin war mit einem Mal hellwach. „Hast du wieder in Jerrys Schrank gesessen?", spottete sie.

„Nein, aber ich habe mich ausgiebig mit Ilona unterhalten." Ein Gähnen begleitete seine Worte und er fuhr sich über die Augen.

Leandra rückte näher an den Krieger. Ilona war nicht für ihre Geselligkeit bekannt. „Was hat sie erzählt?"

„Noch nicht viel, aber ich bin auf dem besten Weg, mich mit ihr anzufreunden", murmelte er und strich Leandra behutsam eine Strähne aus dem Gesicht.

Sie griff nach seiner Hand und stoppte die Berührungen.

„Anfreunden? Ilona lässt niemanden an sich ran, der Einzige, der Zugang zu ihr hat, ist Jerry."

Davin setzte ein triumphierendes Lächeln auf. „Witzigerweise haben wir ein Thema gefunden, über das wir wirklich gut reden können", sagte er abschließend und schloss die Augen.

„Über was?" Leandra pikte ihn in die Seite.

„Du musst nicht alles wissen! Ich sag dir Bescheid, wenn ich die Informationen habe, die ich haben will, und jetzt schlaf." Mit einer schnellen Bewegung drehte er der Kriegerin den Rücken zu und begann recht bald, gleichmäßig zu atmen.

Na prima! Verdrossen starrte sie zur Decke und fragte sich, welche Gemeinsamkeit Davin mit Ilona haben könnte. Sie wandte sich in seine Richtung. *Wo haben sich die beiden getroffen? Im Gemeinschaftshaus? Nein, dann wären sie beim Abendessen anwesend gewesen.*

Sie hievte sich auf den Rücken. *Wie sind sie ins Gespräch gekommen? Immer wenn ich versucht habe, mit ihr zu sprechen, ist sie mir ausgewichen. Was für ein Thema verbindet die beiden?*

Die Kriegerin rief sich alle Dinge, die sie über die Frau wusste, ins Gedächtnis. *Ilona ist rothaarig! Davin ein Nachkomme von Rafail. Vielleicht trägt sie Magie in sich* … Sie drehte sich erneut.

„Leandra!“, zischte ihr Mitbewohner und hielt sie am Oberschenkel fest, damit sie sich nicht mehr herumwälzte. Auch wenn es keine zärtliche Berührung war, löste sie eine Gänsehaut aus.

„Tut mir leid“, flüsterte sie und stand auf. Sie konnte nicht mehr schlafen und um Davin ein wenig Ruhe zu gönnen, verließ sie, nachdem sie sich angekleidet hatte, das Zimmer. Der Ringfluch löste glücklicherweise nur aus, wenn beide schliefen, weshalb sie sich frei bewegen konnte. Barfuß schlich Leandra den Flur entlang, ihre Wunde am Fuß war kaum zu spüren. Feli war eine großartige Heilerin.

Sie zog die frische Luft ein, die ihr um die Nase wehte, als sie das Haus verließ. Im Lager war es ruhig. Kleine Fackeln erhellten den Hauptweg, der die Häuser und Trainingsplätze miteinander verband.

In der Nähe hatten sich einige der Elfen um ein Lagerfeuer versammelt. Zac trainierte auf einem der Plätze eine Gruppe und Leandra gesellte sich zu ihm, um ihnen zuzuschauen. Er war ein exzellenter Lehrer und nahm diese Aufgabe ernst.

Auch sie war für den heutigen Tag eingeteilt, um Schüler zu trainieren, doch bei der nächstbesten Möglichkeit würde sie sich Xander schnappen und Antworten fordern. Sie hatten keine Zeit, um sich um solche Dinge zu kümmern. Hier gab es genug Ausgebildete und Meister, die dies übernehmen konnten. Die Büchersuche hatte höchste Priorität. Nach dem Frühstück würde sie eine Gruppe ans Bogenschießen ranführen und am Abend war sie wieder zum Parcoursunterricht eingeteilt.

Sie schlenderte auf den Übungsplatz zu, an dem sie später ihre Schüler in Empfang nehmen würde. Ein weitläufiger Platz, auf dem sich allerhand Strohpuppen befanden. An ihren Körpern waren Zielscheiben befestigt, von denen einige schon durchlöchert schienen. In der Dunkelheit war das nicht gut erkennbar. Sie trat näher, um die Ergebnisse zu betrachten. Die Gruppe, die hier zuletzt aktiv war, war keine Anfängergruppe gewesen.

Bedacht fuhr sie die Einschusskerben nach. Neben der Puppe lag ein Köcher mit drei Pfeilen und ein Bogen. Sie nahm ihn auf und zog einen Pfeil. Der Platz wurde nur durch das Licht des Mondes beleuchtet und so musste sie sich stark konzentrieren, um ihr ausgewähltes Ziel ins Auge zu fassen.

Der Bogen war neu. Der Duft vom lasierten Holz stieg ihr in die Nase und erinnerte sie an alte Zeiten. Im Kampfgeschehen hatte sie weniger mit dieser Waffe zu tun, mit einem Schwert in der Hand fühlte sie sich eindeutig wohler. Doch geübt war die Kriegerin allemal.

Ihr Atem war ruhig, ihre Sinne geschärft. Das Geräusch, das beim Spannen des Bogens entstand, glitt durch jede Faser ihres Körpers. Pfeile galten als eine der gefährlichsten Waffen. Schnell, präzise, wirkungsvoll.

Sie feuerte den Pfeil ab. Das Surren und der dumpfe Klang, als er im Ziel eintraf, ließen Leandra schmunzeln. *Ich hab es noch immer drauf!* Voll ins Schwarze.

„Bravo, mein Kind! Das hast du von deinem Vater."

Leandra zuckte zusammen. Wer hatte da gesprochen? Es war so dunkel, dass sie niemanden erkannte. Sie zog einen zweiten Pfeil und schlich langsam zur Puppe – aus dieser Richtung musste die Stimme gekommen sein, zumindest vermutete sie es. „Wer ist da?"

„Na, na, mein Kind, du wirst mir jetzt keinen Ärger machen", säuselte die rauchige Stimme und klang bedeutend näher.

Leandra wirbelte herum, sah jedoch niemanden. *Wo bist du?*

Den langsam wabernden Nebel zu ihren Füßen bemerkte sie viel zu spät. Sie wollte gerade wegrennen, nach Hilfe rufen, auf sich aufmerksam machen, doch mit einer ungeahnten Schnelligkeit umhüllte er die Kriegerin und ihr wurde schummrig. Jemand zog sie mit sich. Sie war wach, bekam aber nur bruchstückhaft mit, was vor sich ging. Man hatte sie betäubt! Sie versuchte, die Person zu erkennen, doch alles war verschwommen. Ihr Herzschlag war ruhig und ihr Atem gleichmäßig. Weder Arme noch Beine wollten ihr gehorchen. Die aufkommende Müdigkeit verdrängte sie.

Die Kriegerin wollte Fragen stellen, doch sie hatte nicht die Kraft, den Mund zu öffnen. Bretter knarzten, der Wind wehte ihr um die Nase. Was ging hier vor sich? Ihre Gedanken glitten ab. Sie war müde, fürchterlich müde. Bleib wach!, ermahnte sie sich. Wieder ein Knarzen. Lag sie jetzt auf dem Boden? Sie hatte nicht bemerkt, wie sie abgelegt wurde. Schritte ertönten und jemand murmelte etwas. Wie lange Leandra in diesem gelähmten Zustand ausharrte, hätte sie nicht sagen können, doch das Brennen ihrer Augen und die vor Kälte schmerzenden Gliedmaßen ließen sie wissen, dass sich dieser Zustand langsam löste. Kalter Wind peitschte ihr entgegen und sie wusste, dass sie im Freien war. Sie bewegte sich, zumindest fühlte es sich danach an. *Bin ich auf einem Schiff?*

Ein Knarren war zu hören, der Wind blies immer heftiger. Das Rauschen des Meeres dröhnte in ihren Ohren. Was war passiert? Langsam richtete sich die junge Kämpferin auf.

„Hallo?“, rief sie über das menschenleere Deck. Ihr war flau im Magen und sie hatte das Gefühl, sich übergeben zu müssen. Der Wellengang war heftig und erschwerte das Aufstehen. „Hallo?“, rief sie wieder, ohne eine Antwort zu erhalten. Hatte man sie entführt und allein auf einem Segelschiff mitten auf dem Meer ausgesetzt? Das konnte sich Leandra beim besten Willen nicht vorstellen.

Schwankend fand sie den Weg unter Deck. „Ist hier jemand?“ Sie kannte das Schiff nicht. Kleine Fackeln warfen ein schwaches Licht. Es war kein Handelsschiff, das sah sie sofort, eher das eines Mannes mit Geld. Alles war sauber und wirkte gepflegt. Das Holz war hochwertig und die vielen Schnitzereien zeigten verschiedene Waffen. Bilder mit kämpfenden Männern hingen an den Wänden im engen Flur, durch den Leandra langsam schritt. *Das sind die Großmeister ...*

„Na sieh an, du bist schon wach.“

Leandra drehte sich erschrocken um. „Du ...“ Sie wich zurück, um den Abstand zwischen sich und ihrem Großvater zu vergrößern. Sie kannte den Mann nicht, hatte, um genau zu sein, erst während ihrer Ausbildung erfahren, dass der Vater ihres Vaters einer der berühmten Großmeister ist.

Die langen weißen Haare hatte der große schlanke Mann streng nach hinten gebunden. Seine braunen Augen sahen sie wohlwollend an, doch sie traute ihm nicht.

„Was ist hier los?“, fragte sie nervös und wollte einen weiteren Schritt nach hinten ausweichen, doch sie stieß gegen jemanden.

„Ganz ruhig, Kleine. Wir wollen uns nur ein wenig mit dir unterhalten.“ Silvan, ihr Großvater, trat auf sie zu.

Ein heftiges Stechen in der Brust ließ Leandra zusammenzucken. Ihr schmerzerfülltes Stöhnen hallte durch den Flur. *Was ist denn jetzt los?* Panik kam in ihr auf und sie drückte eine Hand auf die Stelle, an der ihr Herz schlug.

„Geht es dir nicht gut?“, fragte der Großmeister, gegen den sie gestoßen war.

„Mein Herz“, stöhnte sie und zog scharf die Luft ein. Der Schmerz breitete sich rasant über den Brustkorb aus. Was war nur los?

Der Ring an Leandras rechtem Ringfinger pulsierte. Dann wurde es ihr klar. Es musste mit dem Ringfluch zusammenhängen. Vermutlich waren Davin und sie zu weit voneinander entfernt. „Ihr müsst mich zurückbringen!“

„Soll das ein Scherz sein?“, fragte jetzt eine dritte Stimme aus dem Hintergrund.

Leandra kannte den Mann noch von ihrem ersten Aufenthalt auf der Großmeisterinsel.

Falk drückte sich vorbei und beäugte sie feindselig. „Du wirst uns zu unserer Insel begleiten und dort werden wir einiges zu besprechen haben“, verkündete er gebieterisch. Falk und seine Frau Merle waren die Gründer der Ausbildung und beide näher an den hundert als an den neunzig Jahren dran. Aber darüber konnte sich Leandra keine Gedanken machen. Der Schmerz forderte ihre Aufmerksamkeit. „Ihr könnt mich nicht wegbringen! Ich muss bei Davin bleiben!“ Schweißperlen traten ihr auf die Stirn.

„Schweig!“, raunte Falk sie an und packte ihren Oberarm, um sie hinter sich herzuziehen.

„Ihr müsst mich zurückbringen“, flehte Leandra.

***

Davin wachte mit fürchterlichen Kopfschmerzen auf. Ein Gefühl, das er schon ewig nicht mehr hatte. Zuletzt als er vor einigen Jahren zu viel Wein getrunken hatte. Doch das war gestern Abend nicht der Fall gewesen.

Er schleppte sich schwerfällig vor den Spiegel und schöpfte sich reichlich Wasser ins Gesicht. Leandra hatte die Nacht nicht mehr geschlafen, sonst wäre sie dank des Ringfluches wieder neben ihm aufgewacht. Sie war die letzte Zeit sehr durcheinander gewesen und er hatte ihr den größtmöglichen Freiraum gewähren wollen.

So langsam hatte Davin eine Vorstellung, wie das Leben seiner Kindheitsfreundin die letzten Jahre verlaufen war. In dieser Truppe passierte ständig was Neues und kaum hatte man sich mit etwas arrangiert, musste man umdenken.

Seine Entscheidung, sich der Truppe anzuschließen, hatte er bisher nicht bereut. Er wollte in Leandras Nähe sein, sie beschützen und für sie da sein, wenn sie ihn brauchte. Sie war alles für ihn.

Davins Magen rebellierte. Er hatte das Abendessen gestern sausen lassen. Da es noch Morgen war, war seine erste Anlaufstelle der Speiseraum, in der Hoffnung, etwas zu essen zu bekommen.

„Sag mal, hast du Leandra gesehen?“, fragte Jerry, der zeitgleich mit ihm das Gemeinschaftshaus betrat. Seine Haare standen ihm in letzter Zeit öfter wirr vom Kopf. Er raufte sie sich immer, wenn er über etwas nachdachte oder sich ertappt fühlte. So langsam kannte Davin die Angewohnheiten der anderen.

„Seit heute Nacht nicht mehr“, gab Davin zurück und biss genüsslich in einen Pfirsich, den er sich im Vorbeigehen aus einem Obstkorb stibitzt hatte.

Der große Speisesaal war wie leer gefegt. Vereinzelt saßen einige Leute an Tischen, unterhielten sich oder lasen in Büchern.

„Komisch, sie wurde heute von noch keinem gesehen, meinst du, sie ist bei Brian?“ Jerry schaute spitzbübisch drein.

Am liebsten hätte Davin ihm für diese Anspielung eine reingehauen. Er hasste es, wenn jemand solch dumme Bemerkungen über Leandra fallen ließ. Ja, er wusste, dass er keinen Anspruch auf sie hatte, obwohl sie verheiratet waren, und ihm war auch klar, dass ihr diese Ehe nichts bedeutete. Doch für ihn waren es mehr als nur leere Worte gewesen, die er am See zu ihr gesagt hatte. Jede einzelne Liebesbekundung war ernst gemeint.

„Wohl kaum, der Ringf-“ Davin spürte einen Stich im Herzen, er hielt sich die Hand vor die Brust. *Scheiße, was ist denn jetzt los?* Sein Kiefer presste sich fest aufeinander.

Jerry sah ihn irritiert an. „O bitte, jetzt übertreib mal nicht“, sagte er tadelnd.

„Nein, das ist es nicht …“ Mit schmerzverzerrtem Gesicht brach er seinen Satz ab. *Was ist das denn jetzt?* Sein Herz zog sich zusammen und schlug unkontrolliert. So etwas hatte er noch nicht erlebt. Ein ungutes Gefühl überkam ihn. Er setzte sich auf einen freien Stuhl in der Nähe. Der Krieger holte tief Luft.

Mit verzottelten Haaren und tiefen Augenringen kam Brian auf den Tisch zu.

„Na siehst du, ich hatte recht! So wie der aussieht, hatte er eine wilde Nacht und sie wird gleich nachkommen“, stellte Jerry zufrieden fest und schlug seine Notizen auf.

„Was will er?“, fragte Brian an Davin gerichtet und zog die Augenbrauen zusammen.

Der Krieger antwortete nicht, Schweiß trat auf seine Stirn und das Atmen fiel ihm immer schwerer. Er stand auf und stürzte schnellen Schrittes vor die Tür. Ihm war, als würde ihm jemand das Herz zusammendrücken.

Taras, der ein paar Dehnübungen mit einer Gruppe Ausgebildeter machte, eilte auf den keuchenden Mann zu. „Was ist los?“

„Mein Herz!“, stöhnte Davin und sank auf die Knie.

Taras versuchte, ihn zu stützen und blickte sich gleichzeitig Hilfe suchend um. „Mariella! Hol deine Mutter“, brüllte er über den Platz.

Davin wusste nicht, ob das Kind in der Nähe war, er konzentrierte sich auf den Schmerz und seine Atmung. Etwas stimmte hier nicht, doch was?

„Was genau ist passiert?“, wollte der ehemalige Spion wissen und kniete sich zu ihm auf den Boden.

Der Krieger winkte ab und dabei fiel ihm auf, dass der Ring an seinem Finger leicht pulsierte. „Wo ist Leandra?“, presste er zwischen den Lippen hervor.

„Ich glaube nicht, dass sie dir da helfen kann“, gab Taras zu bedenken und machte Platz für Felizitas, die schnellen Schrittes auf die Männer zueilte.

„Wir bringen ihn zu mir“, sagte sie und forderte Taras auf, ihr zu helfen.

Nein! Was sollte er denn bei ihr? Leandra musste zu ihm oder er zu ihr. Vielleicht war sie in Gefahr!

„Der Ringfluch“, wisperte er und hoffte, Taras würde ihn verstehen.

„Mariella, Nathaniel, Natalie!“, schrie dieser laut. Die Kinder kamen angerannt, als sie an der Heilerhütte angekommen waren. „Ihr drei sucht Leandra! Sie muss sofort hierherkommen“, beauftragte er seine drei Kinder.

Diese nickten freudestrahlend.

Xander, der mit einer kleinen Gruppe aus dem Wald schritt, wich den dreien gerade noch aus, bevor sie ihn umrannten. „Was ist passiert?“

Felizitas ignorierte die Frage und stützte Davin beim Eintreten ins Haus.

„Hier stimmt etwas nicht", hörte Davin Taras flüstern und war erleichtert, dass er die Situation ernst nahm. „Leandra ist verschwunden!"

***

Umso weiter sich das Schiff der Großmeister vom Festland entfernte, desto mehr hatte Leandra das Gefühl, ersticken zu müssen. Es war, als würde eine unsichtbare Macht ihren Brustkorb einschnüren. Laut nach Luft japsend versuchte sie, sich mitzuteilen. „Der Ringfluch! Bitte … Ich muss zurück", brabbelte sie an der verschlossenen Tür.

Man hatte sie in eine kleine Kajüte gesperrt und die Tür verriegelt. Warum jetzt und nicht vorher schon, verstand Leandra nicht, denn in diesem Zustand hätte sie vermutlich nicht einmal eine Fliege an der Wand erschlagen können.

Niemand antwortete ihr.

„Ich werde s-sterben, w-wenn ihr mich nicht zu Davin bringt." Sie stöhnte und sank kraftlos zu Boden. Ihr Herzschlag hatte einen seltsamen Rhythmus angenommen. Sie konnte nichts anderes tun, als durchzuhalten. Die Verzweiflung stieg mit jeder weiteren Minute, die verstrich.

Quietschend öffnete sich die Tür und Merle betrat den Raum. „Kind, was geht hier vor?" Sie wirkte wie eine alte zerbrechliche Frau, doch Leandra wusste, dass der Schein trog. Ihr weißes Haar war streng nach hinten gebunden.

„Es ist der Ring! Ich muss zu Davin!"

Merle kniete sich mühevoll nieder, um sich den Ring an Leandras Finger genauer anzusehen. Ein süßer Duft stieg der Kriegerin in die Nase. Er erinnerte sie stark an Honig.

Der Ring leuchtete rot und pulsierte leicht.

Merle strich sachte über ihn und zog die Hand schnell zurück, als hätte sie sich an ihm verbrannt. Die vielen Armreife um ihr Handgelenk, die Leandra erst jetzt bemerkte, gaben ein klirrendes Geräusch von sich. „Falk, komm mal bitte“, rief sie und zeigte ihrem Gatten Leandras Ring, nachdem er den Raum betreten hatte.

Hoffnung keimte auf und sie betete im Stillen, dass sie ihr endlich glaubten und den Kurs änderten.

„Was ist das?“, fragte der Großmeister und musterte die Kriegerin eindringlich. So wie er die Augen zusammenkniff, sah er vermutlich schlecht.

„Bringt mich zurück“, flehte sie wieder.

Merle schüttelte verneinend den Kopf.

„Ihr bringt uns beide um. Davin geht es sicherlich auch sehr schlecht.“ Ihr Körper krampfte sich zusammen und sie zog scharf die Luft ein.

„Wir könnten den Jungen holen“, schlug Silvan vor. Die beiden Ältesten schienen ernsthaft über seinen Vorschlag nachzudenken.

„Egal wie ... wir müssen zusammen sein“, wisperte Leandra und rang um Luft.

„Ich kotze gleich“, erklang wieder die Stimme aus dem Hintergrund.

Dieser Idiot versteht es einfach nicht. Wenn nur Xander oder Taras hier wären, oder Lillien! Die Meisterin hatte sich auf den Weg zu den Großmeistern gemacht. Vielleicht war sie hier mit an Bord. „Wo ist L-Lillien? Sie kann es bestätigen!“ Jedes Wort kostete Leandra ungeheure Anstrengung.

„Sie wird dir nicht helfen können", antwortete Merle und verzog die Lippen zu einem bitteren Lächeln.

Was soll das jetzt wieder bedeuten? Leandras Brust zog sich zusammen und ihr wurde schwindelig. „Gut, dann Davin", krächzte sie mit letzter Kraft.

„Wir holen ihn nicht! Nur weil sie hyperventiliert. Ich glaube, es geht los!", schimpfte jetzt eine weitere Stimme.

„Wir nehmen sie wie geplant mit und sperren sie weg!"

„Ich bin für ein direktes Verhör, dann haben wir unsere Antworten." Alle murmelten durcheinander.

Leandra hörte nicht weiter zu. Sie war so sehr damit beschäftigt, sich auf ihre Atmung zu konzentrieren, dass alles andere zweitrangig war.

Die Großmeister verließen diskutierend den Raum. Leandra blieb allein zurück. Niemand nahm sie ernst oder kümmerte sich um sie. Noch nie zuvor hatte sie näheren Kontakt zu ihnen gehabt, aber auf diesen hätte sie verzichten können.

Warum hatten sie sie entführt? Was wollten sie von ihr? Die junge Kriegerin legte beide Hände über ihr Herz und streichelte sanft über den Ring. Vor Schwindel schloss sie die Augen.

Verbunden

„Wir haben alles abgesucht, sie ist nirgends zu finden“, keuchte Mariella außer Atem und stützte die Hände auf die Oberschenkel. Mittlerweile waren einige Gruppen aufgebrochen, um nach Leandra zu suchen.

„Kann es denn möglich sein, dass sie die Insel verlassen hat?“, fragte John, der gerade das Krankenzimmer betrat. Er fuhr sich nachdenklich mit Zeigefinger und Daumen über den Bart.

„Wir brauchen die Hilfe von Liam“, forderte jetzt Taras, der im Flur stand und sich die kurzen Haare raufte.

Davin hörte die Worte nur gedämpft. Kalter Schweiß stand ihm auf der Stirn. Seine Atmung ließ sich kaum noch kontrollieren. Der Druck in der Brust nahm stetig zu und auch die Mittelchen, die Feli ihm eingeflößt hatte, halfen nicht. So schwach und angreifbar hatte er sich noch nie gefühlt.

„Davin! Du musst Liam Bescheid geben, er muss uns helfen“, schrie Taras laut in seine Richtung.

„Ich bin nicht taub! Ich bekomme nur schlecht Luft“, murmelte er und verstand sofort, worauf Taras hinauswollte.

Er hatte den Kontaktstein, den er Ullrich gestohlen hatte, immer in der Hosentasche. Es war die Verbindung zu Tristan, einem guten Freund, den er im Kampf gegen Tim verloren hatte. Seit Tristan verstorben war, hatte er den Stein nicht mehr benutzt. Und doch jeden Tag wieder in seine Hosentasche gesteckt, in der Hoffnung, es wäre alles nur ein schlechter Traum und sein Freund würde sich wieder bei ihm melden.

Langsam zog er den kleinen kristallähnlichen Stein hervor. Er schloss die Augen und versuchte, sich auf Liam zu konzentrieren – genau so hatte Tristan es ihm beigebracht.

Wenn Liam einen Stein bei sich hatte, würde er den stummen Ruf spüren. Der Stein in seiner Hand bewegte sich kurz, doch es passierte nichts.

„Ich kann das nicht! Ich bin kein Magier“, blaffte er genervt und hielt sich die Hand vor die Brust.

„Versuch es noch mal! Mit Tristan hat es auch funktioniert“, ermutigte Taras ihn.

Davin holte tief Luft, er musste es schaffen. Für Leandra. Noch einmal schloss er die Augen und konzentrierte sich darauf, sich Liams Gesicht in sein Gedächtnis zu rufen. Immer wieder murmelte er im Geiste die Worte, die Tristan ihm beigebracht hatte. Der Stein flammte auf und ein Lichtkegel erschien.

Felizitas sprang erschrocken zurück. „Taras, was geht hier vor?"
Beruhigend nahm er die Heilerin in den Arm.
„Liam! Wir brauchen deine Hilfe!", rief Xander gerade noch rechtzeitig, bevor der Lichtkegel wieder in sich zusammenstürzte.

***

Brian, der in die Heilerhütte stürmte, um mitzuteilen, dass auch sein Suchtrupp erfolglos gewesen war, bekam gerade noch mit, wie Davins Hand erschlaffte und ein Stein über den Boden rollte.
Hatten sie Kontakt zu Liam aufgenommen? Das wäre vermutlich keine dumme Idee.
Hektik brach aus und Felizitas eilte zu Davin.
„Verdammt! Schau, dass er am Leben bleibt", herrschte Xander die Frau an und stürzte aus dem Zimmer geradewegs an Brian vorbei ins Freie.
Felizitas kannte Xander und seine Launen. Gekonnt ignorierte sie ihn und kümmerte sich um ihren Patienten.
Brian wusste nicht, was er jetzt tun sollte. Panik überrollte ihn, weil er Leandra nicht finden konnte und auch Xander und Taras keine Lösung parat hatten.
„Mama, ich bekomme schlecht Luft!" Mariella stützte sich an der Tür zum Krankenzimmer ab.
Taras fing sie auf, bevor sie zu Boden fiel. „Du bist bestimmt zu schnell gerannt", versuchte er, seine Tochter zu beruhigen.
Das Mädchen schüttelte den Kopf, was die geflochtenen Zöpfe fliegen ließ. „Ich bin gar nicht gerannt – wegen meiner Wunde am Fuß. Das fing auf einmal an", erklärte sie und japste nach Luft.

Taras schaute von dem Kind zu Felizitas. „Was für eine Wunde am Fuß?"

„O nein, ich ahne Schreckliches … Was hat es mit diesem Ringfluch auf sich? Und bitte, Taras! Erzähl mir ein einziges Mal die Wahrheit!", forderte die Heilerin.

„So ganz genau wissen wir das auch nicht. Davin und Leandra sind aneinander gebunden. Wenn sie getrennt voneinander schlafen, bringt er sie zusammen. Wenn Brian Leandra küssen will, wird sie immer wieder in Davins Arme geworfen. Aber an verschiedenen Orten konnten sie sich bis jetzt problemlos aufhalten. Zumindest über kleinere Distanzen."

„Ist es möglich, dass Leandra dieselben Symptome hat wie Davin?", fragte Felizitas weiter.

„Ich weiß es nicht, aber möglich ist es."

„Taras, ich habe einen ganz schrecklichen Verdacht!" Felizitas eilte auf das Kind zu.

Brian verstand nicht, welche Verbindung Feli zwischen Leandra und Mariella knüpfte.

„Mariella, du musst mir jetzt die Wahrheit sagen! Hast du Brian oder Leandra damals, als sie bei uns waren, mein geheimes Zimmer gezeigt?", fragte sie eindringlich und streichelte dem Kind die Haare aus dem Gesicht.

Brians Magen zog sich zusammen. Mariella hatte ihn auf dem Flur abgefangen und ihn in Felis Schlafzimmer gebracht. Durch eine Geheimtür waren sie in ein kleines Zimmer voller bunter Tränke, Tinkturen und anderer Mittel gelangt. Die Kleine hatte ihm drei Fläschchen mitgegeben. Eins hatte er Leandra bei den Zwergen eingeflößt, um ihr das Leben zu retten. Die anderen beiden lagen bei seinen Sachen auf der Großmeisterinsel. Als man sie gefangen genommen hatte, waren ihnen die Taschen abgenommen worden.

„Ich habe ihm drei Mittel gegeben, damit er meinen Papa beschützt, wenn ihm etwas zustößt“, gestand sie, wissend, auf was ihre Mutter hinauswollte.

„Taras, hol sofort Brian her!“ Felizitas’ Stimme begleiteten Angst und Wut. Die Heilerin hatte den Krieger noch nicht entdeckt, doch Taras musterte seinen Kameraden eindringlich.

„Ich bin schon hier.“ Brian trat ins Zimmer und sein Herz schlug ihm bis zum Hals. Er wusste zwar nicht, was er falsch gemacht hatte, aber dass es etwas gab, spürte er genau.

„Bist du böse mit mir, Mama?“, fragte das Mädchen vorsichtig und zog die Luft wieder angestrengt ein.

„Nein, mach dir keine Sorgen, wir bekommen das hin. Es wird alles gut“, flüsterte sie leise und wandte sich dann an Brian. „Du hast unser Gespräch mitbekommen. Hast du eines der Mittel Davin oder Leandra verabreicht?“

Der Angesprochene nickte langsam.

Felizitas schlug sich die Hände vor den Mund. „Leandra?“, fragte die Frau nervös. Ihre zarten Gesichtszüge verzogen sich zu einer Trauermiene.

Wieder nickte Brian und Sorge machte sich breit. Mariella hatte ihm zu Demonstrationszwecken gezeigt, wie diese Mittel funktionierten. Er brachte keinen Ton über die Lippen.

„Was hat das zu bedeuten?“, mischte sich Taras ein.

Brian hatte niemandem von den Flaschen erzählt. Nicht einmal Leandra wusste, dass sie den Inhalt eingeatmet hatte.

Felizitas liefen dicke Tränen die Wange hinunter. „Sie ist mit ihr verbunden. Mariella widerfährt alles, was Leandra zustößt. Zwar in schwächerer Form, aber es begleitet sie. Sie hatte in letzter Zeit öfter solche Erlebnisse. Es ist noch gar nicht so lange her, da hat sie aus heiterem Himmel schwallartig Wasser erbrochen", erklärte sie.

Taras entgleisten die Gesichtszüge. „Was passiert, wenn Leandra stirbt?"

Felizitas hob unwissend die Schultern und brach in lautes Schluchzen aus. Einzelne Haarsträhnen lösten sich aus ihrem sonst so perfekt sitzenden Haarknoten.

„Sie ist eine Kriegerin! Täglich werden Krieger verletzt oder sterben", brüllte er so laut, dass Mariella zu weinen begann.

„Beruhige dich! Weder Feli noch Mariella können etwas dafür. Wir holen Leandra zurück!", mischte sich jetzt Brian ein und wich der Faust, die auf ihn zukam, in letzter Sekunde aus.

„Das ist kein Spiel! Es geht hier um mein Kind!" Taras funkelte Brian zornig an.

„Ich sagte, wir finden sie!", knurrte der Krieger und verließ den Raum. Mit schnellen Schritten eilte Brian aus dem Haus zum Steg. Es musste irgendeine Spur geben. Niemand verschwand einfach so. Er suchte den Weg ab, bis er vor Xanders und Sculleys Schiffen stand. Es hatte niemand anlegen können, der Platz reichte gerade so für diese beiden Schiffe.

„Suchst du sie?" Liras Stimme holte ihn aus seiner Überlegung.

Er versuchte, ihr mit allen Mitteln aus dem Weg zu gehen, was sehr schwierig war, da sie sich wie sein Schatten verhielt. „Spar dir deine Feindseligkeit", grummelte er ernst und hetzte an ihr vorbei. Er wusste, dass die Elfe die Kriegerin nicht ausstehen konnte und kein gutes Haar an ihr lassen würde.

„Ich weiß, wo sie ist“, stieß die Elfe hervor und beäugte ihn triumphierend hochnäsig.

Brian drehte sich auf dem Absatz um und kam ihr gefährlich nahe. „Spiel keine Spielchen mit mir, dabei kannst du nur verlieren“, fauchte er bösartig.

„Ich meine das ernst. Wir saßen am Feuer, als sie mit Pfeil und Bogen auf eine Zielscheibe schoss.“

Brians Herz schlug schneller. „Wo ist sie?“

„Was bekomme ich von dir für meine Informationen?“

Brian riss der Geduldsfaden, er holte aus und kurz bevor seine Hand ihre Wange traf, besann er sich und zog sie erschrocken zurück. *So weit ist es schon?!* Seine Nerven lagen blank.

Lira schaute ihn schockiert an und spielte nervös an ihren zarten Fingern.

„Du treibst mich in den Wahnsinn“, schrie er. „Sprich! Wo ist sie?“

Lira zitterte am ganzen Körper.

Er zeigte kein Mitgefühl, nur Verachtung lag in seinem Blick.

„Ein alter schmaler Mann hat sie mitgenommen, auf ein Schiff, sie war bewusstlos“, erklärte sie kleinlaut.

Alter schmaler Mann? „Wie hat er ausgesehen?“

„Groß, weißes Haar, er trug einen ähnlichen Anzug wie der Mann, der damals mit seinen Schülern bei uns war. Ich glaube, ihr nennt ihn Ullrich.“

„Danke“, sagte er sanft und strich sich seine schwarzen Haare aus der Stirn. Ihm wurde heiß und kalt zugleich. Leandra war von den Großmeistern entführt worden! So schnell ihn seine Füße trugen, rannte er zu Xander und teilte ihm die Neuigkeit mit.

Der alte Meister trommelte sofort Jerry und Taras zusammen, die Davin an Bord seines Schiffes bringen sollten. Brian beauftragte die Elfen, ihnen Proviant für die nächsten Tage zu packen und eilte durch die Zimmer, um alle Taschen mit Kleidung und dem Nötigsten zu füllen.

Einige Minuten später stach die Atara in die See.

An Deck versammelt überlegten sie, wie sie die Koordinaten für die Großmeisterinsel rausbekommen konnten, denn seit Xander nicht mehr als Meister angestellt war, hatten sie sich die Information bisher anderweitig beschaffen müssen.

„Ich hoffe, dass du mit deiner Vermutung richtigliegst, dass die Großmeister sie haben“, bemerkte Jerry und setzte sich mit seinem Notizbuch auf den Boden.

„Ich habe seit ihrem Aufbruch nichts mehr von Tamir und Lillien gehört, das beunruhigt mich“, stellte Xander fest und stierte auf das Meer hinaus.

„Meinst du, sie haben sie gefangen genommen?“, fragte Taras und begab sich neben seinen Gefährten. Er zwirbelte ein kleines Lederband zwischen den Fingern hin und her.

„Ich weiß, dass ich jeden Einzelnen von diesen Greisen umbringen werde, wenn sie einem von ihnen etwas angetan haben.“

Brian beobachtete seinen alten Meister, der mit geballten Fäusten an der Reling stand. So abfällig hatte er ihn noch nie über die Großmeister sprechen hören.

Davin öffnete die Augen. Das musste ein gutes Zeichen sein. Er schien schwer Luft zu bekommen, denn er drückte sich seine Faust vor die Brust.

„Wir sind auf dem richtigen Weg.“ Jerry stierte ihn aus großen Augen an.

Er machte Anstalten, sich aufzusetzen, und Brian überlegte, ob er ihm zu Hilfe kommen sollte.

Mit einem lauten Knall wurde diese Überlegung unterbrochen. Die Umherstehenden zuckten zusammen und zogen kampfbereit ihre Schwerter.

„Verdammt noch mal! Wenn ihr mich das nächste Mal um Hilfe bittet, dann bleibt auf dem Festland!", schimpfte Liam und wankte über das Deck.

Xander zog seinen Sohn fest an sich, was diesen zu überraschen schien.

„Was ist hier los?", fragte er gleich und schaute sich um.

Xander erklärte ihm, was vorgefallen war und welche Vermutungen sie bezüglich der Großmeister hatten.

„Das ist nicht euer Ernst! Ich kann die Insel nicht betreten. Ihre Magie würde mich zerreißen", wetterte Liam und fuhr sich nervös durch das bläulich schimmernde Haar.

Die Umherstehenden verstanden kein Wort.

„Überall gibt es Probleme!", sagte er entnervt und kniete sich zu Davin, der noch immer versuchte, seine Atmung in den Griff zu bekommen.

„Ich muss gleich wieder zurück. Abiona befindet sich im Ausnahmezustand. Die Kelpies zerstören alles und jeden. Sie sind kaum zu bändigen, der Zirkel ist gefordert wie noch nie." Liam machte eine Pause und schloss seine Augen. Wie von Geisterhand änderte das Schiff den Kurs und segelte in eine andere Richtung.

„Das Schiff bringt euch zu der Großmeisterinsel …" Er machte eine kurze Pause, als müsste er den weiteren Plan noch einmal gedanklich durchspielen. „Davin bringe ich zu Leandra. Mehr kann ich gerade nicht für euch tun. Und passt verdammt noch mal auf die Auserwählte auf", schimpfte er und griff nach Davins Schulter. „Ich werde dich nur ein Stück begleiten, aber du wirst zu ihr kommen", sagte er.

Mit einem *Plopp* waren der Krieger und der Magier verschwunden.

Auf der Großmeisterinsel

Die Reise hatte ein schnelles Ende gefunden, was bedeutete, dass die Großmeisterinsel nicht weit von Zubin entfernt war. Aber wer wusste das schon so genau, die Insel war immer in Bewegung.

Wie nicht anders zu erwarten, hatten die Großmeister Leandra direkt in eine Zelle bringen lassen. Gnädigerweise hatte man ihr einen Eimer mit Trinkwasser und einen Becher hiergelassen.

Mit einem surrenden Geräusch wurde Leandra umgerissen und fand sich binnen Sekunden in der Ecke ihrer Zelle wieder. Sofort beruhigte sich ihr Herzschlag und der Druck, der auf ihrem Oberkörper lastete, war nicht mehr der einer unsichtbaren Macht, sondern der von Davin.

Glücksgefühle und Erleichterung machten sich breit und sie konnte nicht anders, als den verwirrt schauenden Mann fest in den Arm zu schließen.

„Du bist hier", gluckste sie und holte tief Luft, um zu überprüfen, dass der Spuk jetzt wirklich vorüber war.

„Lass mich los", forderte er.

Leandra tat dies keine Sekunde zu früh. Er rollte sich von ihr runter und schaffte es gerade noch, sich in einer Ecke zu übergeben.

Sie war erleichtert und glücklich, ihn zu sehen. Doch wie war er hierhergekommen? Die Kriegerin reichte ihm einen Becher Wasser und freute sich, dass ihr Kamerad bei ihr war. Der Ring an ihrem Finger hatte aufgehört zu leuchten und ihre Atmung wie auch ihr Herzschlag hatten einen normalen Rhythmus gefunden. Sie fühlte sich fitter denn je. Als wäre mit Davin ein Kraftpaket zu ihr geflogen.

„Scheiße, ich hasse es, mit Liam zu reisen!", grummelte er und spülte seinen Mund aus.

„Wo ist Liam? Und wie habt ihr mich gefunden?" Die neu gewonnene Energie sprudelte nur so aus ihr heraus. Sie war so dankbar, wieder frei atmen zu können.

„Er meinte, dass er diese Insel nicht betreten könne. Warum hat er nicht verraten. Er musste gleich nach Abiona zurück. Die Kelpies zerstören alles."

Leandra hatte diese Wesen völlig verdrängt. Ihre Hoffnung, dass Liam diese Situation schnell in den Griff bekommen würde, erfüllte sich nicht so schnell wie erhofft.

Davin zog sie in eine feste Umarmung. „Wir regeln das alles, versprochen. Doch zuerst müssen wir hier rauskommen", flüsterte er.

Seine Kleidung roch nach salziger Meeresluft und fühlte sich feucht an. Doch Leandra löste sich nicht. Sie genoss es, in seinen Armen zu liegen und nicht mehr allein zu sein. Die Großmeister waren Furcht einflößend und stärker, als sie ihnen zugetraut hatte. „Ich bin so froh, dass du bei mir bist. Ich hatte das Gefühl, nicht mehr atmen zu können", erzählte sie.

Er gab ihr einen sachten Kuss auf die Stirn. „Ich weiß genau, von was du sprichst", bestätigte er ihre Vermutung. Er hatte das Gleiche durchlebt wie sie.

Schritte erklangen. Davin reagierte sofort und stellte sich neben die Tür der Zelle, in der Hoffnung, nicht gleich gesehen zu werden.

„Sie ist wach", ertönte eine Stimme vor der Tür.

Leandra lugte zu Davin, der ihr zu verstehen gab, dass sie so tun solle, als würde es ihr noch immer schlecht gehen.

Sie röchelte und hob sich die Hand gegen die Brust.

Es dauerte nicht lange und ein Mann öffnete die Tür. Er betrat den Raum nicht, sondern forderte sie auf, mit ihm zu gehen.

„Ich kann nicht –"

„Du kannst!", unterbrach er sie und trat einen Schritt in ihre Zelle.

Davin packte den Arm des Mannes und zerrte ihn zu sich. Mit einer schnellen Bewegung zog er einen Dolch aus seinem Stiefel und schnitt dem Mann die Kehle durch. Blut spritzte an die Wände und auf den Boden. Die Augen des Mannes weiteten sich und er sank leblos zu Boden.

„Frei wären wir schon mal, doch bis Xander und die anderen eintreffen, werden noch Stunden vergehen. Wir sollten uns ein Bild von der Situation vor Ort machen", schlug Davin vor.

Leandra nickte. Sie nahm das Schwert des Wachmanns an sich und spähte in den dunklen Flur. Alles war ruhig und wirkte verlassen, doch der Schein konnte trügen.

Die Großmeister führten etwas im Schilde, soviel war klar.

„Ich kenne einen Aufgang, der in das Männerwohnhaus führt", flüsterte Davin und schritt voran.

Leandra folgte ihm auf dem Fuße. Ihre Finger lagen fest um den Knauf des Schwertes und ihre Anspannung verschaffte ihr ein freudiges Gefühl. Alles würde gut! Vielleicht fänden sie Lillien und Tamir. Sie hatten sich seit ihrem Aufbruch nicht mehr gemeldet.

Die Zellen, an denen sie vorüberkamen, waren leer und auch auf dem Flur begegneten sie niemandem.

Dass Davin dank seines Meisters viel Zeit hier verbracht hatte, kam ihnen jetzt zugute. Sie stiegen eine lange schmale Treppe, die in völliger Dunkelheit lag, hinauf und erreichten durch eine Bodenluke einen mickrigen Putzraum.

Davin streckte Leandra die Hand entgegen, um ihr zu helfen.

„Wer hat denn diesen Aufgang entdeckt?", fragte sie leise und drückte sich zwischen einem Mopp und einem Besen an die Wand.

„Wenn man Damenbesuch empfangen will, findet man die seltsamsten Wege", antwortete er trocken.

„Ekelhaft!"

„Sprach die Jungfrau?"

Leandra wusste, dass Davin die Frage nicht ernst meinte, sondern ihr nur klarmachen wollte, dass sie sich nicht für tugendhafter hinstellen sollte, als sie war.

Vorsichtig öffnete er die Tür der Besenkammer und linste hinaus. Er nahm Leandras Hand in seine und führte sie den Flur entlang, um in dessen hinterstem Zimmer zu verschwinden.

Sie waren niemandem begegnet, doch die Geräusche, die aus den unteren Stockwerken kamen, ließen darauf schließen, dass das Haus nicht unbewohnt war.

Das Zimmer, in das Davin sie gebracht hatte, war mit einem Bett, einem Schrank und einer Kommode ausgestattet. Es war sauber und wirkte, als erwartete es bald seinen ersten Gast.

„Wo sind wir?", wollte Leandra wissen und schritt auf das Fenster zu.

„Im vierten Stock des Männerschlafhauses. Ich wollte mir einen Überblick über das Gelände verschaffen."

„Können wir hierbleiben, bis die anderen kommen?"

„Sicherlich nicht. Hier werden sie als Erstes nach uns suchen, denkst du, ich bin der Einzige, der diesen Gang kennt?", fragte er spöttisch und studierte die Umgebung.

„Oh, entschuldige bitte meine Unwissenheit", fauchte Leandra, die sich vorgeführt vorkam.

„Es beruhigt mich, dass du den Gang noch nicht kanntest", sagte er schmunzelnd.

Sie zog eine Augenbraue nach oben, setzte sich auf das Bett und beobachtete Davin, der jetzt den Kleiderschrank durchwühlte.

Außer Decken und Kissen war jedoch nichts zu finden. Mit einem tiefen Schnaufen ließ sich Davin neben Leandra nieder und fuhr sich über die Augen. „Am liebsten würde ich zur Anlegestelle gehen."

„Dann lass es uns tun." Leandra fand das am logischsten. Sie kannte den unterirdischen Gang, der sie schneller zum Strand brachte. Als sie vor Jahren mit Xander bei der Verhandlung wegen Tim hier gewesen waren, haben sie die Gänge durchquert, weil der Weg bedeutend kürzer und einfacher zu bewältigen war.

„Das geht nicht. Xander hat Liam vorhin erzählt, dass du mit Mariella verbunden bist. Wenn dir was passiert, bekommt es das Kind genauso ab."

„Ich habe mit Taras' Tochter nicht das Geringste am Hut, wie kommt er auf solch eine Behauptung?" Leandra verstand nicht, wie sie mit einem Kind, das sie erst zweimal getroffen hatte, verbunden sein sollte. Da hatte er sicherlich etwas falsch verstanden.

„Ich weiß es nicht, ich kann dir nur das sagen, was ich gehört habe und wenn dem so ist, werden wir darauf achten, dass dir nichts zustößt!" Davin klang entschieden, doch Leandra schüttelte nur den Kopf. „Wir diskutieren nicht", fuhr er sie an. „Wir müssen schauen, dass wir dich ohne Schaden hier wegbringen."

„Fein!", stieß sie lauter hervor als beabsichtigt.

Schritte erklangen auf dem Flur und Davin raufte sich genervt die Haare, gab aber keinen Ton von sich.

„Ich bin mir sicher, etwas gehört zu haben", murmelte eine Männerstimme.

Sie vernahmen Schritte im Flur, ein Ausgebildeter war er nicht. Davin legte sich auf dem Bett zurück. Er schien keine Angst zu haben, entdeckt zu werden. Oder er hatte keine Angst vor den Gegnern. Wenn sie ehrlich war, sie auch nicht, denn so tölpelhaft, wie sie sich verhielten, würden sie keine größere Hürde darstellen.

Ein dumpfer Knall ließ die beiden hochschrecken und zum Fenster eilen. Ein weiterer folgte und wirbelte Staub auf einem der Trainingsplätze auf.

„Was passiert da?", fragte Leandra und zuckte beim nächsten Knall zusammen.

Menschen in dunklen Umhängen tauchten aus den aufgewirbelten Staubwolken auf und schritten zügig auf das Hauptgebäude zu.

„Liam sagte mir, er kann nicht herkommen, weil die Magie ihn zerreißen würde, aber das sind eindeutig Magier!“, murmelte Davin.

Drei weitere Schläge kündigten Magier an und als sich der Staub ein wenig gelichtet hatte, sah Leandra, dass sie ein ihr bekanntes Gesicht in ihrer Mitte hatten.

„Sie haben Silas befreit.“ Auch Davin hatte Leandras Bruder erkannt. Er schien völlig genesen und schritt den Magiern aufrecht hinterher.

Außer Silas trugen sie alle weite dunkle Umhänge. Sowohl Frauen als auch Männer befanden sich unter den Magiewirkenden. Leandra war sich nicht bewusst, wie viele Anhänger Tim hatte, doch es waren einige. *Was geht hier vor?*

Immer mehr Männer und Frauen tauchten aus dem Nichts auf. Eine kleine Gruppe von Kriegern kreuzte ihren Weg und schien sich nicht im Geringsten zu wundern. Weitere Magier folgten. Doch diesmal blieben sie stehen und bildeten einen Kreis, als warteten sie auf jemanden.

Leandra spannte sich an. Diese Magier trugen rote Umhänge und stachen somit hervor. Sie wirkten nicht so drahtig und schlaksig, wie viele andere ihrer Sorte. Sie waren trainiert, groß und ohne Ausnahme männlich.

„Was wird das denn?“ Davin schien ebenso gespannt auf das, was jetzt folgte, wie Leandra.

Einen Schlag später kam Lexi in der Mitte der Männer an, die sich vor ihr verneigten. Sie winkte ab und stellte sich zwischen die Gefolgsleute, die ihr ohne Aufforderung Platz machten.

Staub wirbelte über den Boden und türmte sich zu einem kleinen Tornado auf, der immer kräftiger zu wüten drohte. Sandkörner und Erde schlossen sich dicht zusammen und wuchsen gen Himmel. Die Umhänge der Umherstehenden flatternden dem Wirbel entgegen und als Leandra schon befürchtete, er würde die Männer und Lexi mit sich reißen, brach er in sich zusammen. Ein Mann mit grünem Umhang und straff zurückgebundenem Haar tauchte in deren Mitte auf. Leandra erkannte Tim sofort. Auch wenn er mit dem einstigen Krieger von früher kaum etwas gemein hatte, würde sie ihn unter Hunderten Männern ausmachen. Zu oft hatte sie ihm gegenübergestanden und gegen ihn gekämpft.

Er war nicht allein gekommen. Ein dunkelhaariger Mann in auffällig prunkvoller Kleidung stand bei ihm. Die Männer mit den roten Umhängen verneigten sich ehrfurchtsvoll und nach einem kurzen Wortwechsel und freundschaftlichem Schultertätscheln zwischen dem gut gekleideten Mann und Tim lief die Gruppe auf das Haupthaus zu.

Leandra kam der Dunkelhaarige bekannt vor, auch wenn sie ihn bisher nur von hinten hatte sehen können. Sie drückte sich näher an die Scheibe, um sein Gesicht zu erkennen.

Als würde der Beobachtete es spüren, drehte er sich in ihre Richtung, hob sein Oberteil, zeigte auf seine Hüfte und zwinkerte ihr gefährlich grinsend zu. Leandra wich alle Farbe aus dem Gesicht.

Davin zog sie vom Fenster weg, doch es war zu spät, im letzten Moment hatten sich ihre Blicke getroffen.

„Hat er dich gesehen?“ Die Sorge in Davins Stimme war nicht zu überhören, doch Leandra war in ihren Gedanken gefangen. *Was geht hier vor?* „Wir sollten schleunigst die Kurve kratzen! Wer auch immer das war, er wird uns verraten." Davin packte Leandras Hand und zog sie hinter sich her.

Leandra wusste genau, wer dieser Mann war. In der Besenkammer angekommen fasste sie sich an die Hüfte, an der noch immer die Narbe prangte, die ihr dieser Mann zugefügt hatte. Er hatte recht behalten, seinen Namen hatte sie nicht vergessen. *Levin.*

Die Flucht

Davin stieg so rasant die Treppe herab, das Leandra Mühe hatte, ihm zu folgen. Er handelte schnell und unüberlegt. Leandra war froh, dass die Wunde am Fuß keine Probleme machte. Außer einem leichten Ziepen war nichts zu spüren.

„Davin, du rennst Richtung Haupthaus, denkst du nicht, dass mein Verschwinden aufgefallen ist?“, keuchte sie, doch er reagierte nicht. Er hatte ihre Hand fest umgriffen und zog sie mit sich durch die schwach beleuchteten Gänge unter der Erde.

Stimmengewirr war zu hören und Leandra ahnte nichts Gutes. Die Großmeister arbeiteten mit Tim und den Magiern zusammen, das war eine explosive Mischung.

Dass sie Silas aus Tavis' Kerkern befreit hatten, war eine großartige Leistung. Die Männer des Königs von Abiona waren gute Krieger. Sie hatten den Gefährten im letzten Kampf gegen Tim beigestanden und Silas gefangen genommen. Viel zu viele Dinge schwirrten der Kriegerin durch den Kopf und sie versuchte, das Gesamtbild zu formen.

„Achtung", zischte Davin und ließ Leandras Hand los.

Ehe sie registrierte, was passiert war, holte Davin mit dem Schwert aus und ließ es durch die Luft tanzen.

Zwei Augenblicke später lagen zwei fremde Männer zu ihren Füßen, doch damit nicht genug. Die Zwillinge Melina und Melvin traten aus einem Seitengang und stellten sich Leandra und ihrem Begleiter in den Weg.

Die beiden Großmeister hatten sich auf dem Schiff nicht mit ihr abgegeben. Die Namen kannte die Kriegerin jedoch sehr gut. Zum einen waren sie das einzige Geschwisterpaar unter den Großmeistern und zum anderen hatte Xander sie öfter als Beispiel genannt, wenn sie in der Ausbildung im Wurftraining waren, denn das war deren Spezialgebiet.

„Na sieh mal einer an, du bist doch Ullrichs bester Mann", säuselte Melvin und holte einige Wurfdolche aus der Innentasche seines Anzuges, der dem seiner Schwester haargenau glich. Die Ärmelaufschläge waren mit silbernen Mustern bestickt und hoben sich von dem dunklen Blau ab, das den Rest des Stoffes ausmachte. Die beiden standen im Licht einer Fackel, was jede ihrer Bewegungen gut erkennen ließ.

„Er war es, mein Lieber. Er hat ihn verraten", gluckste die Frau und zog ebenfalls Dolche.

Leandras Herz schlug schneller. Sie hatte niemals daran geglaubt, einmal gegen Großmeister kämpfen zu müssen.

„Er war mein Meister, nicht mehr und nicht weniger", knurrte Davin und ließ sein Schwert kreisen. Er kannte alle Großmeister und hatte sie vermutlich schon trainieren sehen. Vielleicht wirkte er deshalb so entspannt.

Leandra versuchte, so viele Informationen wie nur möglich von den beiden zu erhaschen. Sie studierte jedes noch so kleine Detail, um bestmöglich in den Kampf zu gehen. So wie ihr Meister es sie immer gelehrt hatte. Beide trugen ihre Haare zu einem Pferdeschwanz gebunden, in denen zwei lange Nadeln steckten. Diese dienten vielleicht als Wurfgeschosse. Melina hob die Dolche in der rechten Hand, was Leandra vermuten ließ, dass sie Linkshänderin war. Bei ihrem Bruder war es umgekehrt.

„Solltet ihr nicht lieber Verstärkung rufen?", fragte Davin.

„Glaubst du wirklich, wir bräuchten Hilfe, um mit euch Anfängern fertigzuwerden? Es kränkt mich, dass du uns so wenig zutraust", antwortete Melina theatralisch und verzog das Gesicht zu einer hässlichen Fratze.

Vermutlich wollte Davin sichergehen, dass sie es vorerst nur mit den beiden zu tun hatten. Das Adrenalin schoss der Kriegerin durch den Körper und ihr Herz raste. Sie standen zwei der offiziell besten Krieger der neun Inseln gegenüber.

„Dann lasst die Knochen mal knacken." Davin zog einen Mundwinkel in die Höhe und machte einen schnellen Schritt nach vorn.

Binnen weniger Sekunden warf Melvin sechs Dolche in die Richtung der Krieger. Sie flogen so schnell und präzise, dass man hätte denken können, sie wären mit einem Bogen abgefeuert worden.

Leandra hatte keine Mühe, ihnen auszuweichen. Auch wenn zwei sie nur um Haaresbreite verfehlten, war das Überraschungsmoment gelungen.

Davin hingegen fing einen im Flug und schleuderte ihn so schnell zurück, dass er Melina den linken Arm aufschlitzte.

Verdammt, das war großartig! So etwas hatte sie bisher nicht gesehen und selbst ausprobiert schon dreimal nicht. Das musste er ihr unbedingt beibringen.

„Du wagst es, meine Schwester zu verletzen?", knurrte der alte Mann und holte erneut eine Handvoll Dolche hervor.

Leandra bereute es, die Verwirrtheit der Großmeister nicht ausgenutzt zu haben und zum Angriff übergegangen zu sein. Jetzt würde es erst richtig losgehen, das war sicher.

„Ich werde sie nicht nur verletzen … Ich töte sie", prophezeite Davin.

Wieder flogen Dolche – diesmal von Melvin und seiner Schwester gleichzeitig.

Keuchend wich Leandra den Wurfgeschossen aus und versuchte, einen Weg zu finden, um näher an die beiden ranzukommen. Der Gang bot nicht viel Ausweichmöglichkeiten, doch es gelang den beiden Kriegern, diese Attacke unbeschadet zu überstehen.

Diesmal zögerten sie nicht und starteten den Angriff.

Melvins Hand glitt zu seinem Stiefel und Davin rannte wie vom Blitz getroffen los. Leandras Konzentration galt der Großmeisterin, die einige Wurfsterne nach den Kriegern warf und sie mit einem an der Schulter traf. Er war so scharf, dass er mühelos durch Kleidung und

Haut drang. Ein spitzer Schrei entwich Leandras Kehle und sie stolperte zu Boden.

Verdammt! Sie zog das Geschoss aus ihrer Schulter. Ihr wurde kurz schummrig, doch sie rappelte sich auf und eilte ihrem Kameraden zu Hilfe, der es jetzt mit beiden Großmeistern aufgenommen hatte.

Schwerter prallten aufeinander und klirrten so laut, dass es sicherlich nicht mehr lange dauern würde, bis man sie hier unten entdeckte. Mit zusammengebissenen Zähnen stürmte Leandra auf die alte Frau zu und ignorierte den Schmerz, der sich immer weiter ausbreitete.

Jetzt ging es um alles. Der Kampf musste so schnell wie möglich beendet werden! Leandra stieß ihr Schwert vor und brachte Melina somit von Davin ab. Die Hand der Großmeisterin suchte den Weg zu ihren Haaren, doch Leandra ließ es nicht zu. Sie startete erneut einen Angriff in Richtung Kopf der Frau, die sich duckte.

Die Reaktionen des alten Geschwisterpaars waren faszinierend. Melina hatte einen Dolch in der Hand. Woher sie diesen hatte, war Leandra schleierhaft, doch sie drängte sie mit schnellen Paraden zurück, sodass sie fast wieder auf derselben Höhe waren wie Davin und Melvin.

Leandra wagte nicht, sich umzuschauen, doch vermutete, dass Melvin mit dem Rücken zu ihr kämpfte. Sein Keuchen klang näher. Sie hatte eine Idee.

„Gib auf, Junge! Du hast nicht den Hauch einer Chance“, brüllte der Großmeister und spätestens jetzt würde es nur noch wenige Minuten dauern, bis Verstärkung einträfe, denn die Wände trugen den Hall seiner Stimme hervorragend weiter. Noch besser war allerdings die Gewissheit, dass er wirklich in ihrer Nähe stand.

Leandra wich einer weiteren Attacke aus. Sie wusste, dass sie der nächste Hieb von Melina treffen würde, dennoch drehte sie sich um und rammte das Schwert in den Rücken des Großmeisters. Im selben Augenblick spürte sie die scharfe Klinge, die sich von hinten durch ihre Rippen vorarbeitete.

„Du hast dir gerade dein eigenes Grab geschaufelt", knurrte Davin und sprang über den auf den Boden fallenden Großmeister. Dann waren nur noch ein Surren und Klirren fallender Waffen zu hören.

Leandra sank neben Melvin zusammen und spürte, wie das Blut schwallartig ihren Körper verließ. Der Schmerz setzte erst jetzt ein und ließ sie laut aufstöhnen. Sternchen tanzten vor ihren Augen und ihre Hände zitterten.

„Wir müssen hier weg", keuchte Davin und Erleichterung machte sich in Leandra breit. Er lebte! Sie hatte nicht gesehen, ob Davin Melina erwischt hatte, oder umgekehrt.

„Ich glaube, ich kann nicht aufstehen", murmelte sie und tastete nach der Stelle, aus der das Blut floss. Ein brennender Schmerz durchströmte sie. Sie zog die Hand weg. Das war nicht gut!

„Die Wunde wird heilen. Ich habe schon Schlimmeres gesehen", versuchte er, sie aufzumuntern.

Sie klammerte sich an seinem Oberarm fest. Vermutlich hatte er recht, auch wenn sie es jetzt gerade nicht glauben wollte.

Davin zog sie auf die Füße und drückte sie fest an sich.

„Sag Bescheid, wenn es wieder geht", murmelte er in ihr Haar und sie roch den metallischen Geruch von Blut. *Ist Davin verletzt?*

Sie wollte ihn fragen, doch ein Anflug von Schwindel überrollte sie. Sie presste sich gegen seine Brust. Sein Atem ging schnell, aber gleichmäßig.

„Ich möchte diesen romantischen Moment nicht zerstören, aber solltet ihr nicht besser auf der Flucht sein, als hier eng umschlungen zu kuscheln?"

Lillien

Leandra humpelte gestützt von Davin und Jerry die Gänge entlang. Taras hatte ihr einen provisorischen Druckverband aus Stofffetzen seines Oberteils, das er dafür zerrissen hatte, angelegt. Die Blutung war zwar nicht gestoppt, aber gemindert.

Immer wieder blitzten weiße Sterne vor Leandras Augen auf und sie mussten eine kurze Pause machen, damit sie sich sammeln konnte. Die Schmerzen unter ihren Rippen waren nur schwer wegzuatmen und am liebsten hätte sich die Kriegerin in ein Bett gelegt und ausgeruht.

„Da vorn sind sie! Tötet sie alle!“

Leandra konnte die Stimme nicht zuordnen, doch dass sie verfolgt wurden, machte die Sache nicht einfacher.

Brian versuchte, Hindernisse zu erstellen, die es ihren Verfolgern schwermachten, ihnen nachzukommen. Schränke, die an der Seite des ersten Flures standen, warf er um, sodass sie quer in dem schmalen Gang lagen.

Doch ihre Verfolger waren schnell. Davin warf sich Leandra über die Schulter und sie rannten. Das Surren von Pfeilen war zu hören, doch sie verfehlten die Krieger.

Xander und Taras hatten einen beachtlichen Vorsprung vorgelegt. Immer wieder lagen vereinzelte Männer im Gang, die schwer verwundet oder gar tot waren. Die beiden schlugen ihnen den Weg frei.

Jerry und Brian ließen sich zurückfallen, als sie merkten, dass ihre Verfolger näher kamen.

„Schafft ihr das allein?", rief Davin ihnen hinterher. Seine Atmung war schnell und er versuchte, Leandra so wenig wie möglich durchzuschütteln. Jede starke Erschütterung ließ sie aufstöhnen.

„Es sind nur drei, das schaffen wir." Jerrys Rufe klangen gedämpft und das erste Klirren von aufeinandertreffendem Metall ertönte.

„Wenigstens das", murmelte Davin und stolperte in den Raum, in dem die Skelette lagen. Leandra erinnerte sich noch gut, als sie als Jugendliche das erste Mal diesen Raum betreten und Xander sie davor gewarnt hatte, nichts zu berühren. Es waren die Überreste der Schiffscrew, die über ihren Köpfen auf der Insel im Nebel nach Opfern suchten. Davin verlangsamte seinen Schritt und blieb mit einem Mal gänzlich stehen.

„Was ist?", wollte Leandra wissen. Er ließ sie von seiner Schulter rutschen. Sofort ließ der Druck auf ihrer

Wunde nach und sie suchte nach dem Grund ihres Stopps.

Xander wie auch Taras knieten neben einem leblosen Körper.

Der Kriegerin wurde heiß und kalt zugleich. Ihr Herz zog sich zusammen. Sie humpelte auf die beiden zu. „Nein!“ Leandra drückte sich an den anderen vorbei und stürzte auf den Körper zu. Mit weit geöffneten Augen starrte die einstige Meisterin ausdruckslos Richtung Decke.

„Nein, nein, nein!“ Für einen Moment schien die Welt stillzustehen. Sämtliches Blut gefror Leandra in den Adern und sie fasste, ohne darüber nachzudenken, nach Lilliens Arm.

Eine Kältewelle erfasste sie und ließ sie erschrocken zurückweichen. Sämtliches Leben schien aus der Meisterin gewichen zu sein und das vermutlich schon seit mehreren Tagen.

„Nein! Bitte nicht!“ Leandras Kehle war ausgetrocknet. Als sich eine warme Hand auf ihre Schulter legte, zuckte sie erschrocken zusammen.

„Wir müssen weiter“, sagte Taras knapp, doch auch Xander reagierte nicht.

„Steht hier nicht so …“ Jerry betrat blutbesprenkelt den Raum und hielt mit seiner Rede inne, als er die tote Lillien auf dem Boden liegen sah.

Taras beugte sich zu ihr hinunter, doch Xander drängte ihn auf die Seite. „Fass sie nicht an“, knurrte er und hob den erschlafften Körper hoch.

„Wir müssen weiter“, flüsterte Davin Leandra zu. Er wollte ihr auf die Beine helfen, doch sie stolperte nach vorn und fiel auf die Knie.

Lillien war tot! Alles verschwamm.

Zwei weitere Hände griffen nach ihren Armen. Sie wurde auf die Beine gestellt und mitgezogen. Sie hörte Gemurmel, Rufe, Stimmengewirr, aber verstand kein Wort. Sie fühlte sich gefangen in einer Blase.

Eine Luke öffnete sich und jemand zog an ihrem Arm.

Leandra war nicht bei sich, ihre Gedanken hingen bei Lillien. Das Bild ihrer toten Freundin hatte sich fest in ihrem Kopf verankert und ließ sie nicht los.

Immer wieder stolperte sie und fiel zu Boden. Der kalte feuchte Untergrund war warmem Sand gewichen. Etwas flog an ihrem Kopf vorbei und Blut spritzte an ihre Wangen. Sie zuckte zusammen und versuchte zu verstehen, was hier vor sich ging. War es ihr Blut? Sie verspürte keinen Schmerz, nur Leere.

***

„Ablegen!“, brüllte Taras, während Davin dabei war, Leandra neben eine Truhe an Deck zu setzen. Sie war in einem Schockzustand und nicht mehr ansprechbar, doch sie nahm auf dem Boden Platz und starrte stumm vor sich.

„Bleib einfach hier sitzen“, befahl er.

Sie hob den Kopf, um ihn aus großen Augen anzuschauen. Es kam keine Reaktion.

Pfeile sausten durch die Luft und bohrten sich in das Holz der Atara. Taue wurden gekappt und die Segel gehisst. Binnen weniger Minuten hatten die Krieger es geschafft, das Schiff aufs offene Meer zu bugsieren.

Davin wischte sich den Schweiß und Jerrys Blut von der Stirn. Ein Pfeil hatte ihm den Arm aufgeschlitzt und eine Ader erwischt. „Geht es dir gut?“, fragte Davin den Verwundeten, der sich heftig atmend neben ihn an die Reling lehnte.

„Scheiße nein", grummelte dieser und warf sein Schwert vor sich nieder.

Davins Herzschlag beruhigte sich, doch er verstand Jerrys Unmut und musterte die anderen Krieger, die allesamt erschöpft und am Ende ihrer Kräfte wirkten.

„Ich werde ihn finden! Er wird für das, was er dir angetan hat, bezahlen!", murmelte Xander und drückte den Leib von Lillien an seine Brust.

Gänsehaut breitete sich auf Davins Körper aus. Er wusste, dass die Großmeister korrupt waren, doch den Mord an einer Meisterin, die immer zu ihnen aufgeschaut hatte, hätte er ihnen höchstens im Kampf zugetraut. Lillien war mit Tamir zu ihnen gereist. Sie wollten sie um Hilfe bitten, davon überzeugen, auf ihrer Seite gegen Tim zu kämpfen, und von Ullrichs Verrat berichten. Da wusste allerdings noch niemand, dass sie alle unter einer Decke steckten. Das war ein Akt der Machtdemonstration und hatte für Davin einen bitteren Beigeschmack.

Taras schluckte hart und vermutlich seine aufkommenden Tränen hinunter. Jerry trat gegen sein Schwert und verschwand unter Deck. Brian setzte sich zu Leandra und stierte in Lilliens Richtung. Auch er war verletzt. Ein Blutfleck hatte sich auf seinem Oberschenkel breitgemacht und dem Stöhnen nach zu urteilen, wenn er das Bein bewegte, hatte er starke Schmerzen.

Davin kannte Lillien nicht so gut wie die anderen, er hatte kaum mit ihr zu tun gehabt, doch er wusste, dass sie Leandra sehr viel bedeutet hatte.

Die Meisterin hatte große Wunden an Bauch und Hals. Vermutlich hatte sie nicht lange leiden müssen. Ein schwacher Trost.

***

„Krieger sein, bedeutet nicht nur, Mut zu haben, gut ausgebildet zu sein, deine Waffe zu beherrschen, als wärt ihr eins. Nein, es bedeutet auch, Leid zu ertragen, Entscheidungen zu treffen, die dein ganzes Leben verändern können, und immer mit voller Leidenschaft hinter der Sache, für die du kämpfst, zu stehen. Auch den Verlust lieb gewonnener Kameraden wirst du erleben …"

Die sanfte Stimme von Lillien schwang wie ein Mantra in Leandras Kopf und wiederholte sich in Dauerschleife. Ihre Gefährtin, ihre Freundin und ihr Mentor in allen Lebenslagen war tot!

Tränen füllten ihre Augen und sie versuchte erst gar nicht, die Starke zu spielen, denn das war sie gerade nicht. Nicht jetzt und nicht hier!

Die Erinnerungen an das, was vor einigen Stunden passiert war, war schemenhaft und blass. Es spielte keine Rolle, wie sie auf dieses Schiff gekommen waren. Sie segelten mit den schlechtesten Nachrichten zum Lager, die man sich nur vorstellen konnte.

„Deine Wunde muss versorgt werden." Brians Stimme holte Leandra aus ihren Überlegungen. Sie drehte den Kopf in seine Richtung und hatte das Gefühl, dass er um Jahre gealtert war.

Tiefe Augenringe lagen unter den geröteten Augen. Seine Haut war aschfahl und ihm schien es nicht gut zu gehen.

„Ich habe keine Schmerzen", log Leandra und ignorierte das Brennen und Stechen in ihrer Seite. Der seelische Schmerz übertraf alles.

„Du siehst aus, als würde es dir nicht sonderlich gut gehen." Brians Blick war besorgt.

„Ja, Brian, mir geht es nicht gut! Das hast du richtig erkannt!“

„Ich rede von deiner Wunde, sie blutet.“

Leandra machte sich nicht die Mühe hinzuschauen, sie spürte die warme Flüssigkeit, die aus der Wunde sickerte. „Ja, wenn man kämpft, kann man verletzt werden und dann passiert es, dass Wunden bluten!“ Die Feindseligkeit in ihrer Stimme ließ sich kaum verbergen. Sie verstand nicht, was Brian jetzt von ihr wollte. Er war selbst verwundet, er sollte sich um seinen eigenen Kram kümmern.

Der Krieger versuchte, sich aufzuraffen, doch es gelang ihm nicht. Taras trat auf ihn zu und reichte ihm die Hand. „Lass deine miese Laune nicht an mir aus! Ich wollte nur nett sein“, knurrte der Krieger und humpelte mit Taras' Hilfe unter Deck.

„Er hat recht, wir sollten uns um deine Wunde kümmern“, mischte sich jetzt Davin ein. Er streckte Leandra die Hand entgegen, doch sie schlug sie weg.

„Ich werde sie nicht allein lassen!“, murmelte sie.

„Was?“

„Lillien! Ich lasse sie nicht allein!“, herrschte sie ihren Kameraden an. Vor ihren Augen blitzten kleine weiße Punkte auf, der Schwindel war schon lange nicht mehr zu verleugnen.

„Du verblutest, wenn wir die Wunde nicht nähen!“

„Lass mich!“

„Sei bitte …“

„Verschwinde! Hau ab!“, brüllte sie aus voller Kehle und versuchte, nach ihm zu schlagen.

Davin hatte genug von dem Spektakel und zog Leandra schneller, als ihr lieb war, auf die Beine. Übelkeit überkam sie und sie musste an sich halten, sich nicht auf der Stelle zu erbrechen. Ihre Beine wollten nachgeben, doch Davin presste sie fest an sich.

Die junge Kriegerin versuchte, sich aus seinem Griff zu befreien, doch er war um einiges stärker. Wie einen Sack schulterte er sie und trug sie unter Deck.

„Lass mich sofort runter, Davin!", brüllte sie ihn an, doch er reagierte nicht darauf. „Du wirst es bitter bereuen", fluchte sie weinend und hämmerte mit den Fäusten auf seinen Rücken, zumindest beabsichtigte sie es, denn ihre Kraft schwand von Sekunde zu Sekunde.

Mit schnellen Schritten steuerte er in ihren früheren Schlafraum und ließ sie erst runter, nachdem er die Tür sorgfältig verschlossen hatte. Leandra schlug sofort nach ihm, doch Davin wich gekonnt aus.

„Lass mich hier raus!", brüllte sie wieder. Ihre Augen waren vom vielen Weinen geschwollen und ihre Stimme war zittrig. Sie spürte eine aufkommende Ohnmacht drohen, doch sie zwang sich, wach zu bleiben.

Vorsichtig näherte er sich Leandra und diese holte aus, um ihm eine zu verpassen. Er umgriff ihre beiden Hände und drehte sie mit dem Rücken zu sich, sodass sie sich nicht mehr wehren konnte und an ihn gepresst war. Leandra gab nicht auf und wand sich wie ein Aal, ohne Erfolg.

„Du hast so viel Blut verloren, es ist ein Wunder, dass du überhaupt noch bei Bewusstsein bist, aber woher nimmst du diese Kraft?"

Sie ignorierte ihn, brüllte ihm alle Flüche entgegen, die ihr einfielen, und nach einigen Minuten Kampf sank sie bitterlich weinend und schluchzend in seinen Armen zusammen.

Er ließ sich mit ihr auf den Boden gleiten und so saßen sie einen Moment an der Wand gelehnt da. Es tat gut, seinen gleichmäßigen und ruhigen Herzschlag zu hören.

„Ich werde sie rächen! Ich werde jeden Tag trainieren und besser werden als alle anderen!“

Davin antwortete nicht. Er streichelte ihr sanft über die Haare und legte sein Kinn auf ihren Kopf, bis ihre letzten Kräfte schwanden.

Veränderung

Als Leandra die Augen öffnete, hatte sie einen fürchterlich bitteren Geschmack im Mund. Sie erkannte ihn sofort. Jemand hatte ihr ein starkes Beruhigungsmittel eingeflößt.

Ein pochender Schmerz breitete sich unter ihrem Rippenbogen aus und mit der Hand erfühlte sie einen dicken Verband. Sie hatte schrecklichen Durst und wollte diesen ekligen Geschmack loswerden.

Langsam öffnete sich die Tür und Brian betrat den kleinen Raum. „Darf man dich fragen, wie es dir geht?“

„Es tut mir leid, ich war nicht ganz bei mir“, nuschelte Leandra zwischen ihren trockenen Lippen.

„Lilliens Tod hat uns alle aus der Bahn geworfen." Er humpelte zu einem Stuhl und setzte sich der Kriegerin gegenüber. Als würde er ahnen, was Leandra brauchte, hielt er ihr einen Becher mit Wasser entgegen.

Sie trank ihn gierig aus. Es war ein herrliches Gefühl, wie das Wasser ihre Kehle herunterrann. Und doch hielt es nur kurz an. „Wer war das?" Sie deutete auf ihre versorgte Wunde an der Seite.

„Taras und Davin. Sie haben uns alle wieder zusammengeflickt." Er zeigte auf seinen Oberschenkel. „Kannst du aufstehen?"

„Warum?" Ihr war bereits aufgefallen, dass sie angelegt hatten, und trotzdem hatte sie nicht das Gefühl, sich hier wegbewegen zu wollen.

„Weil wir die Einzigen auf dem Schiff sind und ich langsam Hunger bekomme." Er lächelte.

Egal wie sehr ihr Magen knurrte, essen konnte sie jetzt nichts. „Geh, ich würde gerne einen Augenblick allein sein."

Brian schien zu wissen, dass es sinnlos war, mit Leandra zu diskutieren. Er stieß einen Seufzer aus und verließ die Kajüte.

Aus Stunden wurden Tage. Fünf Nächte hatte Leandra die Koje nicht mehr verlassen. Davin kam abends sehr spät, um bei ihr zu schlafen, verschwand aber wieder, sobald er wach war. Felizitas besuchte sie zweimal am Tag, um nach Leandras Wunden zu schauen, ihr frische Kleidung und Essen zu bringen.

Beide ließen sie in Ruhe und versuchten erst gar nicht, sie davon zu überzeugen, ins Lager zu kommen.

Sie hatte die Zeit für sich gebraucht. Getrauert, sich Gedanken gemacht, schöne Erinnerungen durchlebt und geweint.

Aus vollen Händen schöpfte sie sich Wasser in Gesicht. Heute war der Tag, an dem sie das Schiff verlassen würde. Sie hatte keine Tränen mehr und ihre Wunde an der Seite war ziemlich gut verheilt. Ihr Fuß war wie neu und die an der Schulter vom Wurfstern war sowieso nicht der Rede wert gewesen.

Sie tastete an ihre Seite. Ein leichtes Ziehen war noch zu spüren, aber die Wunde war verschlossen. Es würde vielleicht noch drei Tage dauern, dann wäre sie wieder ganz die Alte, zumindest war so der Plan. Sie musste weitermachen, für sich, für die Bücher, aber vor allem für Lillien. Sie würde sie rächen!

Die Kriegerin holte tief Luft, öffnete die Tür der Kajüte und schritt direkt auf die ausgetretene Holztreppe zu, die an Deck führte.

Das grelle Sonnenlicht blendete sie und sie musste mehrfach blinzeln, damit sich ihre Augen daran gewöhnten.

Xander stand an Deck, als hätte er die Kriegerin erwartet. Sein Blick wirkte müde, aber entschlossen. Leandra zögerte keine Sekunde, ihre Forderungen laut auszusprechen. Sie hatte ihren Entschluss gefasst!

„Bilde mich weiter aus!", blaffte sie mit fester Stimme.

Der Meister schaute sie verwundert an. „Das habe ich all die Jahre weiterhin gemacht. Jerry, du und Brian könntet sofort die Prüfung ablegen."

„Ich will mehr! Ich will all dein Wissen, all deine Tricks und ein *Nein* lasse ich nicht gelten!"

Xander seufzte, vermutlich hatte er mit solch einer Forderung gerechnet. Er kannte Leandra und wusste, dass sie das, was sie sich in den Kopf gesetzt hatte, auch durchsetzen würde. Wenn nicht er sie trainierte, dann fände sie jemand anderen.

„Nur um es noch mal auf den Punkt zu bringen: Ich will kein normales Training, ich will das volle Programm", forderte sie. Da war es wieder, das gefährlich wirkende Grinsen, das sie schon viel zu oft bei ihm gesehen hatte.

„Rache ist nie eine Lösung. Sie bringt dir nur für einen Moment Zufriedenheit, doch alles, was zurückbleibt, ist eine große Leere und Schuldgefühle."

Leandra starrte ihren Meister ungläubig an. „Du willst Lilliens Tod einfach hinnehmen?"

Xander schüttelte den Kopf und holte tief Luft. „Ich kannte einst ein junges talentiertes Mädchen, das voller Tatendrang und Euphorie nach der Ausbildung nur ein einziges Ziel verfolgte. Sie wollte besser und stärker werden als jeder Mann und jede Frau, die sie kannte. Sie wollte lautlos sein wie ein Schatten, stark wie zehn Männer, unverhofft wie ein Gewitter, gefährlich wie eine Giftschlange, schnell wie ein Blitz und überraschend wie der Tod." Der Krieger machte eine kurze Pause und lehnte sich an die Reling seines Schiffes. „Das waren Lilliens Worte zu der Großmeisterin, als sie sie nach ihren Beweggründen fragte, um zu einer Meisterin ausgebildet zu werden."

Leandra lauschte gespannt der Geschichte.

„Wir alle wussten sofort, dass sich diese junge Frau an jemandem rächen wollte."

„An wem?", flüsterte Leandra neugierig. Xander redete nie über die Vergangenheit. Sie wusste, dass Lillien und er sich bei der Meisterausbildung kennengelernt hatten, mehr nicht.

„An dem Mann, der ihr das Leben schenkte. An dem Mann, der sie heimlich beobachtete, wenn sie mit ihren Puppen spielte. An dem Mann, der sie jahrelang nachts in ihrem Kinderzimmer besucht hat, während ihre zwei großen Brüder ein Zimmer weiter friedlich schliefen. An dem Mann, der immer nach Rum roch, wenn er sich dicht an sie kuschelte, um ihr ins Ohr zu hauchen, sie solle sich still verhalten, um ihre Brüder nicht zu wecken. An dem Mann, der sie grün und blau schlug, wenn sie versucht hat, sich zu wehren."

Leandra konnte nicht fassen, was sie da hörte. Der Kloß in ihrem Hals ließ sich nicht mehr schlucken. Ihre Hände zitterten. Sie hatte von all dem, was Lillien in ihrer Kindheit durchgemacht hatte, keine Ahnung. „Hat sie sich gerächt?"

Xander schluckte und heftete seinen Blick fest auf das offene Meer. Seine lilafarbenen Augen glitzerten. „Nein, ich habe sie gerächt, davon wusste sie allerdings bis heute nichts."

„Warum hast du es getan?" Leandra verstand nicht, warum er sich selbst widersprach. Eben hatte er noch gesagt, dass Rache keine Lösung sei.

„Weil er es in meinen Augen verdient hat", murmelte er. Für Leandra hatten seine Worte einen bitteren Nachgeschmack.

„Lillien hat verstanden, dass ihr ihre Rache nicht helfen würde, das Geschehene ungeschehen zu machen. Irgendwann fing sie an, ihm sogar zu vergeben."

„Warum hast du ihren Vater dann umgebracht?", fragte Leandra weiter. Seine Worte ergaben keinen Sinn.

„Weil er ein dummer Hitzkopf ist! Lillien hätte ihn dafür gehasst, hätte sie gewusst, was er getan hat", erklärte Taras, der gerade das Deck betreten hatte. Er legte die Hände an seine Gürtelschnalle und setzte ein schelmisches Grinsen auf.

„Danke, dass du ihre Geschichte mit mir geteilt hast", sagte Leandra und drehte sich zum Gehen um. „Wenn du jedoch denkst, das würde mich davon überzeugen können, Ullrich zu verschonen, dann täuschst du dich! Ich werde mich vorbereiten, ich werde trainieren und wenn du mir nicht hilfst, dann werde ich es allein schaffen!" Mit diesen letzten Worten sprang Leandra auf den Steg und ließ die beiden zurück.

„Wir müssen unbedingt die Verbindung zwischen Mariella und ihr lösen", hörte sie noch Taras' Stimme.

Davin hatte dieses Thema schon angeschnitten, darüber wollte sie sich noch genauere Informationen einholen, doch jetzt würde sie erst mal etwas essen. Auf dem Schiff hatte man sie mit Eintöpfen und Brei versorgt.

Alle Augen waren auf sie gerichtet, als sie dem Weg zum Haupthaus folgte. Es hatte sich sicherlich herumgesprochen, dass die Auserwählte Zeit für sich brauchte und trauerte. Es war ihr egal, was die anderen dachten. Wahrscheinlich hielten sie sie für schwach und viel zu emotional. Aber so war sie eben. Sie wollte sich nicht verstellen und Werte vermitteln, hinter denen sie nicht stand.

Für Taras und Xander waren es Grundsätze, doch für sie nicht. Der Rückzug die letzten Tage hatte ihr gutgetan, sie hatte die Zeit gebraucht und war daran gewachsen. Sie fühlte sich entschlossener und stärker als zuvor.

Sie betrat den Speiseraum, sofort wurde es ruhig. Vereinzeltes Wispern war zu hören.

„Leandra", stieß Jerry überrascht hervor und eilte durch die Tischreihen, um zu ihr zu gelangen.

„Jap, hier bin ich wieder", entgegnete sie und steuerte auf eine Frau zu, die die Obstkörbe auf den Tischen auffüllte.

„Hat Xander mit dir gesprochen?"

„Besteht die Möglichkeit, etwas zu essen zu bekommen?" Leandra ignorierte Jerrys Frage und richtete sich an die Frau. Diese tauschte einen Blick mit Jerry und er nickte.

„Die Menschen hier sind etwas verstimmt. Ich lasse dir das Essen auf dein Zimmer bringen." Er wollte nach ihrem Arm greifen, doch sie drehte sich von ihm weg.

Es war, wie sie es vermutet hatte. Man hielt sie für schwach. Leandra musste lächeln. Sie war alles, nur nicht das! Ja, der Tod von Lillien hatte sie schwer getroffen, aber verdammt noch mal, was hatte sie schon alles durchmachen müssen und war immer tapfer geblieben, hatte Mut und Kampfgeist bewiesen! Ein einziges Mal hatte sie einen Zusammenbruch gehabt und das wegen der Frau, die Leandra ihre ganze Jugend über als Freundin und Mentorin begleitet hatte, wenn Xander der falsche Ansprechpartner gewesen war.

„Entschuldige, dass ich nicht so fehlerfrei bin! Was ein Glück, dass ich schwaches Ding ab und an mal starke Momente habe, in denen ich mein Leben in Gefahr bringe, um die neun Inseln vor einem verrückten Magier zu schützen!", brüllte sie so laut, dass sie jeder im Saal hören musste. Sie griff nach dem Teller mit Fleisch, Gemüse und Kartoffeln, den ihr die Frau von vorhin entgegenhielt, und stürmte aus dem Raum.

Sie wollte nicht auf dem Präsentierteller sitzen, also lief sie zu ihrem Haus. Ihre Hände zitterten vor Aufregung und sie musste aufpassen, dass ihr das Essen nicht runterfiel, als sie mit dem Ellenbogen die Tür öffnete.

Niemand war im Gemeinschaftsraum, daher eilte sie gleich hoch in ihr Zimmer. Davin lag mit einem Buch in der Hand im Bett und schaute kurz auf. „Ich habe dir Badewasser eingelassen, ich dachte, das könnte dir guttun", erklärte er und sein Kopf verschwand wieder hinter dem Buch.

Okay!? Leandra stellte den Teller mit dem Essen auf den kleinen Tisch in der Raummitte und wagte einen Blick in den Waschraum.

Kerzen erhellten die Ecke, in der die Wanne stand, und wie angekündigt war in dieser ein wohlriechendes Schaumbad eingelassen.

Wann hat er das gemacht? Ihr Ärger wich der Verwirrung.

Mit der Hand prüfte Leandra die Wassertemperatur, die eine angenehme Wärme hatte. Woher wusste er, wann sie hier auftauchen würde?

Sie tastete nach ihrer Wunde, überlegte, ob ein Bad schon sinnvoll wäre. Sie war verschlossen und auf dem Schiff hatte sich Leandra lediglich waschen können. Sie würde es riskieren. Der blumige Duft war zu verführerisch. Der Hunger, den sie eben noch verspürt hatte, war verschwunden. Eilig legte sie ihre Kleidung ab, öffnete ihren geflochtenen Zopf und tauchte in die vielen Schaumblasen ein.

„Gern geschehen!", rief Davin vom anderen Zimmer.

Leandra wollte mit keinem von ihnen sprechen. Auch wenn sie für das, was passiert war, nicht verantwortlich waren, war sie dennoch genervt.

Das warme Wasser tat ihr wirklich gut. Sie schloss die Augen, um die Ruhe und Wärme auf sich wirken zu lassen.

Sie wusste, dass der Tod von Lillien etwas geändert hatte. Dass *sie* sich verändert hatte. Sie würde besser und stärker werden als je zuvor.

Davin betrat leise den Raum und kniete sich an der Wanne nieder. Dieser Mann hatte wirklich kein Schamgefühl. Seine Kiefermuskeln waren angespannt, ein Zeichen, dass ihn etwas beschäftigte. „Ich werde mit dir trainieren, wenn du das möchtest. Ich will, dass du weißt, dass ich deine Meinung nicht teile, aber ich bin für dich da, du musst das nicht allein durchstehen", hauchte er.

Leandra stierte an die Holzdecke. Seine Worte berührten sie. Sie wusste, dass er auf den letzten Satz anspielte, den sie ihm im Schiff zu gemurmelt hatte, bevor sie ohnmächtig geworden war.

Davin war sehr aufmerksam. Er nahm Leandras Bedürfnisse wahr. Er hatte es nicht verdient, an sie gebunden zu sein. Er war so unfassbar liebenswert und fürsorglich. Sie hatte ihn nicht verdient!

Seine strahlend blauen Augen studierten jeden Winkel ihres Gesichtes. Sie sagte nichts zu dem Vorschlag, mit ihm zu trainieren.

Davin klopfte an den Wannenrand und stellte sich auf. „Ich habe Essen für …" Seine Worte verstummten, als Leandra aus dem Wasser stieg und ihrem Gefährten um den Hals fiel. Er blieb wie angewurzelt stehen.

Leandra versuchte, all ihre Liebe und Dankbarkeit, die sie für ihren Gefährten empfand, in diese Umarmung zu stecken. „Danke", hauchte sie mit zittriger Stimme.

Von Davin fiel jede Hemmung ab. Mit beiden Armen umschloss er Leandras Oberkörper und zog sie näher an sich. „Du weißt, ich würde alles für dich tun", murmelte er und streichelte ihr vorsichtig über den nassen Rücken.

Sie wusste es, denn er liebte sie seit ihrer Kindheit. Sie löste sich von ihm, um dann ihre Stirn an sein Kinn zu legen. Ohne aufzusehen, streichelte sie ihm über die stoppelige Wange.

„Hör auf zu weinen!", forderte er und strich ihr sanft die Tränen von der Wange.

Sie wusste nicht, wann sie damit angefangen hatte. Mit zwei Schritten stieg Leandra aus der Wanne und stellte sich in ihrer ganzen Nacktheit vor ihn.

Er schaute nicht an ihrem Körper hinunter, wie sie es vielleicht erwartet hatte, er ließ seinen Blick nicht von ihren schmerzerfüllten Augen.

Das Verlangen, ihn zu küssen, wuchs von Sekunde zu Sekunde. Ihr Herz schlug ihr bis zum Hals. Sie führte die Hände an seinen Nacken. Ihre Berührungen waren vorsichtig und unsicher, was Davin schmunzeln ließ.

„Ich denke nicht, dass dies jetzt der passende Zeitpunkt –", begann er mit seinem Einspruch, doch Leandra ließ ihn nicht aussprechen.

Sie würde ihn diesen perfekten Moment nicht kaputtmachen lassen. Begierig zog sie ihn zu sich und küsste ihn leidenschaftlich. Ihre Zunge glitt in seinen Mund und alles andere war unwichtig. Er stieß sie nicht zurück, sondern erwiderte den Kuss. Ein Zeichen, dass er wohl doch nichts dagegen zu haben schien.

Ihr Puls raste wild und ihre Atmung wurde schneller. Sie wollte ihn, dessen war sie sich mehr als sicher. Eilig streifte sie ihm das Hemd vom Oberkörper und drängte ihn an die Wand hinter sich.

Keuchend hielt er ihre Hand fest, als sie sich an seiner Hose zu schaffen machte.

Sie musterte ihn mit gerunzelter Stirn. Würde er sie jetzt wirklich zurückweisen? Verunsichert suchte sie seinen Blick. „Wenn dir das al-"

„Es ist perfekt. Du bist perfekt." Seine Hände fuhren in ihre Haare.

Die sich eben aufgebaute Anspannung fiel ab und zauberte ihr ein Schmunzeln auf die Lippen. Sie öffnete seine Hose und als sie fiel, hob er die Kriegerin hoch und drückte sie gegen die Wand. Seine Küsse verteilten sich auf ihrem Hals und als er in sie eindrang, entfuhr Leandra ein lustvolles Stöhnen.

Abschied nehmen

Die ganze Nacht über hatten sich die beiden gesucht und wachten am Morgen eng umschlungen auf.

Leandra lauschte dem gleichmäßigen Herzschlag in Davins Brust. Ein wohliges Kribbeln durchfuhr ihren Unterleib und am liebsten würde sie diesen Moment festhalten. Solch eine Unbeschwertheit fühlte sie nur bei ihm.

Davin vergrub seine Nase in Leandras Haaren. „Wir sollten zum Frühstück gehen. Gleich danach ist die Trauerfeier", murmelte er.

Bei den letzten Worten setzte sich Leandra rasant auf. „Ich dachte, ihr habt sie schon beerdigt."

„Xander wollte Lilliens Brüder benachrichtigen. Sie sind gestern eingetroffen."

Leandra nickte und stand auf, um sich für den Tag fertig zu machen. Die Elfen hatten eine beachtliche Menge an Kleidung angefertigt und sie entschied sich für eine Lederkombination, die mit ihrer schwarzen Farbe sehr gut zur heutigen Stimmung passen würde. Ihr Haar ließ sie offen über die Schultern fallen.

Sie wollte nach dem Türknauf greifen. Davin jedoch legte seine Hand auf ihre und zog sie zu sich, um ihr einen leidenschaftlichen Kuss zu geben. Sofort begannen die Schmetterlinge in ihrem Bauch, Saltos zu schlagen. Nur ungern löste sie sich von seinen Lippen.

„Die anderen –"

„Alles, was hier drin geschehen ist, wird hier drin bleiben", versicherte er ihr.

Nicht dass es Leandra egal wäre, was die anderen über sie und Davin dachten, doch sie hatten genug wichtigere Dinge, um die sie sich kümmern mussten.

Er strich ihr eine Strähne hinters Ohr und bescherte ihr einen wohligen Schauer. Ihr Herz schlug schneller und Hitze stieg in ihr auf. Seine blauen Augen wirkten oft kalt und gefühllos, doch jetzt strahlten sie all das aus, was Leandra am meisten brauchte. Liebe und Halt.

Mit einem letzten Kuss verließen sie das Zimmer und liefen auf direktem Weg zum Haupthaus. Am Frühstückstisch saßen sie das erste Mal wieder alle beisammen, was kein Zufall war.

„Ich weiß gar nicht genau, wo ich anfangen soll", sagte Xander und schaute einen nach dem anderen an.

Niemand sprach Leandra auf ihre Auszeit an und dafür war sie dankbar.

„Tamir ist von Ullrich gefangen genommen worden, das ist unsere neuste Information. Sculley wird mit einer Gruppe nach Milva zum Elfenwald aufbrechen. Liam braucht Unterstützung mit den Kelpies und wir müssen die Verbindung zwischen Mariella und Leandra lösen", fasste der ehemalige Meister einige Themen zusammen. Die Büchersuche hatte er nicht erwähnt und Leandra hatte diese Verbindungssache mit Mariella schon wieder völlig vergessen.

Taras wartete erst gar nicht, bis Leandra nachfragte, sondern begann umgehend mit der Erklärung: „Laut Feli durchlebt Mariella Leandras lebensgefährliche Situationen. Als sie im Meer fast ertrunken wäre, wurde Mariella daheim bewusstlos, ihre Lippen wurden blau und als sie aufwachte, spuckte sie eine ganze Menge Wasser. Genauso war es, als Leandra fast im See der Kelpies ertrunken wäre. Selbst miterleben konnten wir es, als sie wegen des Ringfluches fast erstickt wäre."

Brian hatte ihr erklärt, dass sie beinahe an der Einnahme des Brotes und des Bieres der Zwerge gestorben sei und er ihr daraufhin diesen Trank eingeflößt habe. Dieses Mittel hatte Mariella und sie verbunden.

Leandra hatte nicht den Hauch einer Ahnung gehabt, wie weitreichend diese Verbindung war. „Meine Verletzung", murmelte sie und hoffte, dass es dem Kind gut ging.

Taras holte tief Luft und nickte besorgt.

Die Kriegerin schaute auf ihren verheilten Fuß. „Was war mit dem Schnitt am Fuß?"

„Da hatte sie eine kleine Wunde, als wäre sie in eine Scherbe getreten. Wenn ich es richtig verstanden habe, passiert alles zeitverzögert und abgeschwächt."

Leandra ließ sich in den Stuhl fallen und schüttelte den Kopf. „Es tut mir so leid, ich hatte keine Ahnung." Sie nahm eine Haarsträhne und zwirbelte sie zwischen den Fingern.

„Die hatten wir alle nicht. Leider sind die anderen beiden Fläschchen auf der Großmeisterinsel."

„Dann müssen wir die Fläschchen wiederbekommen", stellte Jerry fest und warf einen Bleistift auf einen Stapel Unterlagen.

„Ich habe euch schon unterrichtet, was dort vor sich geht. Tim, seine Anhänger und Leandras Bruder arbeiten mit den Großmeistern zusammen. Dort einfach wieder einzufallen wäre nicht der beste Plan. Und jetzt mal zu dir! Was genau ist deine Rolle hier in diesem Lager?" Davin nutzte die Chance des Zusammensitzens und lehnte sich auf den Tisch, um Jerry auffordernd anzuschauen.

Dieser fühlte sich ertappt und legte die Papiere, die vor ihm lagen, an die Seite. „Ich wollte es euch nicht sagen", begann er und linste zu Xander, der ihn angrinste. „Als wir nach einem neuen Platz für uns gesucht haben, habe ich angeboten, Xander mein Erbe zu schenken. Er wollte es nicht, also habe ich Ilona beauftragt, das hier alles zu übernehmen. Lillien, Xander und Taras wussten davon. Später auch Sculley und ein paar andere. Kurzum, das Lager gehört mir", fasste er knapp zusammen und hielt sich mit weiteren Informationen bedeckt.

„Deins?", wiederholte Brian und lächelte ihn bewundernd an.

„Da ist es! Genau das Grinsen! Deshalb wollte ich nicht, dass ihr das wisst."

Brian schüttelte unschuldig schauend den Kopf.

„Wir haben das Zeug dazu! Wir können eine neue Ausbildung schaffen", erörterte Jerry.

Brian öffnete den Mund, doch Leandra hörte ihn nicht.

Ein kurzes Flirren vor den Augen verzerrte das Bild ihrer Kameraden. Eine Vision. Sie sah den Raum, in dem die Frau mit der locker sitzenden Hochsteckfrisur ein Kind auf dem Arm hielt und mit ihrem Mann sprach.

„... er wird sie bannen. Ich muss das tun, versteh das bitte."

„Es muss eine andere Lösung geben, als dich selbst zu opfern." Der große Mann griff nach der Hand der hübschen Frau.

„Er hat den Bann schon gesprochen, es ist zu spät. Entweder ich lege einen anderen Bann darüber oder wir nehmen seinen mit allen Konsequenzen an. Du weißt, das wäre der Untergang der zehn Inseln." Die Frau wirkte entschlossen und sah den Mann mitleidig an.

„Aber warum einhundert Jahre?", fragte er verzweifelt.

„Weil er geschwächt werden muss ..."

Die Stimmen wurden leiser. Die Bilder verschwanden.

„Wir müssen los." Xander war der Erste, der vom Tisch aufstand, um nach draußen zu stiefeln.

Leandras Finger zitterten. Sie lugte in die Runde, auch diesmal schienen ihre Kameraden nicht mitbekommen zu haben, dass sie abwesend gewesen war. Die Visionen tauchten in unregelmäßigen Abständen auf und Leandra verstand noch immer nicht, was sie ihr sagen wollten. Vielleicht wäre es doch sinnvoll, einen ihrer Gefährten einzuweihen. Jetzt war jedoch der falsche Augenblick, da alle der Reihe nach den Raum verließen.

„Also Jerry ist wirklich immer für eine Überraschung gut." Brian nickte in Jerrys Richtung und forderte Leandra auf mitzukommen.

Sie hatte die Diskussion zwischen Jerry und den anderen nicht mitbekommen, daher zog sie nur die Schultern nach oben und sagte: „Jerry halt."

Brian schien sich mit der Antwort zufriedenzugeben, er lachte und schüttelte ungläubig den Kopf.

Die Kriegerin hätte zu gerne gewusst, über was sie noch gesprochen hatten. Ihr Weg führte sie in den dichten Wald, der hinter dem Lager lag. Auf einer kleinen Lichtung fanden sich immer mehr Menschen ein, die meisten wohnten im Lager und kannten die Meisterin gut.

Lillien war im letzten Jahr viel vor Ort gewesen und hatte Ilona bei dem Aufbau geholfen, ihr Herzblut hing hier drin und jeder Anwesende wusste das.

Xander nahm die kleine Lina auf den Arm, die nicht verstand, was vor sich ging. Felizitas hatte sich der Kleinen angenommen, da sie wusste, dass Xander unmöglich das Kind mit sich nehmen konnte.

Leandra wurde schwer ums Herz. An die Kleine hatte sie nicht gedacht.

Taras stellte sich zu der schlanken Frau und griff nach ihrer Hand. Felizitas schaute überrascht zu ihm, doch sein Blick blieb an dem großen Bretterhaufen hängen, auf dem der Körper der Meisterin in ein weißes Tuch gehüllt dalag.

John und Cliff standen in erster Reihe. Keiner der beiden verzog eine Miene. Am Waldrand erkannte Leandra zwei weitere altbekannte Gesichter. Leo und Fin, ehemalige Schüler von Lillien. Sie waren damals dabei gewesen, als Tim und Xander die Verhandlung bei den Großmeistern gehabt hatten.

Ein Mann, den Leandra nicht kannte, ergriff das Wort. „Sie lebte mit einem Schwert und starb durch ein Schwert …“

Leandra wurde übel und holte tief Luft, um ihr Essen bei sich zu behalten. Sie hatte sich extra etwas abseits der anderen gestellt, um nicht im Mittelpunkt der Menschen zu stehen, die sie eh schon als schwach betitelten.

Sie lehnte sich an einen Baum, der so weit entfernt stand, dass sie alles sehen und hören, und dennoch unbemerkt verschwinden konnte. Weder Davin noch sonst wer schenkte ihr Beachtung, worüber sie sehr froh war.

Sie versuchte, den Worten des Mannes zu lauschen. Er war groß, schlank, mit schwarzem Haar und wirkte wie ein Gelehrter. Vielleicht war er einer von Lilliens Brüdern.

„Du bist so schwach!“

Leandra fuhr es durch Mark und Bein, als sie die zischelnde Stimme erkannte. Konzentriert drehte sie sich in Richtung Dickicht, eine Gänsehaut überzog ihre Kopfhaut. Ihre Finger zuckten nach dem Dolch an ihrer Hüfte. Im nächsten Moment schalt sie sich für ihre Fahrlässigkeit. Sie hatte keine Waffen dabei!

Fettige Strähnen fielen ihm in die Stirn, die ihrer so ähnlich war. Das braune Haar war ungepflegt und löste ein Ekelgefühl in Leandra aus. Die Bewunderung für ihren einst geliebten Bruder war purem Hass gewichen. Ihr blickten nur kalte Augen entgegen, die keinen Funken familiäre Zuneigung verrieten. Was war aus ihnen geworden? Seine Kleidung erinnerte an die eines Spions, unauffällig und einfach. Er hob sein Schwert in ihre Richtung.

„Was willst du hier?“, flüsterte sie langsam und wich einen Schritt zur Seite. Niemand bemerkte den Mann, dafür standen sie vom Geschehen zu weit weg.

„Ullrich wollte sich vergewissern, dass sein Plan aufgeht.“

Leandras Herzschlag wurde schneller. Welcher Plan?

„Wenn du nicht so wichtig für die Suche des letzten

Buches wärst, dann würde ich dir auf der Stelle den Kopf von den Schultern schlagen!“

Leandra erschauderte bei seinen Worten. „Du bist mein Bruder“, zischte sie leise.

„Und weiter?“, fragte er gleichgültig.

„Das kannst du nicht ernst meinen.“ Es war mehr als klar, dass sie ohne großes Aufsehen hier nicht rauskommen würden. Im Wald hinter Silas bewegte sich etwas und spätestens jetzt war Leandra klar, dass sie die anderen warnen musste.

Seine braunen Augen, die ihren sehr ähnlich sahen, funkelten sie triumphierend an. „Schnappt sie“, brüllte Silas so laut, dass sich nun auch alle anderen erschrocken umblickten.

Männer stürmten die Lichtung und alle Umherstehenden zogen ihre Waffen. Von jetzt auf gleich klirrten Schwerter aufeinander.

Es war der reinste Albtraum, der sich hier abspielte.

„Sie ist hier! Ihr kennt den Auftrag! Sie und Davin, lebend.“

„Verschwinde, Leandra!“, schrie Taras. Er hatte Felizitas und die Kinder hinter sich geschart.

Leandra schnappte sich eines der Schwerter, die am Boden vor den Gefallenen lagen, und eilte zu Taras, um ihm zu helfen.

Xander sah sie nirgends, dafür aber Cliff, John, Jerry und Brian, die einen Kreis um eine Gruppe Menschen gebildet hatten, die noch ganz am Anfang des Lernens standen.

„Du sollst verschwinden!“, herrschte Taras sie an.

„Spinnst du? Ich werde euch nicht im Stich lassen.“ Leandra schaute nach hinten. Die Zwillinge hingen mit zugehaltenen Ohren an Felizitas. Mariella hatte Lina auf dem Arm und drückte sie fest an sich.

„Das war ein Hinterhalt!", schrie Leandra und schlug auf einen ihr Unbekannten ein. Jetzt zeigte sich, dass der Großteil der Männer nicht gut ausgebildet war. „Wo ist Davin?", fragte sie und duckte sich gerade im letzten Moment, bevor das Schwert eines Feindes sie getroffen hätte.

„Ich weiß es nicht, kannst du mit Felizitas die Kinder wegbringen?", brüllte der Krieger durch den Lärm und durchbohrte die Brust eines Feindes.

Leandra schaute sich um. Ein festgetretener schmaler Weg führte durch den Wald, vermutlich würden sie, wenn sie diesem folgten, in einem Dorf rauskommen. Sie nahm Mariella die schreiende Lina ab und wies sie an zu rennen.

Taras versuchte, den Weg zu versperren, und stöhnte auf einmal laut auf.

Felizitas wollte zu ihm zurückrennen. Auch die Kinder blieben stehen und sahen sich verängstigt um. Die Zwillinge Natalie und Nathaniel hielten sich an Mariella fest.

„Er kommt klar! Renn weiter", herrschte Leandra die Mutter an und hoffte, dass sie recht behielt.

Rettung in letzter Sekunde

Zehn Minuten später – völlig außer Atem, aber unbeschadet – stürzte Leandra mit Lina auf dem Arm in ein Wirtshaus. „Wir brauchen Hilfe!"

Die Wirtin schaute die Neuankömmlinge mit großen Augen an, handelte aber sofort. Sie zog einen Vorhang zur Seite, hinter dem sich eine Tür befand. Die Wirtin zeigte den Flüchtenden an, sich dort zu verstecken.

Leandra schob die Kinder in den kleinen stickigen Raum. Felizitas und sie folgten.

„Danke", sagte Felizitas und schloss schnell die Tür.

Der Raum war eine Art Lager, zumindest vermutete es Leandra, denn er besaß weder Fenster noch Lichtquelle.

Die Kammer war erfüllt von lautem Luftholen, der Geruch von Angstschweiß machte sich breit. Die drückende Stille wurde von entfernter Unruhe unterbrochen, die allen den Atem raubte.

Ihre Verfolger waren eingetroffen.

„Müssen wir jetzt sterben?“, fragte Natalie.

„Nein, heute nicht. Das verspreche ich euch, aber ihr müsst jetzt alle ganz still sein! Egal, was dort draußen passiert, ihr dürft keinen Mucks von euch geben.“ Leandra hoffte, dass sie sich an die Abmachung hielten, sonst würde sie ihr Versprechen womöglich nicht halten können.

Holz krachte und lautes Poltern war zu hören.

„Wo ist das Mädchen?“ Die Stimme war so laut, dass sie ohne Probleme durch die Tür drang.

„Was für ein Mädchen?“

Das Klatschen einer Ohrfeige erklang.

„Wir stellen hier die Fragen.“

Lina drückte sich an Leandra und auch die anderen rutschten immer weiter an die Kriegerin. *Hoffentlich geben sie keinen Ton von sich!* Ihre Hände überzog ein feiner Schweißfilm, ihr Blick war konzentriert auf die Tür gerichtet. Der Schwertgriff lag einsatzbereit in ihren klammen Fingern.

„Was ist hier los?“, brüllte jetzt eine andere Stimme, die etwas gedämpfter klang.

Leandra vermutete, dass sie von den oberen Stockwerken kam.

„Ist das hier ein Hurenhaus?“, fragte der Mann, der schon die ganze Zeit den Ton angab, und lachte auf. „Nach oben Männer! Es wird jedes Zimmer durchsucht“, befahl er.

Leandra fragte sich, wie er zu dieser Schlussfolgerung kam. Die Tür öffnete sich und die Frau zeigte ihnen an, dass sie umgehend verschwinden sollten, was der Kriegerin nicht in den Kram passte. Da draußen waren Männer, die sie suchten.

„Sie suchen nur nach mir! Können die Kinder hierbleiben?“, fragte Leandra.

Im Gesicht der Frau las Leandra Sorge, doch als ihr Blick auf die zitternden Mädchen fiel, die sie nacheinander musterte, erweichte etwas ihre Züge und sie nickte seufzend. „Verhaltet euch ruhig! Ich lenke sie zu mir, ich komme euch abholen, sobald wir sicher sind“, versprach sie.

„Pass auf dich auf“, antwortete Felizitas und schaute zu Mariella.

Leandra nickte und zog die Augenbrauen zusammen. Dass das Kind mit ihr verbunden war, hatte sie schon wieder verdrängt. Sie musste vorsichtiger sein und aufpassen, dass sie sich nicht verletzte. Sie würde es sich niemals verzeihen, wenn Mariella ernsthaften Schaden davontragen würde. Nachdem sie die Wirtschaft verlassen hatte, machte sie mit Rufen auf sich aufmerksam. Umgehend rannte sie den Weg zurück zu der Lichtung. Die Narbe unter dem Rippenbogen brannte wie Feuer und sie hoffte, dass sie nicht aufreißen würde.

Brian hastete ihr am Waldrand entgegen. „Dem Himmel sei Dank!“, keuchte er und stützte sich auf den Oberschenkeln ab. Sein Oberteil war mit Blut besprenkelt, aber er selbst schien unverletzt zu sein. „Xander und Davin wollten Ullrich suchen und sind wie vom Erdboden verschluckt“, sagte er weiter.

Ein Flimmern in der Luft lenkte die beiden ab. Es sah aus, als würde etwas Unsichtbares Wellen schlagen.

„Was ist das?“, fragte Leandra erschrocken und beobachtete das Etwas.

Aus dem Nichts flogen zwei Hände auf sie zu und packten sie an ihrem Oberteil. Leandra wusste nicht, wie mit ihr geschah. Ein langer schwarzer Tunnel eröffnete sich und mit einem dumpfen Aufschlag landete sie schmerzhaft auf steinernem Boden. Neben Leandra schlug jemand anderes auf, daneben noch einer und wieder zwei andere.

„Scheiße", fluchte Davin, der links neben der Kriegerin kniete, sein braunes Haar fiel ihm in die Stirn.

Ihr war schwindelig und sie versuchte zu verstehen, was hier gerade passierte.

„Es hat geklappt!", jubelte eine Frau.

Leandra setzte sich auf, um ihren Kreislauf zu stabilisieren. Die verschwommenen Bilder vor ihren Augen nahmen Gestalt an. Sie spürte das kalte Gestein, auf dem sie saß, und nachdem sich ihre Atmung normalisiert hatte, entdeckte sie altbekannte Gesichter. Aufstöhnen, Schreie der Angst und Verzweiflung drangen zu ihr, während sie neben sich zwei vertraute Menschen wahrnahm.

Erst jetzt realisierte sie, dass Atara und Liam sie durch ein Portal in den Tempel geholt hatten. Konzentriert führte Liam fließende Handbewegungen aus.

Eine Reihe Magier, einer neben dem anderen stehend, zog Mensch für Mensch und auch Elfen durch das Portal. Sie evakuierten ihr Lager!

Leandra war überrascht und erleichtert zugleich. Die Hilfe kam gerade im rechten Moment.

„Ich habe Xander", sagte Atara und lockerte einen Arm, um ihn dann – im Nichts – verschwinden zu lassen.

Davin zog Leandra auf die Beine, Brian stürzte auf einen der Sträucher zu, um sich zu übergeben.

„Jerry", verkündete Liam und streckte den Arm nach vorn. Mit viel Schwung ließen die beiden Magier ihre Hände zurückfliegen und traten einen Schritt zurück.

Mit lautem Protestschrei fiel Jerry vor Liams Füße und Xander vor Ataras.

Jerry blieb regungslos auf dem Boden liegen und brabbelte unverständliches Zeug, doch Xander versuchte aufzustehen, was ihm nicht gelang. Schwankend kippte er gegen Atara und riss sie zu Boden.

Liam reagierte schnell und ließ ein großes Kissen erscheinen, auf dem die beiden landeten.

„Ich freue mich auch, dich zu sehen, aber bitte bleib kurz liegen, bis dein Kreislauf stabil ist. Ich muss die anderen suchen." Mit diesen Worten schälte sie sich unter dem ehemaligen Meister hervor.

„Was war das?", brummte er und machte Anstalten, sich erneut aufzusetzen.

Liam war wieder hochkonzentriert und achtete nicht auf sein Umfeld.

„Wir holen eure Leute hierher", erklärte Atara und ließ ihre Hände durch die Luft tanzen.

Ilona stürzte durch das Portal der Zirkelmitglieder.

„Was ist bei denen anders?", fragte Davin, dem auch aufgefallen war, dass Liam und Atara andere Bewegungen machten als die Zirkelmitglieder.

„Das Portal steht fest. Die Leute sind auf dem Platz versammelt und können einer nach dem anderen durchgezogen werden, was sich allerdings leichter anhört, als es ist. Liam und ich suchen Leute, die nicht dort stehen", antwortete Atara.

Liam schaute sie ernst an. „Konzentriere dich, Mutter."

Xander richtete sich auf und erklärte den Umherstehenden, dass sie in Sicherheit waren.

„Gehören die zu euch?", fragte Liam und deutete Leandra an, zu ihm zu kommen.

Die Kriegerin tat wie befohlen. „Liam, ich sehe nichts."

Der Magier wirkte gestresst, übermüdet und genervt. „Du musst dich zwischen meine Arme stellen“, erklärte er in ruhigem Ton. Seine Finger hatten eine verkrampfte Haltung, als müsste er etwas festhalten.

Leandra schlüpfte unter seinem linken Arm durch und jetzt sah sie, was Liam meinte. Wie durch einen verschwommenen Spiegel erspähte sie Felizitas und die Kinder.

„Ja!“, bestätigte sie freudig und brachte wieder Abstand zwischen sich und den Magier.

Auf Liams Stirn bildeten sich Falten. „Mutter, das müssen wir zusammen machen“, gab er an und stellte sich dicht an Atara. Die beiden schoben ihre Hände nach vorn. Liam zählte bis drei und dann beförderten sie die Kinder samt Felizitas mit Schwung durch das Portal.

Ein lautes Quieken war zu hören, jemand schrie und sie landeten alle mehr oder weniger sanft vor den beiden Magiern. Diese sanken in die Knie und keuchten vor Erschöpfung. Schweiß rann Liam die Stirn hinunter. Er schloss die Augen, um vermutlich seine Kräfte zu sammeln.

Mariella und die Zwillinge erbrachen sich auf der Stelle und weinten genauso laut wie Lina. Felizitas versuchte aufzustehen, sank aber auf die Knie.

„Ihr braucht keine Angst zu haben …“ Liam brach seinen Satz ab.

Lina warf sich ihm mit tränenüberströmtem Gesicht in die Arme. Das Kleinkind war so neben der Spur, dass sie Liam vermutlich mit Xander verwechselte.

Leandra musste über seinen überraschten Gesichtsausdruck lachen. „Das ist aber eine nette Begrüßung für einen Bruder, den man das erste Mal sieht“, sagte sie.

Die Kleine hängte sich mit ihrem ganzen Gewicht an Liam und schrie verzweifelt, sodass ihm nichts anderes übrig blieb, als sie auf den Arm zu nehmen und sie zu trösten.

„Beruhig dich, es wird alles gut!“, murmelte er sanft und streichelte ihr über das kurze Haar.

Lina hob den Kopf und ihre großen runden Augen musterten ihn irritiert.

„Lina, komm zu mir“, sagte Leandra, doch Lina hatte nur Augen für den fremden Mann, der lachen musste.

„Der alte Mann ist doch viel kräftiger als ich! Ganz so ähnlich sehen wir uns nun auch wieder nicht“, flüsterte Liam und wuschelte der Kleinen über den Kopf.

Er stellte sie vor sich auf den Boden. Sie tapste auf Felizitas zu, immer wieder nach Liam schauend.

Umgehend widmete er sich seinem Portal und fuchtelte mit den Händen in der Luft.

„War sie das?“, fragte Atara freudig.

Liam ignorierte die Frage seiner Mutter. „O Mist“, stöhnte er und mit einem lauten *Plopp* war er ohne Vorwarnung verschwunden.

„Wo ist er hin? Was passiert hier gerade?“, fragte Felizitas mit zittriger Stimme und beobachtete die Stelle, an der eben Liam gestanden hatte.

Leandra fühlte sich völlig fehl am Platz. Sie wollte helfen, wusste aber nicht wie. Davin hatte sich den Neuankömmlingen angenommen und Xander versuchte, die verwirrte Meute zu beruhigen. Mittlerweile waren über einhundert Männer, Frauen und Kinder im Tempel gelandet. Keiner von ihnen verstand, was hier passierte, und Panik brach aus.

Ilona und Jerry gaben sich Mühe, den Überblick über die Menschen zu behalten, die zu ihnen gehörten, und versuchten herauszufinden, wer noch fehlte. Es war furchtbar laut und unruhig. Liams Männer versorgten alle mit Wasser und nahmen sich kleineren Wunden an.

Erneut ertönte ein *Plopp* und Liam flog mit Taras im Arm auf den Boden. Der ehemalige Spion war ohnmächtig. Atara kniete sich neben ihren Sohn und flüsterte leise Worte.

Liam lief der Schweiß von der Stirn und tropfte auf Taras' Oberkörper. Diese Rettungsaktion schien ihn viel Kraft zu kosten.

Felizitas stieß einen spitzen Schrei aus und wollte auf ihn zustürzen, doch Jerry hielt sie zurück. „Bleib hier, Liam macht das."

Leandra sah, wie sich Taras' Brustkorb langsam hob und senkte, doch die große Wunde an der Seite, aus der ununterbrochen Blut troff, ließ nichts Gutes verheißen. Sein braunes Haar klebte in einer Mischung aus Blut und Schweiß an der Stirn.

„Wir schaffen das nicht allein! Wir verlieren ihn", brüllte Liam und zwei Männer, die zum Zirkel gehörten, kamen ihm zu Hilfe.

Eine Gänsehaut breitete sich auf Leandras Armen aus. Sie versuchte, sie durch Reiben zu vertreiben.

„Er ist weit weg", gab einer der Männer zu bedenken.

„Das schaffen wir nicht", sagte der andere und schaute hilflos zu Liam.

„Wir müssen!!" Liam nahm die Hand seiner Mutter und die vier bildeten eine geschlossene Kette. Immer wieder murmelten sie unverständliche Worte und verfielen bald in einen Singsang.

Leandra zitterte am ganzen Körper. Felizitas weinte bitterlich. Xander trat auf die Heilerin zu und zog sie in eine feste Umarmung.

Taras' Atmung setzte aus und jetzt bekam auch Liam Panik, zumindest verriet das seine Stimme. „Wir brauchen den Zirkel!"

„Liam, er steht auf der Schwelle", gab eine Rothaarige von sich.

Liam zerrte sie unsanft neben sich. „Ich entscheide, wann es zu spät ist!", brüllte er und umfasste fest ihre Hand. Die Gruppe Rothaariger kniete jetzt um Taras und rief fremde Worte gen Himmel.

Leandras Blick heftete sich fest auf Liam und seine Mutter, die lauter als alle anderen die sich wiederholenden Worte murmelten. Ein gelbes Licht umhüllte den erschlafften Körper und legte sich wie eine Decke über ihn. Keiner der Umherstehenden sagte etwas. Alle starrten wie gebannt auf Taras' Körper und ebenso schnell, wie das gelbe Licht kam, fiel es in sich zusammen und verschwand.

Der Krieger stöhnte laut auf und die Zirkelmitglieder fielen erschöpft zurück.

„Ein Heiler, er braucht einen Heiler", keuchte Liam.

Felizitas stürzte sofort zu dem Vater ihrer Tochter und inspizierte die klaffende Wunde.

Im Tempel

Taras wurde in ein Zimmer gebracht und von Felizitas und einem anderen Heiler versorgt. Die Überlebenschancen standen nicht gut, doch sie setzten all ihr Wissen und ihre Möglichkeiten ein, um den ehemaligen Spion zu retten.

Der Speisesaal war überfüllt mit Verletzten. Jerry und Ilona hatten versucht, die Leute etwas übersichtlicher zu verteilen. Der Speisesaal jedoch diente als übergroßes Krankenlager. Liam hatte sich zurückgezogen, um sich auszuruhen. Er hatte seine ganze Energie in die Rettung des Lagers gesteckt.

Atara saß auf einem Stuhl und schaute in die Runde der Männer und Frauen, die noch immer nicht verstanden, was gerade passiert war. Ihr langes blondes Haar fiel ihr wellig über die schmalen Schultern. Das Tuch, das sie immer um ihren Hals trug, war verrutscht und zeigte die Narbe an der Stelle, an der Ullrich ihr damals die Kehle aufgeschnitten hatte.

Brian hatte sich den Kindern angenommen und sie in einen separaten Raum gebracht, um sich mit Zac um sie zu kümmern.

Xander hatte vier Meister um sich versammelt, um mit ihnen neue Pläne zu schmieden. Sie mussten die Leute hier aufklären und sich Gedanken machen, wie sie weiterhin vorgehen wollten, wenn ein weiterer Angriff erfolgen würde.

Leandra half eine Weile bei der Versorgung der Schwerverletzten. Davin hatte sich den großen Wunden angenommen und sie assistierte ihm. In dem Punkt war er wirklich großartig ausgebildet und wusste genau, was er machte.

„Lillien liegt noch im Wald“, erinnerte Leandra und sog die Unterlippe ein. Sie würde nicht weinen, aber so ein Ende hatte die Meisterin nicht verdient. Sie hätte würdig bestattet werden müssen.

„Ich weiß.“ Davin setzte sich vor einen Mann und, ohne ihn zu fragen, was ihm fehlte, riss er ihm die Hose an einer zerfetzten Stelle auf und musterte die blutende Wunde.

„Wir könnten sie holen“, schlug Leandra vor und reichte ihrem Gefährten ein sauberes Tuch.

Die Stirn des Kriegers legte sich in Falten. „Nein, das können wir nicht und das weißt du.“

Ihr Herz zog sich zusammen. Natürlich wusste sie, dass sie nicht zurückkonnten. Die Magier waren am Ende ihrer Kräfte und es wäre zu gefährlich, weil sich ihre Gegner noch immer dort befanden. „Das ist nicht gerecht!“

Davin drehte sich zu ihr um und musterte sie besorgt. „Sie war eine große Kriegerin und sie hätte einen friedlichen Abschied verdient. Aber ihr wäre es wichtig, dass sie ihre Freunde und Familie in Sicherheit weiß.“

Leandra dachte über seine Worte nach und musste ihn im Stillen recht geben. Genau das wäre ihr wichtig gewesen.

Sein Kiefer spannte sich an, während er sich wieder dem Verletzten zuwandte. „Das Lager ist am falschen Ort. Wir sollten uns mit allen Elfen und Liam zusammentun. Sie können Schutzbarrieren errichten“, murmelte Davin und der Mann, dem er eine abgebrochene Pfeilspitze aus dem Oberschenkel zog, stöhnte laut auf.

„Der Tempel bietet nicht genügend Platz und Halima ist ein kleines Dorf“, entgegnete Leandra und reichte ihm Nähutensilien. Für einen Augenblick berührten sich ihre Finger und er schaute von seiner Arbeit auf. Sofort schlug ihr Herz schneller und ein verliebtes Lächeln huschte über seine Lippen.

„Wenn ihr damit fertig seid, euch mit den Augen auszuziehen, könntest du mich dann wieder zusammenflicken?“, maulte der Verletzte.

Leandra ließ sofort Nadel und Faden los. „Ich gehe zu Liam.“ Sie verabschiedete sich und drückte sich durch den vollbesetzten Speisesaal.

Der Magier lag in seinem großen Himmelbett und schlief tief und fest. Es wäre unhöflich von ihr, ihn jetzt zu wecken. Sie wollte schon wieder kehrtmachen, als sie das große goldfarbene Buch aufgeklappt auf seinem Schreibtisch liegen sah.

Das letzte Mal, als sie es gesehen hatte, hatte es versucht, Jerry zu beißen. Es hatte sich nicht offenbaren wollen und jetzt lag es aufgeschlagen hier in Liams Zimmer.

Vorsichtig streckte Leandra die Finger danach aus und strich sanft über die Seiten. Es bewegte sich nicht.

„Tagelang habe ich versucht, es zu öffnen, und den Zauber, den es umgibt, zu brechen. Nichts, aber wirklich gar nichts hat geholfen. Gestern Abend jedoch fing es an, sich zu bewegen. Die Seiten schlugen von allein auf", flüsterte Liam.

„Was ist passiert?", fragte die Kriegerin.

„Bring es mir", sagte er leise.

Leandra tat wie befohlen.

Er drehte sich mühevoll auf den Rücken. „Dieses Buch ist eigenartig. Alle Erlebnisse, die mit der Suche der Bücher zusammenhängen, stehen hier niedergeschrieben."

In wunderschön verschnörkelter Schrift stand die Überschrift geschrieben: *Die Geschichte.*

Leandra setzte sich auf das Bett zu Liam. Sie nahm ihm das Buch aus den Händen.

Seit hundert Jahren war die Magie gebannt, doch mit der Geburt der Auserwählten eröffnete sich Rafail die Möglichkeit, sie zurückzuholen. Er musste erst zu Kräften kommen und sich dann auf die Suche nach ihr machen.

Leandra blätterte die einleitende Seite um. Ihre Hände wurden schwitzig und sie war gespannt, was auf den nächsten Seiten stand. Das Geschriebene las sich wie ein Tagebuch.

Rafail war gewitzt, er offenbarte sich der Auserwählten nicht direkt. An das erste Buch gelangte er ohne ihre Hilfe, er brauchte hierzu nur ihr Blut.

Er musste sich einen Gehilfen suchen, der ihm, ohne zu zögern, folgen und die Drecksarbeit erledigen würde. Drei Monate beobachtete er die Auserwählte und die Menschen, die sich um sie herum aufhielten. Tim war der perfekte Kandidat. Er schleuste sich in seine Träume ein und erklärte ihm, was er tun musste, um das Geheimnis der Trolle zu lüften.

Leandras Herz schlug schneller. Das Geschriebene nahm eine andere Form an. Waren die Buchstaben eben noch geschwungen, wirkten sie jetzt weniger filigran, sondern gradlinig und hart.

Tim hatte ein Leuchten gesehen, das wusste er genau. Auch wenn die anderen Mitschüler ihn für verrückt erklärten, war für ihn klar: Wenn sich die nächste Gelegenheit bieten sollte, würde er zurückkommen und nachsehen, was nach ihm verlangt hatte. Ja, es war ein Verlangen, er hatte es deutlich gespürt. Egal, was dort in der stinkenden und feuchten Höhle lag, es forderte von ihm, es zu bergen. Er konnte es, das wusste er. Er fühlte die Macht, die von diesem Gegenstand ausging, und sie war es, die ihm eines Nachts aufzeigte, wie er bei der Bergung vorzugehen hatte. Traum um Traum verriet ihm die Lösung.

Er wusste genau, was er zu tun hatte. Er würde sich von der Ausbildung losreißen und in die Höhle gehen. Wurftraining stand für heute auf dem Plan und das war seine Chance. Nur die neue Schülerin war mit ihm in der Halle und wenn er es schaffte, dass sich John und Cliff um sie kümmerten, dann konnte er aufbrechen und sein Vorhaben in die Tat umsetzen.

Den Abschiedsbrief hatte er schon geschrieben und in seiner Tasche verstaut. Dies war der richtige Moment, das spürte er. Leandra stieg auf das Seil. Wie hätte es besser sein können – das Ganze mit verbundenen Augen. Er zielte und warf. Ein kurzer Warnruf würde es noch authentischer wirken lassen. Er rief ein kurzes „Achtung" in ihre Richtung.

Leandra kamen die Bilder wieder ins Gedächtnis. Genauso hatte sich der Unfall ereignet, der offensichtlich gar kein Unfall gewesen war. Ihr Hals schnürte sich zu.

Liam atmete wieder gleichmäßig ein und aus, er hatte das Gesicht zu ihr gerichtet und schlief tief und fest.

Die Kriegerin widmete sich dem Buch. Sie überflog die Stelle, als sie von Cliff und John genäht worden war, und suchte nach der, wie Tim an das Buch gekommen war. Immer wieder änderte sich das Schriftformat und bald erkannte Leandra, dass sich die Aufzeichnungen immer aus einem anderen Blickwinkel lasen. Mal aus der von Tim, mal aus der des Erzählers. Aber wer hatte das geschrieben?

... Jetzt würde ihn nichts mehr aufhalten können. Der Troll, der am Höhleneingang Wache hielt, schlief, und er musste nur zu diesem Spalt an der Wand. Wieder funkelte dieser wunderschön und zog Tim in seinen Bann. Er wollte endlich wissen, was es war und warum es ihn ausgewählt hatte. Er redete sich zumindest ein, dass es ihn erwählt hatte, denn die Stimme in seinen Träumen sprach nur zu ihm. Er folgte brav den Anweisungen, die er im Traum erhalten hatte. Er zückte den Dolch, an dem noch immer Leandras Blut klebte, und steckte ihn in den Spalt. Wie ein Schlüssel hätte er sich jetzt drehen lassen sollen, doch das tat er nicht. Immer wieder versuchte er es und wurde ungeduldig. Mit einem lauten Knacken brach die Spitze des Dolches ab, was den Troll weckte. Mühsam stand das große Ungetüm auf und stapfte auf den Eindringling zu. Tim reagierte blitzschnell und stach dem Troll die abgebrochene Klinge in den Bauch, was diesen nach

hinten fallen ließ. Einen letzten Versuch wollte er noch starten und steckte den Dolch wie in seinen Träumen in die Spalte. Ein Knacken war zu hören und das Gestein schob sich zur Seite, sodass Tim hineinfassen und den Inhalt herausholen konnte. Ein Buch?! Er hatte nicht die Zeit, um sich den Fund näher anzusehen. Der Troll hatte sich wieder erhoben und stieß ihm seinen fauligen Atem entgegen. Tim rannte, was das Zeug hielt, doch der Troll erwischte ihn und schlug ihn an die Wand der Höhle. Knochen brachen und Tim wurde übel. Wieder holte der Troll aus und schlug auf ihn ein. Regungslos blieb dieser liegen und hielt das Buch unter sich verdeckt. Der Troll zog sich zurück. Tim nutzte die Chance und kroch mühevoll wie ein Wurm aus der Höhle und versteckte sich hinter einem Gebüsch.

Leandra starrte fassungslos auf die Seiten des Buches. Sie überflog die Folgegeschichten und musste feststellen, dass kein Detail ausgelassen worden war. Wurde zuerst aus Tims Sicht geschrieben, veränderte sich die Schreibform und Leandra wurde zur Hauptfigur, oder der Erzähler brachte seine Sichtweise mit ein.

Leandra las die beschriebenen Seiten. Die Reise zum Klabautermann, die zu Felizitas, die Befreiung des Elfenwaldes. Jede einzelne Geschichte, die im Zusammenhang mit den Büchern stand, war hier niedergeschrieben – und das von Hand. Ihrem Aufenthalt im Elfenwald folgten die Rettung der Elfen und der vermeintliche Tod von Jerry, der in Wirklichkeit Informationen über den Wolpertinger gesammelt hatte. Leandra las immer nur kurze Textpassagen.

Liam legte ihr die Hand auf den Oberschenkel, ihr schnelles Blättern hatte ihn wohl geweckt. „Das wirkt beunruhigend auf dich, oder?"

Sie schüttelte den Kopf. „Beunruhigend? Es ist beängstigend. Das wurde mit Hand geschrieben, als hätte dies jemand aus unseren Reihen zusammengefasst. Bei den Nymphen war ich mit Taras allein. Bei dem Wolpertinger war ich mit Davin. Alles, was hier drinsteht, habe ich erlebt und niemand anderes weiß so genau davon. Manche Sachen sind mir sogar entfallen", fasste sie zusammen und deutete auf die Stelle, an der beschrieben wurde, wie sie um den Baum herumtanzte und dann das Schwert der Treue in den Spalt steckte. Ihr Puls raste und ihre Kehle schnürte sich zusammen. *Wer hat das geschrieben?*

Liam richtete sich auf. Er wirkte noch immer müde und abgekämpft. Er versuchte, sein bläulich schimmerndes Haar zu bändigen.

„Warum hat es sich gestern geöffnet?", fragte Leandra.

Liam zog die Schultern nach oben. „Ist vielleicht bei euch etwas anders gelaufen als sonst?", fragte er und blätterte durch das Buch.

„S-Sie haben Lillien getötet und wir haben sie gefunden", stammelte Leandra und schluckte hart.

Liam schaute sie schockiert an. Sicherlich hatte das nichts mit der Büchersuche zu tun, aber was anderes fiel ihr nicht ein. „Das wusste ich nicht, es tut mir leid." Er nahm Leandras Hand in seine und drückte sie mitfühlend.

Die Tür öffnete sich einen Spaltbreit und Xander schob den Kopf herein. Überrascht musterte er die beiden, die händchenhaltend auf dem Bett saßen und ihn anstierten. „Ihr habt den Ringfluch gebrochen, wie ich sehe. Ich komme später wieder", reimte er sich zusammen.

Leandra befreite sich umgehend von Liams Hand. „So ein Blödsinn! Komm lieber her und schau dir das an!", empörte sie sich und stieg aus dem Bett. Sie hasste sich selbst für diese unangenehme Situation, die wieder völlig falsch interpretiert wurde.

Hinter Xander stürmte Lina ins Zimmer und musterte Liam mit großen Augen. „Sie weicht nicht von meiner Seite“, murmelte Xander besorgt.

Leandra streckte ihr die Arme entgegen, was die Kleine gleich annahm und sich von der Kriegerin hochheben ließ, doch ihre Augen waren weiterhin auf Liam gerichtet. „Das ist dein großer Bruder.“

Liam musste bei Leandras Worten lachen. „Ja, na ja“, entgegnete er verlegen und kratzte sich am Kopf.

„Halt dich mit deinem gut! Meiner ist nämlich ziemlich doof“, murmelte Leandra. Die Kleine kicherte, nachdem sie sie am Bauch kitzelte.

Xander nahm das goldfarbene Buch in die Hand und überflog die beschriebenen Seiten. „Wer hat das geschrieben? Die Märchenerzählerin?“

Leandra stellte Lina auf dem Boden ab und gesellte sich zu Xander.

Er blätterte das Buch bis zur letzten Seite. Leandra war gar nicht aufgefallen, dass dort etwas geschrieben stand: *Buch der Runa*

Ihr sagte der Name nichts. Xander jedoch zog die Stirn kraus und las laut vor: „… nur wer alle fünf Schlüssel besitzt, wird das letzte Buch befreien.“

„Was für Schlüssel?“ Leandra schaute hoffnungsvoll zu Liam, doch dieser hob nur kopfschüttelnd die Schultern.

Wusste er es wirklich nicht? Er hatte ihnen schon einmal erzählt, dass er bei der Suche der Bücher nicht helfen dürfe. Sie linste zu dem Buch. Neben dem Satz mit den Schlüsseln war ein kleines Symbol gemalt. Die Kriegerin kniff die Augen zusammen. „Was ist das?“

Xander fuhr über die Stelle, auf die sie gezeigt hatte.

„Ein Tintenfleck“, entgegnete er und strich über die Seite.

Was? „Ich rede von dem Bild. Ist das ein Dolch?“ Sie nahm Xander das Buch aus der Hand.

Er musterte sie skeptisch. „Was für ein Bild?“

Sah er es wirklich nicht oder tat er nur so? Sie deutete auf die Stelle.

„Wo siehst du da ein Bild? Das ist verschmierte Tinte.“ Er hob eine Augenbraue und reichte das Buch an seinen Sohn weiter, der beide aufmerksam musterte.

„Tinte“, bestätigte er. Xander beäugte Leandra jedoch prüfend. „Siehst du etwas, das wir nicht sehen?“

Der Kriegerin war heiß und kalt zugleich. Warum sahen die beiden das Symbol nicht? Es war eindeutig und keine verschmierte Tinte. „Ich finde, der Fleck sieht aus wie ein Dolch“, entgegnete sie knapp.

Beide Männer stierten noch einmal auf die Seite. „Nicht einmal mit viel Fantasie.“ Xander setzte ein Grinsen auf, doch Liam zog die Augenbrauen zusammen. Zumindest er wusste, dass sie wirklich ein Symbol sah.

Die Krone

Liam brauchte Ruhe und Xander wurde an anderer Stelle gebraucht, das Tintenfleck-Thema war wieder abgehandelt und Leandra froh, dass sie nicht weiter danach gefragt hatten. Wenn nur sie das Symbol erkennen konnte, war es auch nur für sie bestimmt. Vielleicht half es bei der Suche nach dem letzten Buch. Sie würde es herausfinden.

Leandra streifte durch die gefüllten Flure des Tempels. Auch wenn sie sich lieber weiterhin mit dem Buch beschäftigt hätte, brauchte Liam die Zeit für sich. Der Tempel war für solche Menschenmassen nicht ausgelegt und obwohl alle versuchten, das Beste aus der Situation zu machen, war die Laune auf dem Tiefpunkt.

Davin und Kasper kamen ihr mit einem Stapel Tücher entgegen. Der junge Mann, den sie seit dem Abenteuer bei den Zwergen aufgenommen hatten, packte tatkräftig mit an. Er hatte einige Kratzer im Gesicht, die keine bleibenden Narben hinterlassen würden. Leandra wusste, wie gern er zum Krieger ausgebildet werden wollte. Er machte widerspruchslos alles, was von ihm verlangt wurde. Das war ihr schon im Lager aufgefallen.

„Hast du eine Ahnung, wo die Elfen sind?", fragte Davin.

„Nein, ich war eben bei Liam. Er muss sich ausruhen. Das goldene Buch hat sich geöffnet", flüsterte sie.

„Gib mir die Tücher!" Lira rempelte Leandra an, befahl Kasper, sie zu begleiten, und riss dem Krieger die Stoffe aus der Hand.

„Gern geschehen", knurrte er der hochnäsigen Elfe hinterher. Schnellen Schrittes bog sie in einen Raum ab. „Und was steht drin?", wollte der Krieger wissen.

Noch bevor Leandra antworten konnte, kam John auf die beiden zu. „Wir brauchen Verpflegung. Ich wollte mit ein paar Kriegern jagen gehen, aber laut den Einheimischen gibt es hier dank der Kelpies keine Wildtiere, die wir erlegen können. Wir sollen hier im Tempel bleiben." Ihr ehemaliger Mitschüler band sich die geflochtenen Zöpfe nach hinten.

„Und warum erzählst du uns das?", entgegnete Davin gereizt und presste seinen Kiefer aufeinander. Seine Laune war im Keller und er versuchte erst gar nicht, es zu verbergen.

„Na, ihr habt sie gesehen. Sind sie wirklich so Furcht einflößend?"

„Die Trinkwasserreserven werden nicht mehr lange ausreichen, wir brauchen dringend Nachschub."

Jerry drückte sich mit einem der langhaarigen Helfer des Tempels zwischen Leandra und Davin durch. Er schrieb auf einem Notizblock mit, was der Mann ihm diktierte.

„Was ist jetzt wegen der Kelpies?“, fragte John wieder und machte drei Frauen Platz, die hochgestapelte Decken an ihnen vorbei balancierten.

„Der Zirkel will wissen, wer als Unterstützung mit ihnen zum Schloss reist. Sie sollen den König abholen“, rief Cliff Xander zu, der gerade auf der anderen Seite des Flures vorbeihetzte.

„Hat Tavis keine eigenen Männer, die ihn begleiten können?“

Das Stimmengewirr und die Hektik machten es unmöglich, sich zu unterhalten.

„Verdammt! Was ist hier nur los? Können wir später über das Buch reden?“ Davin hatte den Satz noch nicht beendet, da wurde er von John weitergeschoben und zu einer Antwort gedrängt.

„Wir brauchen dich im Hof!“ Einer von Liams Helfern drückte Leandra Stangen in die Hand und sie folgte ihm ohne Umschweife. Jede Hand, die unverletzt war, wurde eingeteilt und das war auch gut so.

Zelte wurden errichtet und Lager aufgebaut. Leandra lief der Schweiß in Strömen, doch am Ende des Tages fühlte sie sich gut, weil ein jeder einen Schlafplatz gefunden hatte und die Leute gut versorgt waren.

Erschöpft, aber glücklich ließ sie sich auf der großen Treppe nieder, die zu den Schlafräumen führte.

„Hier steckst du?“ Brian schlurfte die Treppe herunter und setzte sich neben sie. Seine braunen Augen wirkten müde und erschöpft.

„Hey, hast du die Kinderschar in den Griff bekommen?“ Die Kriegerin lachte. Tatsächlich war das heute seine Aufgabe gewesen. Die Kinder der verletzten Eltern zu betreuen.

„Ich bin froh, dass die Kinder jetzt wieder bei ihren Eltern sind.“ Er stöhnte und lehnte sich auf einer der Stufen zurück. „Wie war dein Tag?“

„Anstrengend. Aber ich war bei Liam. Das Buch von Sim- Sala hat sich gestern Abend geöffnet.“

„Und schon eine Ahnung, wo sich das letzte Buch befindet?“

„Nein. Es stehen gar keine Kindergeschichten drin.“

Brian zog überrascht die Augenbrauen nach oben. Die Märchenerzählerin Sim-Sala hatte es immer bei sich gehabt, wenn sie auf dem großen Markt vor dem Schloss ihre Kindergeschichten vorgetragen hatte. Daher hatten die Krieger die Hoffnung gehegt, dass es Informationen zum Fundort und den dazugehörigen Rätseln des letzten Buches beinhaltete.

„Es erzählt unsere Geschichte“, begann sie ihre Erklärung und berichtete von den Tagebuch ähnlichen Einträgen.

„Wir müssen Schlüssel suchen?“, fragte Brian. Die Frage bezog sich auf den letzten Abschnitt des goldenen Buches: *Nur wer alle fünf Schlüssel besitzt, wird das letzte Buch befreien.*

„Vielleicht.“ Sie wusste es nicht. Kurz überlegte sie, ob sie ihm von dem gemalten Dolch erzählen sollte, den Xander und Liam für einen Tintenfleck hielten.

„Bestimmt öffnen sie eine Tür. Ich denke, darauf sollten wir bei den nächsten Kindergeschichten, die wir lesen, achten. Geschichten mit Schlüsseln oder Türen“, fasste er zusammen.

Leandra nickte und beschloss, die Sache mit dem Dolch für sich zu behalten. Sie saßen eine Weile schweigend nebeneinander und hingen ihren Gedanken nach. Den Kriegern war kein Zimmer zugeteilt worden. Sie mussten sich selbst einen Schlafplatz suchen, doch damit hatte es Leandra nicht so eilig. Sie genoss die langsam einkehrende Ruhe und freute sich über das unbedarfte Gespräch mit Brian.

„Was denkst du, ist mit Tamir geschehen?"

„Ich hoffe nicht das Gleiche wie mit Lillien." Brians Worte trieben ihr eine Gänsehaut auf die Arme.

„Wir müssen uns um die Elfen kümmern." Leandra machte sich Sorgen um die Wesen. Sie wusste, wie wichtig ihnen ihr König war und wie sehr sie ihn verehrten.

„Es ist bereits ein Trupp unterwegs, um die restlichen Elfen aus Halima zu holen."

„Tamir wird zu uns zurückkommen." Liras Stimme war unverkennbar.

„Komm, setz dich zu uns", bot Leandra der Elfe an und erntete einen beinahe tödlichen Blick von Brian.

Sie hegte keinen Groll mehr gegen sie und von diesen albernen Spielchen hatte sie die Nase voll.

Die Elfe wirkte verunsichert, kam aber der Bitte nach und nahm ihnen gegenüber auf dem Boden Platz.

„Ich weiß, es ist eine schwierige Situation für uns alle, aber geht es deinem Volk hier gut?" Es interessierte die Kriegerin wirklich, wie es den Elfen ging, denn immerhin beschwerten sie sich nie und funktionierten immer.

„Die Menschen hier sind alle nett und behandeln uns gut", antwortete sie. Ihre langen Haare trug sie zu vielen kleinen Zöpfen geflochten. An jedem Ende hingen kleine Perlen, die Geräusche von sich gaben, wenn sie aneinanderstießen.

„Das ist gut. Fehlt es euch an irgendwas?“

„Überhaupt nicht.“ Die Elfe wirkte zufrieden und aufrichtig.

Nur Brian war angespannt. Leandra sah, wie er nervös auf seiner Unterlippe kaute.

„Wir müssen uns morgen dringend zusammensetzen. Aber jetzt brauche ich Schlaf. Weißt du, wo sich Davin aufhält?“ Die letzte Frage war an Lira gerichtet, die nur achselzuckend die Schultern hob.

Leandra lächelte den beiden zum Abschied zu und stürmte die Treppe hinauf. In jedes Zimmer lugte sie, bis sie Davin letzten Endes mit ein paar Elfen und Kriegern kartenspielend in einem Seitengang fand. Sie hatten Laternen auf dem Boden verteilt und schienen sich prächtig zu amüsieren.

„Leandra.“ Davin legte die Karten, die er in der Hand hielt, vor sich ab, bedankte sich für das nette Spiel und hob die große Decke vom Boden auf, auf der er gesessen hatte.

„Ich wollte euch nicht unterbrechen.“ Wäre es hier nicht so dunkel gewesen, hätte man ihr die Verlegenheit sicherlich ansehen können.

„Nein, du kommst genau richtig. Ich habe dich vorhin gesucht und als ich gesehen habe, dass du dich mit Brian unterhältst, wollte ich euch nicht stören.“

„Du störst nie“, murmelte sie und griff nach seiner Hand. Ein Kribbeln breitete sich in ihrem Bauch aus und am liebsten hätte sie ihn auf der Stelle geküsst.

Sein Daumen strich über ihren Handrücken. „Wir sollten schlafen gehen.“

„Wo?“, fragte sie lachend und machte eine ausladende Handbewegung.

„Hm, schauen wir einfach mal. Was hältst du vom Garten?“

Leandra grinste. Ihr war es egal, wo sie schliefen. Es war noch immer warm genug, um unter freiem Himmel zu schlafen, also warum nicht.

„Danke für deine aufmunternden Worte wegen Lillien", murmelte sie gähnend, während Davin die große Decke zwischen hochgewachsenen Tomatenpflanzen ausbreitete.

„Ich habe sie genauso gemeint und ich verspreche dir, sobald Liam wieder fit ist, werden wir zum Lager gehen und schauen, ob wir ihr die letzte Ehre ordentlich erweisen können." Er legte sich auf der Decke nieder und klopfte auffordernd auf den freien Platz neben sich.

Der Kriegerin wurde warm ums Herz. Sie wusste, dass es keine leeren Versprechungen waren, sondern ernst gemeinte Worte. Sie wollte ihm eigentlich von dem goldenen Buch erzählen, doch das konnte auch noch bis morgen warten. Sie legte sich neben ihn und griff unter der Decke nach seiner Hand.

Ein Lächeln huschte ihm über die Lippen und am liebsten hätte sie sich an ihn gekuschelt.

Am nächsten Morgen wurden die beiden Krieger von den ersten Sonnenstrahlen geweckt. Wieder einmal war die Nacht zu kurz gewesen. Leandra streckte sich in voller Länge aus und gab ein erschöpftes Schnauben von sich. Sie lagen zwischen Gemüsepflanzen, die vereinzelt Tomaten und Gurken trugen.

Davin beugte sich über sie und gab ihr einen flüchtigen Kuss, was sie sofort hochschrecken ließ.

„Davin! Wenn das jemand gesehen hat."

„Wird sich die Welt trotzdem weiterdrehen", entgegnete er und strich ihr verliebt eine Haarsträhne aus dem Gesicht.

Er hatte ja recht und doch wollte sie nicht, dass jeder gleich erfuhr, dass sich die beiden näherstanden.

„Ich konnte dir gestern nicht mehr erzählen, was es mit dem goldenen Buch auf sich hat", wechselte sie das Thema und stand auf, um sich umzuschauen. Einige Meter entfernt lagen drei Elfen, die gerade wach wurden.

„Dann lass mal hören, bevor es gleich wieder rundgeht", forderte er sie auf und faltete die Decke zusammen.

Leandra gab ihm eine kurze Zusammenfassung von dem, was sie in dem Buch gelesen hatte und von Brians und ihrer Theorie zu den genannten Schlüsseln.

„Dann sollten wir anfangen, Kinderbücher zu lesen."

„Ja", sagte sie voller Tatendrang und flocht sich die Haare neu.

Ihre Unterhaltung wurde von einem lauten Türknarzen unterbrochen. Das Haupttor, das schräg gegenüber den Gärten lag, öffnete sich.

„Ist das Tavis?", fragte Davin und folgte mit seinem Blick den schnellen Schritten des Königs.

„Ja, er wird wegen Taras hier sein", sagte Leandra. Auch einige der anderen schauten dem auffällig prunkvoll gekleideten Mann hinterher. Seine Goldketten, die um den Hals lagen, klirrten mit jedem Schritt. Seine Miene war ernst. Alle Umherstehenden verbeugten sich ehrfurchtsvoll, wenn er auf ihrer Höhe vorbeischritt.

„Entschuldige mich", murmelte Leandra und eilte Tavis hinterher.

So wie der König durch die Gänge hetzte, war er nicht das erste Mal hier. Anscheinend hatte Liam die Zeit ihrer Abwesenheit genutzt, um ihn in das Geheimnis des Tempels und des Zirkels einzuweihen. Der Zirkel lebte im Geheimen. Da es offiziell keine Magier gab, hielten sie sich bedeckt. Für Tavis war es neu gewesen, dass es auf seiner Insel einen Magierzirkel gab. Leandra konnte sich vorstellen, dass der König aus allen Wolken gefallen war. Sie hatte seine Reaktion miterlebt, als Taras ihm erzählt hatte, dass sie nach den Büchern suchten. Diesem Thema stand er nach dem Verschwinden seiner Schwester nicht sonderlich offen gegenüber.

Tavis fegte, ohne vorher anzuklopfen, in das Zimmer, in dem sein Bruder Taras versorgt wurde. Zu Leandras Leidwesen verschloss er die Tür hinter sich. Sie hätte zu gern gewusst, wie es ihrem Gefährten ging.

Zögernd, ob sie reingehen sollte, verweilte sie einen Augenblick vor der Tür und versuchte, Wortfetzen aufzuschnappen. Dass sich Tavis und Felizitas kannten, wusste Leandra. Die vier Kinder von Taras gingen im Schloss ein und aus, wie es ihnen beliebte. Seine Mutter hatte ihre Enkelkinder gern um sich.

Kein einziges Wort drang zu Leandra durch. Mit hängenden Schultern schlurfte sie in den Speisesaal. Neben Jerry und Ilona war noch ein Platz frei, vielleicht hatten sie Informationen über Taras' Zustand.

„... John hat eine Gruppe für die Suche nach Tamir und ich habe mit Cliff eine andere zusammengestellt, um dem König und Liam im Kampf gegen die Kelpies beizustehen. Es fehlen noch immer zwanzig Männer und Frauen aus dem Lager. Ich muss morgen früh los nach Calixto. Bis ich wieder da bin, brauchen wir endlich eine Lösung für das Lager", diktierte Jerry und Ilona schrieb fleißig mit.

Leandra fand es noch immer befremdlich, dass dieser verpeilte Kerl überhaupt etwas organisierte.

„Ich habe noch immer kein Schiff –", begann Ilona und wurde sofort unterbrochen.

„Dann finde ein Schiff! Wir müssen morgen aufbrechen!", herrschte er sie an.

Ilona zuckte zusammen.

„Jerry!" Leandra schaute ihren Kameraden tadelnd an.

Ilona jedoch nickte nur und verließ mit geblähten Nasenflügeln den Tisch.

„Warum redest du immer so mit ihr?"

„Wie rede ich denn mit ihr?", fragte Jerry überrascht.

„Herablassend, fordernd, gebieterisch."

Mit großen Augen musterte er Leandra. „So ein Blödsinn … Ich rede mit ihr wie mit dir, Xander, Brian oder wem auch immer."

„Das tust du nicht! Erkläre mir mal, was sie für dich ist."

Jerry zuckte mit den Schultern und Leandra erkannte, wie sich seine Wangen leicht röteten. „Sie ist eine Freundin und mehr nicht. Wir kennen uns von früher, so wie du und Davin", sagte er, lehnte sich zurück und verschränkte die Arme vor der Brust.

„Ja und wir sind jetzt verheiratet." Leandra lächelte triumphierend und zeigte auf ihren Ehering. „Nein, aber jetzt mal im Ernst. Ich weiß, dass sie dir mehr bedeutet, als du zugeben willst, aber dann zeig ihr das auf die nette Art und Weise und nicht als ihr Herrscher. Du bist ein völlig anderer Mensch, wenn du mit ihr redest. Ich glaube, sie mag den echten Jerry lieber."

„Du interpretierst da –"

„Wir können zu Taras." Es war Davin, der die beiden unterbrach.

Jerry nutzte die Chance. Er sprang sofort auf und eilte los. Die beiden Krieger folgten ihm und innerlich bereitete sich Leandra auf einen schwerverletzten Mann vor, der ans Bett gefesselt war.

Als sie den Raum betrat, traute sie ihren Augen nicht. Taras stand neben dem Bett und schnallte sich seinen

Waffengürtel um. Er war gerade in ein ernstes Gespräch mit seinem Bruder vertieft und schaute nur kurz zur Tür, in der Jerry, Leandra und Davin fassungslos standen.

„W-Wie ist das –", stotterte Jerry, doch Taras hob abwehrend die Hand und ließ nicht von seinem Bruder ab.

„Ich breche mit dem Trupp gleich auf und danke euch für die Unterstützung." Tavis sah erschöpft und gestresst aus.

Leandra hatte einige Gespräche mitbekommen, die sich um die Kelpies drehten. Die schwarzen Pferde mischten die Dörfer ordentlich auf und verbreiteten Schrecken und Tod.

„Cliff ist dein Ansprechpartner, er ist verlässlich und mutig, einer der besten Männer, die wir haben, und er selbst hat den Trupp, der dich begleitet, zusammengestellt. Auf ihn ist Verlass", sagte Taras und fasste seinen Bruder an die Schulter.

Leandra verstand nicht, was hier gerade vor sich ging. Der Mann war schwer verletzt. Gestern waren sie sich nicht sicher gewesen, ob er überhaupt überlebte, und jetzt stand er da und war über die neusten Dinge bestens informiert.

„Hör zu, Tavis, hier läuft gerade alles aus dem Ruder, wir müssen jetzt zusammenarbeiten, vielleicht wäre eine Zusammenkunft der Könige ratsam. Es herrscht Krieg und wir sind leider nicht auf dem Weg der Besserung."

Leandra hielt den Vorschlag für keine schlechte Idee. Wenn sich die neun Oberhäupter einig wären, dann wäre ein riesiger Schritt getan. Tavis schien über Taras' Vorschlag nachzudenken.

„Es geht mich zwar nichts an, aber alle Oberhäupter an einem Platz versammelt scheint mir zu diesen Zeiten keine gute Idee", warf Davin ein und wurde ignoriert.

„Du weißt, dass dies nicht so einfach sein wird und ich würde mir wünschen, dass du bei dieser Zusammenkunft an meiner Seite bist.“ Der König ließ die Arme sinken und griff sich an die Stirn, um dann den Blick Richtung Boden zu senken.

„Natürlich geht er mit!“, mischte sich jetzt Jerry ein.

„Jerry, halt dich da raus …“ Felizitas trat aus einer Ecke hervor und lehnte sich grinsend an einen Bettpfosten.

„Wo genau liegt das Problem?“, fragte jetzt Leandra.

Xander und Brian, die sich anscheinend über Taras' Zustand erkundigen wollten, stürmten das Zimmer. „Wie ist das möglich?“, fragte Brian und zeigte auf Taras.

„Magie … Aber seine Wunden sind noch lange nicht verheilt“, kürzte der König ab und zog wieder die Aufmerksamkeit seines Bruders auf sich. Auch wenn diese Aussage mehr als tausend Fragen aufwarf, erwartete er von seinem Bruder eine Antwort.

„Ich kann das nicht, Tavis, das ist deine Welt, nicht meine“, murmelte Taras und hinkte aus dem Zimmer.

Jetzt, wo er lief, erahnte Leandra, wie schlecht es ihm ging, auch wenn es äußerlich nicht danach aussah. Er wankte, Xander griff unterstützend nach seinem Arm und begleitete ihn nach draußen.

„Hast du wirklich auch nur eine Sekunde geglaubt, er würde das machen, Tavis? Dann kennst du ihn aber wirklich schlecht“, zischte Felizitas und verließ ebenfalls den Raum.

„Wo liegt denn das Problem?“, fragte Jerry.

„Im Grunde ist das ganz einfach …“ Luna betrat das Zimmer. Sie musste gelauscht haben.

„Luna, das ist hier nicht wichtig“, ermahnte Tavis sie. Alle starrten jetzt zur Prinzessin.

„Warum denn nicht, Vater? Es sollte jeder wissen, was für einen fürchterlichen Beigeschmack das goldene Ding auf deinem Kopf mit sich bringt!" Luna kam ihrem Vater sehr nah und baute sich vor ihm auf. „Um den Thron besteigen zu können, muss der Thronfolger verheiratet sein oder spätestens am Tag der Krönung heiraten. Dafür kommt allerdings nicht jede infrage, der alte König und seine Vertrauten bestimmen dies gemeinsam. Es wird Rat gehalten und verhandelt wie auf dem Viehmarkt. Die beste Kuh bekommt den Zuschlag –"

„Luna, es reicht!", unterbrach der König seine Tochter und packte sie unsanft am Arm.

Leandra sah, wie Liam, der mit ihr den Raum betreten hatte, den Blick abwandte.

„Mein Onkel wäre auf den Thron gestiegen, wenn es da nicht diese eine Regel gegeben hätte." Die Prinzessin dachte überhaupt nicht daran, den Mund zu halten. „Meine Mutter war damals vierzehn Jahre alt, als sie auserwählt wurde, die Frau an der Seite des Thronfolgers zu werden. Ihr müsst wissen, die Männer in unserer Familie haben eine Leidenschaft für jüngere Frauen. Mein Großvater hat damals Taras' Entscheidung, zu einem Meister zu gehen, nur schwer verkraftet, hielt aber daran fest, dass er nach der Ausbildung vielleicht doch noch die Krone für sich wählte. Er hat ihm eine Nachricht zukommen lassen, dass sie eine passende Frau für ihn gefunden hätten. Taras schlug jedoch sofort die Hochzeit aus und als kurz darauf meine Tante verschwand, starb der König an gebrochenem Herzen und hinterließ einen leeren Thron, den dann mein Vater bestieg. Ihm machte es weniger aus, meine Mutter in so jungen Jahren zu heiraten und zu schwängern –"

Mit einem lauten Knall fuhr die Hand des Königs auf Lunas Wange hinab und ließ ihren Kopf zur Seite fliegen.

Leandras Hand wanderte zu ihrem Schwert.

„Es reicht!", befahl der König.

Doch Luna griff sich an die Wange und schaute ihren Vater mit hasserfülltem Blick an. „Mein Großvater hatte ein Abkommen mit den anderen acht Königen. Da er als einziger Zwillinge bekam, durfte mein Vater samt seinem Bruder bei wichtigen Entscheidungen gemeinsam auftreten. Allerdings müsste Taras verheiratet sein, um in diesem Kreis anerkannt zu werden ..."

Jetzt war allen klar, warum Taras nicht zu solch einem Treffen gehen konnte. Er würde niemals heiraten.

„Noch ein Wort", fauchte der König und packte Luna fest am Arm.

Leandra zog ihr Schwert und richtete es auf den König. „Lass sie sofort los!"

Tavis' Augen blitzten wütend auf. Weitere Schwerter wurden gezogen und Leandra ging davon aus, dass sie zu Tavis' Wachen gehörten. Vier von ihnen waren vor dem Zimmer positioniert. „Du richtest dein Schwert gegen einen König", brüllte Tavis.

Alle erstarrten.

„Leandra, nimm das Schwert runter", bat Brian sie und kam ihr langsam näher.

„Ich wiederhole mich ungern! Lass sie los!", zischte die junge Kriegerin und stierte dem König fest in die Augen. Ihr Herz schlug ihr bis zum Hals und sie wusste, dass es töricht war, einen Herrscher zu bedrohen, doch sie dachte nicht im Traum daran, das Schwert zu senken.

Auch die Prinzessin, die normalerweise nicht so wortkarg war, gab keinen Mucks von sich.

„Auf was wartest du? Lass sie los", forderte nun auch Davin, der sich dicht neben seine Gefährtin gestellt hatte. Leandra spürte einen Freudenschauer über ihren Körper laufen. Wieder hatte Davin ihr den Rücken gestärkt, auch wenn Leandra wusste, dass er nicht ihrer Meinung war.

„Das wird ein Nachspiel haben, das garantiere ich euch", murmelte der König und ließ Lunas Arm los. Der Handabdruck zeichnete sich deutlich auf ihrem Oberarm ab. Die beiden verließen den Raum und Leandra steckte ihr Schwert zurück.

„Du gefällst mir immer mehr", sagte Liam zu Leandra und stolperte grinsend aus dem Raum.

„Der Feigling hätte seine Freundin ruhig selbst verteidigen können", maulte sie und drehte sich zu den übrigen vier um.

„Spinnst du? Das war der König! Leandra, du erlaubst dir Sachen, die gehen einfach nicht", schimpfte Brian, seine Stirn zog sich in Falten und er bedachte sie mit einem zornigen Blick.

Sie zuckte nur mit den Schultern. Sie war sich sicher gewesen, dass ihr niemand ein Haar krümmen würde. Liam war mit im Raum gewesen. Er wollte die Bücher und sie war die Auserwählte. Hätte sie jemand angegriffen, wäre er sicher eingeschritten.

„Leandra, das ist kein Spiel … Er ist der König und du hast dich respektlos verhalten!"

„Ich?! Er hat sich respektlos verhalten. Er hat Luna geschlagen und keiner von euch ist dazwischengegangen!"

„Weil er der König ist!", schrie Brian sie an. „Und warum unterstützt du ihr Verhalten? Nur weil ihr jetzt *verheiratet* seid, vergisst du deine Werte?" Brian wandte sich jetzt an Davin.

Gestern hatte alles danach ausgesehen, als wäre er endlich über diese Trennungssache hinweg, aber so verachtend, wie er das Wort ‚verheiratet' ausgesprochen hatte, war sich Leandra sicher, dass dies nicht der Fall war. Sie würde jetzt ein für alle Mal Klarheit schaffen! „Du willst reden, Brian? Dann reden wir."

Jerry räusperte sich. „Ich werde jetzt, glaube ich, lieber –"

„Verzieh dich, Jerry!!", schnauzten Brian und Leandra gleichzeitig.

Jetzt waren die drei allein und ihr schlug das Herz bis zum Hals. „Du hast dich verändert, Brian. Früher waren wir ein Team und egal, wie der eine entschieden hat, hat der andere auf dessen Seite gestanden und zu ihm gehalten. Du hattest das Beispiel eben gerade wieder", sagte Leandra aufgewühlt.

Davin ließ sich auf dem Bett nieder. Sie wusste, dass er sich raushalten würde und doch war seine Anwesenheit wichtig.

„Nur weil wir einmal nicht einer Meinung sind, ist das Grund genug für dich, mich auszutauschen?"

Leandra schüttelte den Kopf, doch bevor sie etwas sagen konnte, redete er weiter.

„Es war naiv, von mir zu glauben, wir können das gemeinsam schaffen. Es ist nicht mehr nur der Ringfluch, der euch verbindet, habe ich recht?" Er ballte seine Hände zu Fäusten.

„Schon vor dieser Hochzeit habe ich dir gesagt, dass wir nur noch Kollegen sein können. Ich habe dir gesagt, dass ich Abstand brauche."

„Du hast mir meine Frage nicht beantwortet!" Brian kniff die Augen zusammen.

Leandras Herz verkrampfte sich. Sie wollte Brian nicht verletzen, aber es war die beste Möglichkeit, reinen Wein einzuschenken. „Ja, Brian! Ich liebe Davin. Ich habe ihn vermutlich schon mein ganzes Leben lang geliebt. Ich wollte es nicht sehen, weil ich immer dachte, uns verbindet nur eine innige Freundschaft, doch dem ist nicht so."

Seine Kiefermuskeln arbeiteten. „Ich wünsche euch alles Gute!" Mit diesen Worten stürmte er aus dem Raum.

Leandras Hals war trocken und doch hatte sie das Gefühl, das Richtige getan zu haben.

Torben

„Ich möchte mir gern diesen peinlichen Moment ersparen, können wir einfach etwas essen gehen", murmelte sie und hörte, wie sich Davin vom Bett erhob.

Er besaß den Anstand, nichts zu ihrer Liebesbekundung zu sagen, worüber sie sehr dankbar war. Auf dem Weg zum Speisesaal entdeckte Leandra Luna auf einer der steinernen Bänke im Innenhof. „Geh schon mal vor, ich komme gleich nach", sagte Leandra zu Davin.

Er schaute zur Bank und verstand sofort.

„Hey, störe ich dich?"

„Das war echt mutig und wirklich dumm! Ich habe außer meinem Onkel noch niemanden zuvor so mit meinem Vater sprechen hören. Er wird das nicht auf sich sitzen lassen." Luna schaute auf ihre Füße, die Furchen in den feinen Sandboden zogen. Das Kleid, das sie heute trug, war nicht so ausladend wie sonst und doch einer Prinzessin würdig. Der orangefarbene Stoff trug auffällige schwarze Stickereien.

Leandra hatte die Prinzessin noch nie in einfacher Kleidung gesehen. „Ich habe keine Angst vor deinem Vater", entgegnete die Kriegerin.

„Das habe ich bereits gemerkt. Warum hast du dich für mich eingesetzt?"

„Na ja, die Männer schienen ja in Schockstarre verfallen zu sein. Du weißt doch, wie das ist, wir Frauen sind eindeutig das stärkere Geschlecht und müssen zusammenhalten", scherzte Leandra und lockerte die Stimmung.

Luna grinste.

„Wie ist das mit dir und Liam?" Im Grunde kannte sie die Antwort der Prinzessin und doch wollte sie es aus ihrem Mund hören. Mit dieser Frage traf sie genau ins Schwarze.

„Genauso, wie du es vermutest. Er wurde vor knapp einem Jahr von meinem Vater und seinen Vertrauten ausgewählt. Wir hatten ein paar Startschwierigkeiten, aber wir werden uns miteinander arrangieren. Meine Aufgabe ist es, diese Insel zu beschützen und zu führen. Wer könnte mir dabei besser helfen als der mächtigste Magier, den wir zurzeit haben? Dass die Krone und das Königshaus ihm von Nutzen sein können, steht außer Frage. Er war ehrlich zu mir und erzählte mir, dass er ein Magier ist und auch, dass er ein wenig nachgeholfen hat bei der Entscheidung, die mein Vater und seine Vertrauten fällten. Das hat mir imponiert. Seine

Ehrlichkeit und seine Zielstrebigkeit, das ist es, was die Krone braucht."

Leandra starrte sie überrascht an. Sie redete wie eine erwachsene Frau, die genau wusste, was von ihr verlangt wurde. Was ihre Aufgabe im Leben war. „Liebst du ihn denn?", fragte sie leise.

Luna lachte und schüttelte den Kopf. „Liebe hat in meiner Welt keine Bedeutung. Aber meine Mutter sagt immer, lieben könne man lernen. Sie hat meinen Vater am Anfang nicht ausstehen können. Sie war von Onkel Taras, den sie eigentlich hätte heiraten sollen, so angetan, dass sie meinen Vater als seinen Ersatz nur schwer akzeptieren konnte. Allerdings entwickelte sich die Liebe zu ihm mit meiner Geburt. Wir werden sehen, was die Zukunft bringt."

Der ernste Ton, den Luna anschlug, ließ Leandra wissen, dass sie jedes Wort so meinte, wie sie sagte. „Das ist –"

„– bescheuert? Ja, ich weiß, aber so sind nun mal die Regeln."

„Beängstigend wäre jetzt das Wort, das ich gewählt hätte." Leandra fand zwar, dass sie es mit ihrem zukünftigen Mann schlimmer hätte treffen können, aber dieses Gesetz gehörte generell abgeschafft. Früher gab es vielleicht gute Gründe, Ehepartner auszusuchen, aber das war nicht mehr zeitgemäß.

„Ich hoffe, mein Vater hat sich beruhigt und Liam kann seinem Gedächtnis ein wenig auf die Sprünge helfen, wenn du verstehst, was ich meine." Luna stand auf und stieg die Treppe hinauf. Bei jedem Schritt raschelte ihr Kleid.

Vermutlich würde Liam seine Erinnerungen manipulieren. Sei es drum. Leandra machte sich auf den Weg zum Speisesaal.

Der Tempel war vollends zum Leben erwacht und jetzt zeigte sich wieder, wie wenig Platz er für diese Menschenmasse bot. Gemurmel, schreiende Kinder und jammernde Verletzte waren allgegenwärtig.

Einige Männer und Frauen verteilten fleißig Brei an die Umhersitzenden. Auch Davin balancierte zwei Schüsseln auf sie zu. Naserümpfend löffelte sie ihn in sich hinein.

„Wir müssen unbedingt schauen, dass wir Essen beischaffen", stellte Davin fest und rührte angeekelt in der dicken Pampe.

„Können sie uns nicht über ein Portal zu einer anderen Insel schicken und wir besorgen von dort Fleisch und andere Lebensmittel?", fragte Leandra, die ihre Schüssel mittlerweile geleert hatte.

„Soweit ich weiß, hat Atara vorhin fünf Mann durch ein Portal geschickt. Es ist einen Versuch wert. Der Zirkel will die Tage den Tempel vergrößern, doch sie müssen erst wieder mehr Energie sammeln."

„Woher hast du diese Informationen?" Leandra war verwundert darüber, wie er immer so schnell auf dem neusten Stand war.

„Ich höre eben zu, wenn sich andere unterhalten", entgegnete er gleichgültig.

Eine Woche verharrten die Krieger samt den Elfen und dem Magierzirkel nun schon im Tempel. Sculley und seine Gruppe hatten die restlichen Elfen hierhergebracht und die Jagdtrupps, die durch die Portale geschickt wurden, wurden fündig. Heute sollte der Tempel auf magische Art und Weise vergrößert werden. Leandra fragte sich, wie das Ganze ablaufen sollte, denn der Tempel war auf einem Hügel errichtet und bot nicht sonderlich viel Platz, um seitlich anbauen zu können. Er war noch nicht alt, zumindest waren die braunen Steine, die hier zum Bau verwendet worden waren, in sehr gutem Zustand.

Alle mussten den Tempel verlassen und verteilten sich im umliegenden Wald. Leandra stierte auf die hohen Mauern und das hölzerne Eingangstor, über dem ein Wappen mit nach vorn ausgebreiteten Händen angebracht war. Ein Zeichen, das sie mit Magiern in Verbindung brachte.

„Na dann wollen wir mal“, murmelte Liam.

„Warum macht ihr das für uns?“, fragte Leandra.

Liam zog eine Augenbraue in die Höhe, als wunderte er sich darüber, dass sie das Offensichtliche nicht sah. „Ich dachte, seit unserem Kampf wäre klar, dass wir ein Team sind und gemeinsam für dieselbe Sache kämpfen.“

Leandra nickte ihm anerkennend zu.

Liam hatte seine Eigenheiten und doch ähnelte er seinem Vater in vielen Dingen. „Ich habe das mit der Verbindung zu Mariella gehört. Auch das bekommen wir in den Griff, ich habe schon eine Idee.“

„Du bist ein guter Kerl“, sagte Leandra und umfasste seinen Arm.

Liam schaute auf ihre Hand und dann in ihre Augen. „So weit würde ich nicht gehen, kleines Lämmchen.“ Er wirkte müde und ausgepowert.

Sie hörte Pferde durch den Wald galoppieren. Tavis und seine Männer waren auf dem Weg hierher. Leandra hatte ihn seit der Auseinandersetzung nicht wieder gesehen. „Hat sich Tavis beruhigt oder muss ich jederzeit mit meiner Enthauptung rechnen?“ Niemand hatte dieses Thema angesprochen, es war, als hätte sie den König niemals bedroht.

„Ich habe ihn und seine Männer das alles vergessen lassen. Aber Luna hatte nicht das Recht –“

„Sie hat nichts Falsches gesagt", unterbrach Leandra ihn. „Warum hast du dich ins Königshaus eingeschlichen?" Sie wusste nicht, wieso sie das Thema ansprach, aber irgendwie interessierte sie seine Sichtweise.

„Eingeschlichen ist ein hartes Wort. Ich habe mitbekommen, dass der König einen Mann für seine Tochter sucht. Tavis gehört zu den Guten. Von ihm kann und konnte ich schon viel lernen. Seine Tochter ist hübsch und ich bin auf dieser Insel heimisch. Die Krone öffnet mir neue Türen und auch wenn Luna ein anstrengender Mensch ist, ist sie belesen und gebildet. Sie fungiert schon jetzt als königliche Beraterin, hat Truppen begleitet, um von ihnen zu lernen. Sie ist nicht nur eine Prinzessin, die hübsch gekleidet neben ihrem Vater steht. Sie geht selbst mit in die Schlacht, um zu lernen und zu verstehen. Sie würde nicht kämpfen und sie hält sich immer im Hintergrund, aber sie leitet und führt wie kein anderes Mädchen in dem Alter. Wir werden miteinander auskommen."

Der Zirkel nahm Stellung auf.

Leandra merkte, dass auch Liam mit diesem Arrangement zufrieden war. „Traumhaft!", sagte sie und schenkte Liam ein gekünsteltes Lächeln.

„Sprach die Frau, die wegen eines Buches heiratet."

Dem war eigentlich nichts mehr hinzuzufügen.

„Apropos, wie weit bist du mit dem Ringfluch?"

„Das ist tatsächlich ein wenig komplizierter. Da ist schwarze Magie im Spiel und somit leider außerhalb meines Könnens. Wir brauchen ein Buch, das die schwarze Magie gebannt hält, und dann muss ich es schaffen, dass es sich mir öffnet. Das Buch aus dem Elfenwald hat ein gewaltiges Eigenleben, muss ich zugeben."

Leandra hatte schon vermutet, dass es nicht so einfach würde, sich von dem Ringfluch zu befreien. Sie trat einige Schritte zurück und beobachtete, wie die Magier ihre Hände nach vorn streckten.

In einen lauten Singsang verfallend schossen blaue Lichtstrahlen auf die Mauern zu und das Gestein ächzte und erzitterte. Steinbrocken fielen herunter und die Mauern wuchsen in die Länge und mit ihnen der Hügel, auf dem der Bau errichtet war. Reihe um Reihe vermehrten sich die Steine und der Tempel vergrößerte sich nicht nur in die Länge und Breite, sondern wuchs auch in die Höhe.

„Das ist wirklich beeindruckend." Felizitas hatte sich zu Leandra gestellt und hielt die Zwillinge an der Hand. Aus ihrem sonst perfekt zusammengeknoteten Haar hatten sich einzelne Strähnen gelöst und hingen ihr in die Stirn. Sie wirkte erschöpft. Sie hatte sich nicht nur um Taras, sondern auch um andere Verletzte gekümmert. Von Jerry hatte Leandra mitbekommen, dass sie versuchten, Taras' ältesten Sohn zu finden. Er war in die Ausbildung gegangen und seit diese abgeschafft worden war, war er mit anderen jungen Männern auf der Flucht. Sie versuchten, nach Zubin zu kommen, allerdings existierte das Lager nun nicht mehr. Das waren die letzten Nachrichten, die sie von dem jungen Mann hatten.

Wenn man seinen eigenen Gedanken nachhing, vergaß man oft, dass auch andere Probleme hatten. Felizitas beschwerte sich nicht, sie gab ihr Bestes – tagein, tagaus.

Leandra bewunderte sie. „Mit Magie ist einiges möglich. Wenn sie in den richtigen Händen ist, kann sie wahre Wunder bewirken."

„Unter uns Heilern wurde lang gemunkelt, ob es Magie wirklich gibt. Auf Calixto gibt es einen Schwarzmarkt mit Mitteln, die besondere Wirkungen haben. Der Dunst, den Brian dir verabreicht hat, war von diesem Markt. Man sagt, die Elementschwestern, die diese Tränke herstellen, besitzen besondere Kräfte, wenn du verstehst, was ich meine."

Leandra wusste genau, von was Feli da sprach, doch sie wunderte sich, dass sie auf einem Schwarzmarkt ihre Mittel kaufte.

Die Zirkelmitglieder ließen die Hände sinken und traten nun ins Innere des Tempels.

„Wir laufen zum Strand, kommst du mit?" Davin hatte sich zu Leandra und Feli gestellt.

„Ja, ein bisschen die Beine vertreten kann nicht schaden."

Taras unterhielt sich mit seinem Bruder und Xander. Er lehnte auf einem Stock, um die verletzte Seite zu entlasten, doch von Tag zu Tag ging es ihm besser.

Eine kleine Gruppe aus Elfen und Kriegern stand bereit und wartete auf Leandra und Davin. Die kleine Gruppe schlenderte Richtung Strand. Wenn Leandra es richtig verstanden hatte, wollten sie Fische fangen. Zwei Elfen, mit denen sich Davin angefreundet hatte, begleiteten sie, Ilona und Zac.

„Kaum habe ich mich euch angeschlossen, geht es turbulent zu." Zacs grüne Augen blitzten belustigt auf.

Leandra konnte ein Lächeln nicht unterdrücken. Sie hatte Zac die letzten Tage kaum gesehen, denn jeder war irgendwo eingeteilt worden. „Mir wäre es auch lieber, wenn dem nicht so wäre", grummelte sie.

Der Strand war nicht weit entfernt, daher dauerte es nicht lange. Je näher sie kamen, umso lauter vernahmen sie Gemurmel. Ein Wiehern war zu hören und ließ Leandra das Blut in den Adern gefrieren. Sie brauchte es nicht zu sehen, um zu wissen, dass es von einem Kelpie kam.

Umgehend zog sie ihr Schwert und die anderen taten es nach. Ihr Körper spannte sich an und sie hoffte, nicht gegen das Tier kämpfen zu müssen. Kelpies waren unberechenbare Biester, die alles verschlangen, was ihnen in den Weg kam.

„Okay, morgen holen wir die nächsten drei."

Leandra kannte die Stimme des Mannes nicht. Das Gefühl, dass hier mächtig was faul war, verließ sie nicht.

„Scheiße", murmelte Davin.

Dann sah Leandra es ebenfalls. Das schwarze Hinterteil eines Pferdes verschwand geradewegs in einem Portal.

Ein Magier stand einem größeren Kelpie gegenüber und nickte ihm dankend zu, bevor er ebenfalls durch das Portal trat.

Leandras Hals war wie zugeschnürt. Das schwarze Wesen drehte sich um und die Kriegerin erspähte das Zeichen auf seiner Stirn. Liam hatte Torben gekennzeichnet und selbst wenn man es nicht hätte sehen können, hätte die Kriegerin das Kelpieoberhaupt sofort erkannt.

„Das war einer von Tims Männern. Sie bringen die Kelpies von dieser Insel", fasste Davin zusammen, was alle gesehen hatten.

„Wir müssen zurück und es Xander erzählen!" Ilona hatte recht. Bevor sie gesehen wurden, hetzten sie zum Tempel zurück.

Der Umbau war abgeschlossen und die Menschen und Elfen betraten gerade wieder den Tempel, als Leandra und die anderen ankamen.

Xander war in dem Trubel nicht zu sehen, Liam allerdings schon. Er war in ein Gespräch mit dem König verwickelt und Ilona nutzte die Chance, um beide zu unterrichten.

Leandra und Davin drückten sich durch die Menschen und fanden Xander in einem Gespräch mit Atara.

„... das, was ihr hier für uns tut –“

„Die Kelpies werden von Tims Anhängern von der Insel gebracht!“, unterbrach Leandra die beiden.

Davin erzählte in allen Einzelheiten, was sie gesehen hatten.

Leandra fiel erst jetzt die Veränderung im Tempel auf. Der Innenhof wirkte in die Länge gezogen und der Garten war größer und zum Teil überdacht. Die Treppe, die zu den Schlafräumen führte, war breiter. Mehr konnte die Kriegerin auf den ersten Blick nicht erkennen, fand es aber beeindruckend, wie schnell die Magier das alles errichtet hatten.

„Das sind keine guten Neuigkeiten. Nach dem Abendessen werden wir uns im Besprechungsraum treffen. Atara, kannst du Jerry und Brian ausfindig machen?“

Die Magierin nickte.

„Was für einen Raum?“ Die Kriegerin hatte keine Ahnung, wo sich dieser befinden sollte.

„Hinter dem Garten. Euer Zimmer befindet sich im zweiten Stock. Linke Seite, vorletzte Tür“, erklärte Atara mit einem auffordernden Blick. Sie und Xander hatten anscheinend noch etwas allein zu besprechen.

„Ich bin viel zu aufgeregt, um jetzt eine Zimmerbesichtigung zu machen“, zischte Leandra und stieg die Treppen hinauf.

Die Balkon ähnlichen Flure waren jetzt überdacht. Der Innenhof war offen wie zuvor auch. Doch es waren weitere Etagen hinzugefügt worden.

„Lass uns das Zimmer anschauen, vielleicht fällt uns ein Zeitvertreib ein“, flüsterte Davin und griff nach Leandras Hand, um ihr einen Kuss darauf zu hauchen.

Ein schrilles, lang gezogenes „Ihhh“ ließ sich die beiden umdrehen. Mariella drückte sich die Hände auf die Ohren und stürmte an den beiden vorbei die Treppe hinauf. Ihr braunes Haar war zu einem Pferdeschwanz gebunden und wippte von der einen zur anderen Seite. „Ihr seid eklig“, brüllte sie.

Davin stieß einen überraschten Laut aus, von dem Leandra nicht wusste, ob es ein Lachen darstellen sollte. Sie atmete genervt aus, sagte jedoch nichts dazu. Sie folgten der Wegbeschreibung und fanden das Zimmer auf Anhieb. Ein kleines Namensschild mit *„Eheleute Löwenstein“* war an der Tür befestigt.

Verlegenheit kam in der Kriegerin auf. Sie fühlte sich ganz und gar nicht wie eine Ehefrau. Was auch immer das Wort ausmachte.

„Das ist immer noch ungewohnt“, brummte Davin und öffnete die Tür zum neuen Zimmer.

Leandra wollte gerade eintreten, als Davin sie auf den Arm hob. „Ich habe dich nie über die Türschwelle getragen“, sagte er theatralisch.

Sie schaffte es gerade so, sich an seinem Hals festzuklammern. Sie musste lachen und ließ sich auf sein Spiel ein. Seine starken Arme bugsierten sie sicher über die Schwelle und mit einem Tritt gegen die Tür flog diese in die Angeln.

Leandra hatte nur Augen für ihn. Das Zimmer war zweitrangig. Er legte sie auf weichem Untergrund nieder und sie nutzte die Chance, um ihn an sich zu ziehen, um ihm einen Kuss zu stibitzen.

„Wir haben ein Zimmer für uns ganz allein“, murmelte er gegen ihre Lippen und sie begann, an seinem Hemd zu zerren, um ihn davon zu befreien.

„Sei nicht immer so wild“, ermahnte er sie und drückte ihre Hände auf das Bett.

„Bin ich das?"

„O ja, ein ungezähmtes kleines Biest", scherzte er und übersäte ihren Hals mit zarten Küssen. Sie musste laut lachen, weil sie an dieser empfindlichen Stelle fürchterlich kitzlig war.

„Sollten wir nicht lieber über die Kelpies und die Büchersuche reden? Hör auf!", flehte sie und versuchte, ihn von sich zu stoßen.

„Ich fange gerade erst an!" Der Satz war noch nicht beendet, da zog er ihr das Hemd über den Kopf und überhäufte sie mit zarten Küssen.

Das Kribbeln in ihrem Unterleib wurde heftiger und das Verlangen nach ihm größer. Ihre Hand suchte sich den Weg zu seiner Hose …

Schwungvoll wurde die Tür aufgerissen.

„Ich soll euch … Ach du lieber Himmel!" Jerry stand im Türrahmen und starrte die beiden fassungslos an. „… das Bild werde ich nie wieder los!"

„Wie wäre es, wenn du einfach verschwindest und die Tür zumachst!", brüllte Davin und zog eine Decke über Leandra.

Die Kriegerin wäre am liebsten im Erdboden versunken. Ihr Herz hämmerte heftig. *Das passiert gerade nicht wirklich.* Sie spürte, wie ihr das Blut in die Wangen schoss.

„Ich soll euch Bescheid geben, dass wir vollzählig sind und Xander die Besprechung gern jetzt schon machen würde –"

„Raus!" Davin warf ein Kissen nach dem Krieger, der sich noch immer nicht bewegte.

Leandra wagte nicht, Richtung Tür zu blicken, sie schämte sich und wollte dieses Zimmer nie wieder verlassen.

Jerry jedoch blieb hartnäckig. „Soll ich sagen, dass ihr noch einen Augenblick braucht?“ Der Mann hatte das Feingefühl eines Ambosses.

„Sag, was immer du willst, aber verschwinde endlich aus diesem Zimmer.“ Davins Stimme bebte vor Zorn.

Jerry schien endlich verstanden zu haben, dass es besser wäre, den Rückzug anzutreten.

Leandra hörte das Klicken der sich schließenden Tür. Sie schob sich die Hände vors Gesicht und wusste nicht, ob sie lachen oder weinen sollte. So was war ihr noch nie passiert. Nicht einmal Davin wollte sie jetzt in die Augen sehen.

„Der hat sie doch nicht mehr alle“, schimpfte dieser.

Leandra spürte, wie er vom Bett aufstand. „Ich glaube, wir gehen besser direkt nach unten“, murmelte sie und zog sich ihr Oberteil über.

Wahrheiten

Nachdem sich beide die Haare gerichtet hatten, machten sich die Krieger auf den Weg in den Innenhof. Sie ließen sich von einem der hier arbeitenden Männer den Weg zum neuen Besprechungsraum zeigen. Sie gingen schweigend durch den neu angelegten Gartenteil und geradewegs auf eine zweiflügelige Tür zu.

Sie traten ein, ohne anzuklopfen.

Wie alles andere hier war der Raum nur funktionell eingerichtet. Ein weitläufiger Steintisch, um den einige Stühle gereiht waren, ein üppiger Kronleuchter, in dem Kerzen brannten, und zwei Truhen.

„Wenn jetzt noch Liam den Weg zu uns findet, sind wir vollzählig“, brummte Xander.

Davin und sie nahmen auf den bereitgestellten Stühlen Platz. Neben Brian, Taras, Jerry und Xander waren außerdem Atara, Tavis und Luna anwesend.

Jerry schien nichts über die peinliche Situation ausgeplaudert zu haben. Keiner machte Anspielungen oder sagte etwas, worüber Leandra sehr erleichtert war.

Tavis saß mit verschränkten Armen neben Taras und schien langsam ungeduldig zu werden. Seine Finger trommelten nervös auf dem Oberarm.

Es war faszinierend, wie ähnlich sich die beiden sahen und wie grundverschieden sie dennoch waren.

„Entschuldigt die Verspätung, ich habe noch nach einer Lösung gesucht, um Mariellas und Leandras Verbindung zu trennen.“ Liam betrat abgehetzt den Raum. Seine Haare waren zerzaust und er japste nach Luft, als wäre er gerannt. „Dann beginnen wir mal“, eröffnete er die Runde und holte einen zusammengefalteten Zettel aus seiner Hosentasche. Aus der Mantelinnentasche zog er das goldene Buch.

Jerry rutschte auf seinem Stuhl zurück und musterte es skeptisch. „Nimm das Ding weg!“

„Ich glaube nicht, dass es dich noch einmal attackieren wird“, beschwichtigte Liam ihn. „Zuallererst möchte ich etwas über die Situation zu den Kelpies sagen. Cliff ist es gelungen, drei dieser Wesen gefangen zu nehmen. Wie wir jetzt allerdings mitbekommen haben, arbeiten sie mit Tim zusammen und werden von der Insel gebracht. Ich vermute, auf die Insel der Großmeister. Wir wissen mittlerweile, dass dies der Aufenthaltsort von Tim und seinem Gefolge ist.“ Liam machte eine kurze Pause und versicherte sich, dass alles verstanden wurde.

Da sich keiner zu Wort meldete und weiterhin alle Augen auf ihn gerichtet waren, fuhr er fort. „Ich beschäftige mich schon eine ganze Weile mit der Suche der Bücher und deren Ursprungsgeschichte. Ich weiß mittlerweile, warum es dazu kaum Aufzeichnungen gibt, beziehungsweise alle Informationen in Kindergeschichten hinterlegt sind." Sein Blick huschte bedeutsam zu Leandra und auch alle anderen musterten die Kriegerin.

„Was hat das mit mir zu tun?" Verunsichert hob sie die Arme und ein ungutes Gefühl überrollte sie.

Sein Finger tippte auf den goldenen Einband des Buches. „Dieses Buch ist eine Art Tagebuch. Es gehört einer Frau namens Runa." Diesmal wanderte Liams Blick zu Xander. Seine sonst so entspannten Gesichtszüge verzogen sich zu einer wütenden Maske.

Keiner reagierte. Leandra wusste nicht, worauf Liam hinauswollte, also wartete sie ab, was er zu sagen hatte.

„Verdammt noch mal! Ihr beide hättet mit offenen Karten spielen müssen." Liams Faust donnerte auf den Tisch.

Xander lehnte sich vor. „Und du, mein Sohn? Bist du immer ehrlich?"

Liams Wangen färbten sich rot und seine Hände zitterten. „Dachtest du wirklich, du könntest dein kleines Geheimnis für dich behalten?", knurrte Liam und tippte auf das Buch.

Jerry und Brian schienen genauso verwirrt wie alle anderen am Tisch. Auch Tavis lehnte sich auf seinem Stuhl zurück und beobachtete die beiden.

„Was steht denn in diesem Buch?", wollte jetzt Taras wissen.

„Es füllt sich mit den Ereignissen, die geschehen. Jede einzelne Büchersuche ist hier aufgeführt, immer aus der

Sicht desjenigen, der sie gerade erlebt, oder eben aus Runas."

„Wer ist denn diese Runa?", fragte Jerry, der wie alle anderen versuchte, die Zusammenhänge zu finden.

„Runa ist Rafails Zwillingsschwester. Sie hat ihren Bruder einhundert Jahre lang gebannt und mit ihm die Magie."

Sämtliche Gesichtszüge entgleisten und Leandra dämmerte es schon, bevor Liam es laut aussprach.

„Ja, hier steht so einiges Interessantes drin. Auch die Träume der Auserwählten sind verzeichnet!", erklärte der Magier und stierte jetzt Leandra an.

Ihre Kehle schnürte sich zu. Nicht lange nach der Ankunft auf dieser Insel hatten Leandra Visionen heimgesucht und ihr einige schlaflose Nächte beschert. Angefangen hatte alles mit einer Frau, die ihrem Mann erklärte, dass sie einen Bannspruch wirken wolle. Sie hatte von einhundert Jahren gesprochen. War diese Frau Runa gewesen?

„Wollen wir wirklich wissen, was Leandra träumt?", fragte Brian lachend und der Versuch, die Situation aufzulockern, ging gewaltig in die Hose.

Liam strafte ihn mit einem bösen Blick, der ihm sofort das Grinsen aus dem Gesicht trieb.

„Hast du verstanden, was dir die Träume erzählt haben?", fuhr er die Kriegerin an.

Sie hatte Liam noch nie so sauer erlebt. „Bekomme deine Laune in den Griff! Ich habe keine Ahnung, woher die Träume kamen und was sie mir sagen wollten", entgegnete sie genervt.

Genau genommen konnte sie sich keinen Reim auf diese Szenarien machen, die sich im Traum abgespielt hatten. Sie hatte verstanden, dass es Zusammenhänge zwischen den Büchern und den Träumen gab, aber die kleinen Ausschnitte, die sie gesehen hatte, ergaben noch lange kein Gesamtbild. Jetzt hätte sie die Möglichkeit, ihnen zu berichten, dass sie wieder von den Visionen heimgesucht wurde, doch Liam ließ sie nicht zu Wort kommen.

„Warum hast du mir nie davon erzählt?“, brüllte Liam sie an und schlug auf das Buch.

„Es geht dich einfach nichts an! Ich bin die Auserwählte, nicht du! Du kannst uns doch sowieso nicht helfen!“

„Ich kann euch nur nicht bei der direkten Suche helfen, aber dass Runa verdammt noch mal die Zwillingsschwester von Rafail ist, kann ich euch sagen. Genauso, dass ich zu ihrer verdammten Blutlinie gehöre!“, knurrte Liam jetzt und alle Augen waren auf Xander gerichtet.

Leandras Magen zog sich zusammen und Übelkeit kam in ihr auf. *Was heißt, er gehört zur direkten Blutlinie?*

Bevor Xander etwas erwidern konnte, richtete sich Liam an Taras und Tavis. „Und seit ich weiß, wer diese Frau ist, ist mir auch klar, warum die Krone so tief in die Sache verwickelt ist.“

Was hat das alles zu bedeuten?

Xander und Taras wurden von sämtlichen Blicken durchlöchert, außer von Tavis, er schaute gleichgültig zu seinem Bruder.

„Als ihr vor Jahren von Ullrich den Auftrag bekommen habt, nach den Büchern zu suchen, war es kein Zufall, dass er euch beide gefragt hat, oder?“

Weder Taras noch Xander antworteten auf diese Frage.

„Das Spiel hat ein Ende! Packt aus!“, brüllte Liam.

Xander musste lachen. „Was willst du von uns, Liam? Wir wissen kaum mehr als alle anderen Anwesenden. Ich bin mit den Geschichten über die verschollenen Bücher groß geworden, das ist richtig. Runa ist meine Ur-Ur-Großmutter. Der Wahrer des wahren Thronerben war mein Großonkel."

Leandra musste erst wieder Luft holen, um nicht auf der Stelle in Ohnmacht zu fallen, denn bei diesen Neuigkeiten hatte sie das Atmen vergessen.

„Du bist was?", entfuhr es Brian laut.

„Scheiße, warum hast du uns das nie erzählt?" Jerry schüttelte fassungslos den Kopf.

„Was hast du noch verschwiegen?", fragte jetzt Leandra zwischen zusammengebissenen Zähnen. Ihre Hände waren zu Fäusten geballt und sie zitterten vor Anspannung. Er war der Ur-Ur-Enkel der Frau, die ihren Bruder samt der Magie gebannt hat. Ihre Gedanken drehten sich im Kreis.

„Julius Turmbau, der Kindergeschichtenerzähler, war mein Großcousin, er war derjenige, der die Rätsel in den Kindergeschichten versteckt hat. Zu meiner Verteidigung, ich wusste lange Zeit nicht, dass er es gewesen ist. Ich wusste auch lange Zeit nicht, dass die Wahrer des Thronerben, die zu meiner Familie gehören, die ganze Geschichte von Runa und Rafail kennen. Sie waren die Einzigen, deren Erinnerungen nicht ausgelöscht wurden und die von Generation zu Generation ihr Wissen weitergaben. Der Wahrer hatte die Aufgabe, Rafails Seele, die in einer Flasche gebannt war, zu beschützen."

Kurz verzerrte sich das Bild vor Leandras Augen und Stille breitete sich aus. Ein verschwommenes Bild eines Schlafzimmers tauchte auf.

„Julius, mein Sohn, schreibe die Geschichten nieder! Die Auserwählte wird kommen, sie muss wissen, wie sie die Teile zusammensetzen muss."

Ein alter Mann lag in einem Himmelbett und hielt die Hand eines anderen Mannes, der auf seiner Bettkante saß.

„Vater, ich schreibe Märchen für Kinder, wie stellst du dir das vor? Ich bin selbst nicht mehr der Jüngste."

Julius Turmbau.

„Dein Sohn wird der neue Wahrer sein. Aber du musst die Hinweise niederschreiben. Niemand außer uns beiden kennt die Lösungen!"

„Warum willst du, dass sie sie befreit?", fragte Julius und drückte die Hand seines Vaters.

„Es ist ein Bann, er wird sie finden und sie dazu bringen …"

Schweigen erfüllte den Raum, als sie aus der Vision auftauchte. Erneut schien niemand etwas mitbekommen zu haben. Alle Blicke waren auf den ehemaligen Meister gerichtet, der sich mit beiden Händen über den Dreitagebart fuhr.

Leandras Kehle schnürte sich zu. Sie verband die Bilder mit Xanders Worten. Die Erkenntnis traf sie wie Pfeilspitzen. Alles, was er erzählt hatte, fühlte sich nach Verrat an.

„Was bedeutet Erinnerungen ausgelöscht?" Jerry versuchte, neutral zu klingen, aber auch seiner Stimme schwang Ärger mit.

„Als Runa Rafail bannte, löschte sie die Erinnerungen an sie, die Magie und die Bücher aus. Niemand sollte sich an das erinnern, was passiert war", fasste Liam kurz zusammen.

Leandra erinnerte sich, dass die Frau aus ihren Träumen zu einem kleinen Jungen ähnliche Worte gesagt hatte. Er sei künftig der Einzige, der die Erinnerungen mit sich tragen würde.

„Wie hängst du in dieser Sache mit drin?" Brian funkelte Taras aus zusammengekniffenen Augen an.

„Xander und ich haben uns in der Ausbildung kennengelernt und angefreundet. Irgendwann haben wir auch über unsere Familien gesprochen und dann kam raus, dass Runa mit dem Bruder meines Ur-Großvaters verheiratet war und wir begannen, Nachforschungen anzustellen."

„Ihr wusstet es beide von Anfang an?!", brüllte Brian und stand auf. Liam machte eine fließende Handbewegung und zwang ihn auf seinen Platz zurück.

„Wir wussten gar nichts", gab Taras zu. „Es gab keine Aufzeichnungen außer den Kindergeschichten und das nahmen wir nicht ernst. Alle Erinnerungen waren fort. Wir befragten Verwandte, Bekannte, alte Menschen, die zu diesem Zeitpunkt schon gelebt haben. Niemand erinnerte sich, niemand wusste von Magiern oder Magie. Bis uns einfiel, dass eine Sache ganz offensichtlich mit Zauberei funktionierte. Die zehnte Insel. Die der Großmeister. Wir konfrontierten Ullrich mit unserem minimalistischen Wissen und er stellte den früheren Suchtrupp zusammen."

„Er hat recht. Wir tappten ewig im Dunkeln. Erst als Tim das Buch gefunden hat, haben wir unsere Untersuchungen wieder aufgenommen. Wir wussten weder von einer Auserwählten noch dass sie sich in unseren Reihen befand. Das erste Mal hatten wir die Vermutung, als du den Hammer des Klabautermanns geborgen hast." Beim letzten Satz schaute Xander Leandra an.

Sie sprang vom Stuhl auf und stierte warnend zu Liam. „Wage es nicht, deinen Hokuspokus an mir auszuüben. Und jetzt zu euch beiden! Seit dem Klabautermann vermutet ihr, dass ich die Auserwählte sein könnte? Das ist Jahre her! Ihr habt uns jahrelang diese Vermutungen vorenthalten?" Leandras Stimme bebte vor Zorn und ihre

Hände zitterten. Sie konnte nicht fassen, was sie gerade erfuhr. Diese Männer, die sie dachte, gut zu kennen, waren Lügner. Die ganzen Jahre über hatten sie sie an der Nase herumgeführt und wie Marionetten tanzen lassen.

„Das ist wirklich hart“, murmelte Jerry. „All die Jahre wart ihr Vorbilder für mich. Ich habe zu euch aufgeschaut und euch bewundert. Aber heute sehe ich zwei Fremde vor mir.“

„Ich versichere euch, wir wussten auch nicht viel mehr als ihr.“ Taras' Stimme war ruhig.

„Na ja, das, was ihr hier erzählt habt, ist eine ganze Menge“, zischte jetzt Brian. Auch er war angefressen.

„Elende Lügner seid ihr. Was wolltet ihr damit eigentlich bezwecken? Die Bücher besitzen und die neun Inseln an euch reißen?“ Leandra war außer sich.

„So ein Blödsinn“, zischte Xander und wandte den Blick von ihr.

„Ich kann euren Ärger verstehen, aber du hast wohl auch nicht immer die Wahrheit gesagt, oder?“, mischte sich nun der König ein. Tavis musterte Leandra abschätzig und lenkte galant das Thema um.

„Willst du mich verarschen?! Wir reden bei mir von Träumen! Die beiden haben Informationen verschwiegen!“, fuhr sie ihn an und Liam ließ jetzt doch seine Magie spielen.

Eine unsichtbare Macht ergriff Besitz von ihr und drückte sie auf den Stuhl. Sie wollte den Mund öffnen, doch es kamen keine Worte hervor. *Ich bringe ihn um!*

„Ich glaube, das werde ich jetzt übernehmen“, murmelte Liam und gab eine kurze Zusammenfassung von dem, was Leandra damals gesehen hatte. „Leandra hat Sequenzen von der Bannung des Buches geschickt bekommen …“

Die Kriegerin lauschte den Worten des Magiers, was anderes blieb ihr nicht übrig, denn die unsichtbaren Fesseln fixierten sie auf dem Stuhl. Sie wusste zwar, was sie gesehen hatte, doch seine Erklärungen warfen ein neues Licht auf die Visionen.

Ihr Herz schlug bei dem Gedanken schneller, dass Ray wirklich Rafail war. Liam hatte solch eine vage Vermutung schon einmal gemacht, doch eindeutige Beweise hatte es bisher nicht gegeben. Liam versuchte, alles möglichst genau zu erzählen, doch die Bilder dazu kannte nur Leandra.

Der braune Nebel in den ersten Visionen, durch den sie sich wie ein Geist bewegt hatte. Die Mutter, die ihrem Kind erklärte, dass es nun der Wahrer des wahren Thronerben sei. Die Frau, die sich von ihrem Mann verabschiedete, um sich selbst für einhundert Jahre zu bannen. *Moment!*

Mit heftigen Tritten gegen den Tisch unterbrach sie Liam in seiner Rede und er befreite sie von dem Schweigezauber.

„Müsste Runa nicht auch von dem Bann befreit sein?“

„Was heißt auch?“, fragte jetzt Jerry wieder.

„Ray ist Rafail“, sprach Liam es nun ganz deutlich aus.

Für Jerry war diese Information allerdings neu.

„Das ist es eben, wir wissen nichts über sie oder ihren Verbleib. Ich weiß erst seit diesem Buch von Runas Existenz“, erklärte der Magier und alle Blicke wanderten zu Xander.

„Ich habe keine Ahnung! Wie oft denn noch?“, brummte er und hob die Schultern.

„Was wisst ihr über das letzte Buch?“, wollte Tavis wissen.

Leandra fragte sich, warum er diesem Gespräch überhaupt beiwohnte.

„Wir wissen, dass das letzte Buch in einer großen Bücherei sein muss", erinnerte Jerry, der sein Notizbuch hervorgeholt hatte. „Er machte sich die Mühe und übergab eins den Bewohnern des Waldes, eins brachte er zu seinem besten Freund, eins zu den Höhlenbewohnern, eins zu den Felsen und das letzte zu den Büchern, von denen es mehr als genug gab", las er die Stelle vor, auf die sich seine Vermutung bezog.

„Wir sollten nach Kindergeschichten mit Türen oder Schlüsseln Ausschau halten", ergänzte Brian und funkelte Taras und Xander missbilligend an. Er würde ihnen ihre Lügen nicht so schnell verzeihen.

Es klopfte an der Tür und Mariella wurde hereingebracht. Das Kind blickte verängstigt in die Runde und knibbelte an seinen Fingern.

„Sehr gut. Leandra, komm zu uns."

Die Kriegerin vermutete, dass er jetzt die Verbindung lösen würde. Das wäre einfach großartig. Sie müsste sich keine Sorgen mehr machen, dass Mariella wegen ihr verletzt würde.

„Dem Himmel sei Dank", murmelte Taras und nickte seiner Tochter Mut machend zu.

Liam legte Mariella wie auch Leandra eine Hand auf den Kopf und murmelte wirre Worte, die keiner zu verstehen vermochte. Niemand sagte etwas, sie beobachteten gespannt, wie Liam arbeitete. Immer wenn der schmale Magier Magie wirkte, war es eine interessante Sache. Tavis und Taras saßen mit verschränkten Armen da, während Jerry fast schon auf dem Tisch lag, um ja nichts zu verpassen. Im Gegensatz zu Davin würde er gern Magie wirken können.

Ein Kribbeln durchflutete ihren Körper, Liams Gemurmel wurde lauter und er wirkte immer angestrengter. Aus seinem rechten Nasenloch tropfte Blut auf sein Oberteil und Leandra fragte sich, ob das so sein sollte.

Sie wollte gerade etwas sagen, als er eine wischende Handbewegung über ihnen vollzog und es sich anfühlte, als würde Leandra eine Rauchwolke durch die Nase ausstoßen.

Sie musste husten ebenso wie Mariella. Das junge Mädchen machte das super, wie Leandra fand. Sie war mutig und es tat der Kriegerin von Herzen leid, was sie schon ihretwegen erlitten hatte.

Jetzt war es geschafft und der Magier hatte den Bann gelöst. Die Erleichterung war kaum in Worte zu fassen.

„Jetzt musst du nicht mehr aufpassen“, flüsterte die Kleine der Kriegerin zu.

„Es tut mir so unendlich leid, Mariella. Ich wünschte, du hättest das alles wegen mir nicht erleben müssen.“ Leandra beugte sich zu ihr herunter und umfasste die zarten Finger des Mädchens.

„Jetzt ist es ja zum Glück vorbei und ich weiß ganz sicher, dass ich niemals eine Kriegerin werden will.“

Ein Schmunzeln flog über sämtliche Gesichter.

„Das musst du ganz sicher nicht“, bestätigte Leandra und ließ die Finger von Taras' Tochter los.

Liams Bediensteter schaute ihn prüfend an und dieser nickte, um anzuzeigen, dass er das Mädchen wieder mitnehmen konnte. Er selbst wischte sich die Nase an einem Tuch ab.

„Die Verbindung ist gelöst und mir wäre es recht, wenn ihr euch von schwarzer Magie in Zukunft fernhaltet!“

Die Erleichterung in Taras' Blick sprach Bände. Aber auch Leandra war froh, dass der Kleinen nichts mehr passieren konnte.

Deal

Eine ganze Weile hatten die Gefährten mit dem König, dem Magier und seiner Mutter in dem Besprechungsraum zusammengesessen und diskutiert. Als Leandra und Davin den Raum verließen, war die Stimmung angespannt.

„Warum fühle ich mich so mies, obwohl die beiden uns so lange Zeit belogen haben?“, fragte sie an Davin gerichtet.

Er lief neben ihr und stieß hart die Luft aus. „Ich möchte ehrlich zu dir sein, ich traue keinem von ihnen. Jahrelang habe ich zu Ullrich aufgeschaut und ihm vertraut. Er ist eiskalt und unberechenbar und Xander und Taras sind ihm sehr ähnlich.“

„Glaubst du, sie spielen ein falsches Spiel und wollen die magischen Bücher für sich haben?"

„Nein, dann hätten sie die zwei, die in eurem Besitz waren, nicht bereitwillig Liam überlassen. Ich traue ihnen nur nicht weiter, als ich sie sehen kann, das ist alles."

„Und mir geht es ebenso!" Brian hatte sich von hinten genähert. Die Enttäuschung war ihm ins Gesicht geschrieben. „Hör zu, Leandra, ich habe keinen Grund, weiterhin bei dieser Sache dabeizubleiben. Ich verlasse den Suchtrupp", raunte er und, ohne dass Leandra die Chance gehabt hatte, etwas zu erwidern, sprang er zwei Stufen gleichzeitig nehmend die Treppe hinauf.

„Brian!" Sie wollte ihm hinterherlaufen, doch Jerry hielt sie fest.

„Lass ihn. Ich kümmere mich um ihn", versprach er und lief hinter seinem Freund her.

„Alles bricht auseinander!" Wut kochte in der Kriegerin hoch. Sie wollte nicht zulassen, dass sie und ihre Freunde getrennte Wege gingen, nur weil Xander und Taras ihnen nicht erzählt hatten, dass sie familiär mit den Magiern verbunden waren. Die Büchersuche hatte sie zusammengeschweißt und würde sie jetzt nicht trennen.

„Die Situation ist für alle –"

„Denk nicht einmal daran, irgendeinen superschlauen Spruch von dir zu geben! Wir beide nehmen das jetzt allein in die Hand!", unterbrach Leandra ihn.

Der Krieger schaute sie mit zusammengezogenen Augenbrauen an.

„Wir fangen Luna ab und sie soll uns ins Archiv des Schlosses bringen. Wir werden herausfinden, wer diese Runa war! Ich weigere mich zu glauben, dass es zu ihr keinerlei Aufzeichnungen gibt. Zumindest über ihren Mann wird es Informationen geben!"

„Und dann?“ Davin klang wenig überzeugt, doch er würde sie unterstützen, das wusste sie.

„Dann werden wir das letzte Buch finden!“ Sie war sich sicher, wenn sie mehr über Rafails Schwester herausfänden, fänden sie auch heraus, was der letzte Schlüssel war und wo sich das Buch befand.

„Du hast doch einen guten Draht zu Luna. Überzeuge sie und ich packe derweil die Sachen.“

Es war spät am Abend, als Leandra mit gepackten Taschen am Tor wartete. Der Mond stand hoch und der frische Wind kündigte den Herbst an. Der Innenhof des Tempels wurde vollends beleuchtet, daher drückte sich Leandra, so gut es ihr möglich war, gegen das Holztor, um nicht gesehen zu werden.

„Los, lass uns verschwinden“, zischte es über ihrem Kopf und eine Hand schob sich ihr aus der Dunkelheit entgegen.

„Was wird das? Wo ist Luna?“, flüsterte die Kriegerin und fragte sich, wo genau ihr Kamerad eigentlich war.

„Das erkläre ich dir gleich. Jetzt nimm meine Hand!“, brummte er ungeduldig.

Leandra schulterte die kleine Tasche mit Proviant und griff nach der Hand, die sie rasanter als erwartet nach oben bugsierte. Davin zog sie geradewegs auf die Steinmauer zu. Seine Hand verschwand in dieser und schneller, als sie die Luft anhalten konnte, breiteten sich wabernde Wellen auf dem Gestein aus und ermöglichten ihr den Eintritt.

„Wie geht das?“ Sie stöhnte leise auf, als sie sich in einem völlig finsteren Gang wiederfand.

„Folge mir“, flüsterte Davin und ging nicht auf die Frage ein.

Natürlich war hier wieder Magie im Spiel, doch Leandra fragte sich, warum ein Magier solch einen Geheimgang in seinem eigenen Tempel einbaute. Dieser war so niedrig, dass nicht einmal Krabbeln möglich war. Sie robbten auf dem Bauch vorwärts und kamen neben dem hölzernen Tor wieder heraus.

Mit einem letzten Sprung waren sie frei.

„Hat Luna dir diesen Hinweis gegeben?" Leandra richtete ihre Kleidung und musterte ihren Gefährten von der Seite.

„Wer denn sonst?", knurrte er.

„Was musstest du ihr für diese Information geben?"

„Nichts. Können wir jetzt bitte gehen?"

Die Kriegerin glaubte ihm kein Wort, sie kannte die Prinzessin nur zu gut und wusste, dass sie niemals etwas ohne Gegenleistung tun würde. Warum auch immer zog sich Leandras Magen zusammen und sie verspürte einen Hauch Eifersucht in sich aufsteigen.

Die beiden stiefelten über den sumpfigen Boden und versuchten, auf den gefestigten Weg zu kommen, der direkt zum Schloss führte. Von dort aus kannte sie den Weg nach Salamandrien, dem Dorf, von dem aus Tavis regierte.

„Ich habe den Schlüssel für das Archiv und weiß, wie wir unbemerkt ins Schloss kommen", murmelte der Krieger und zog einen massiven Schlüssel aus der Tasche.

„Sehr gut! Und den hat Luna dir einfach so in die Hand gegeben und nichts dafür verlangt?" Die Kriegerin musste noch einmal nachhaken.

„Ich habe ihr gesagt, was wir vorhaben, und sie hat ihn mir gegeben", bestätigte er und hielt seinen Blick fest nach vorn gerichtet.

„Du lügst!“

„Sie möchte mir die Uni zeigen und danach mit mir essen gehen“, murmelte er.

Leandra schaute ihn überrascht an. „Ein Abendessen mit Liam?“

„Allein!“, knurrte er und biss die Zähne zusammen.

„Das ist gut“, stammelte sie und ärgerte sich, dass sie es nicht schaffte, ihr Unbehagen zu verstecken. Es ging schließlich nur um ein Abendessen und das war ein geringer Einsatz für das, was sie für die beiden getan hatte.

„Ich werde –“

„Nein, schon gut! Es ist nur ein Abendessen. Keine große Sache. Sie hat uns geholfen und dafür ist es ein schwindend geringes Opfer, das du leisten musst.“ Sie winkte gleichgültig ab.

Doch Davin durchschaute sie schneller, als ihr lieb war, und griff nach ihrer Hand. „Ich musste ihr etwas bieten, zu dem sie nicht Nein sagen konnte.“

Es war auch noch seine Idee!

„Ich weiß, ich weiß.“ Sie wollte gleichgültig klingen, verstand gerade selbst nicht, was mit ihr los war. Doch der Gedanke, dass Davin mit einer anderen Frau allein essen ging, gefiel ihr überhaupt nicht. Genervt von ihren Überlegungen und diesem neuen Gefühl, das in ihr aufkam, lenkte sie das Thema auf den Zugang zum Schloss.

„Es gibt am Hafen ein Wirtshaus und dort einen stillgelegten Kamin, durch diesem kommt man unbemerkt ins und aus dem Schloss. Liam hat ihn vor Kurzem für Luna und sich entstehen lassen. Niemand sonst kennt den Zugang.“

Leandra stierte den hochgewachsenen Krieger ungläubig an. „Und das alles hat sie dir einfach so für ein Abendessen erzählt?“

„Und das letzte Buch.“

„Das bekommt Liam so oder so“, erklärte Leandra und verstand nicht, warum sie noch einmal solch ein Versprechen einforderte.

„Nein, *sie* will es.“

Am Hafen angekommen machten die beiden eine interessante Entdeckung. Der Hafen, der nie schlief, war leer. Keine Menschenseele hielt sich hier auf.

Vor ein paar Wochen war hier noch die Hölle los gewesen. Ständig musste man aufpassen, nicht über den Haufen gerannt zu werden, musste Menschen ausweichen, die ihre Arbeit verrichteten, Pferden aus dem Weg gehen, die schwer beladen den Weg zum Marktplatz bestritten.

Salamandrien hatte Leandra als das geschäftigste und wuseligste Dorf von allen neun Inseln kennengelernt und nun waren die Straßen wie leer gefegt. Schon beim Durchschreiten des Dorfbogens lauschte man beängstigender Stille.

„Ich habe vermutet, dass sie das Marktgeschehen der Kelpies wegen eingeschränkt haben. Doch niemanden auf den Straßen zu sehen finde ich wirklich seltsam.“ Davin beobachtete das Umfeld, als erwartete er einen Hinterhalt, doch dem war nicht so.

Die Menschen hatten Angst vor den Kelpies. Fensterläden waren verrammelt und durch die Fenster der Wirtshäuser schien nur dämmriges Licht.

Leandra machte das beschriebene Wirtshaus schnell aus und jetzt war auch klar, warum Liam genau dieses gewählt hatte, um einen geheimen Eingang zum Schloss zu errichten.

„Es ist verlassen“, murmelte sie und die beiden betraten das Haus durch die Öffnung, an der früher eine Tür angebracht gewesen war.

Alles war zerstört, nichts ließ an fröhliche Feiern und gesellige Abende erinnern. Stühle mit zerbrochenen Stuhlbeinen lagen mitten im Raum, ebenso wie Tische, Gläser und Flaschen.

Davin griff nach Leandras Hand und zog sie mit sich. Dieser Ort hatte etwas Unheimliches an sich. Auch wenn Leandra keine Angst verspürte, war ihr doch mulmig zumute.

Ratten kreuzten ihren Weg und irgendetwas schien hier drin zu verwesen, denn der üble Gestank von Fäulnis lag in der Luft. Den Kamin fanden sie ein Stockwerk weiter oben. Davin umwickelte ein Stuhlbein mit einem Stück Stoff, das auf dem Boden lag.

Auf dem Kaminsims befanden sich zwei abgenutzte Feuersteine, mit denen Leandra die selbstgebastelte Fackel entzündete. Ohne weiteres Zögern kroch der Krieger in den Kamin und die Kriegerin tat es ihm nach.

Ein Schauer überkam sie und die stickige Luft erschwerte das Atmen. Der Geruch von Ruß und verbranntem Holz war allgegenwärtig. Gemeinsam krochen sie den engen und dunklen Gang entlang, bis sie einen großen Wandteppich vor sich hatten.

Leandra wusste sofort, wo sie waren. Im Keller des Schlosses, denn dort hingen einige von diesen übergroßen Wandbehangen, die Taras' Familiengeschichte zeigten.

Davin löschte die Fackel, lauschte und schlüpfte durch die Stoffbahnen. So ruhig wie Leandra die ganze Zeit geblieben war, so aufgeregt war sie jetzt. Das Herz schlug ihr bis zum Hals.

Langsam schlüpfte sie hinter dem Teppich hervor und studierte den Gang, auf dem sie sich befanden.

„Wir müssen in den Turm", flüsterte Davin.

Leandra wurde heiß und kalt zugleich. „Dort lebt Taras' Mutter", zischte sie zurück.

„Nein, in den anderen."

Es gibt einen anderen Turm? Leandra blies die Wangen auf und zuckte mit den Schultern.

„Okay, den finden wir!", murmelte er und schlich voraus.

Sie waren beide schon einmal im Schloss gewesen, doch zu behaupten, sich auszukennen, wäre übertrieben. Davin schlich dicht an der Wand entlang auf die Treppe zu, die zum Haupttrakt führte. Das Prickeln in Leandras Bauch nahm zu. Sich verbotenerweise in den Gängen des Schlosses aufzuhalten, gefiel ihr.

Nahezu lautlos stiegen sie die Treppe empor und noch immer war kein Wachmann zu sehen oder zu hören. Oben angekommen übernahm Leandra die Führung. Sie wusste, wo der Turm zu finden war, in dem Taras' Mutter lebte, daher vermutete sie, dass der zweite parallel dazu lag.

Zwei Gänge später fanden sie eine Treppe, die nach oben führte, doch ein Flackern ließ sie innehalten.

Ein Wachmann schritt leise summend die Stufen hinab. Davin zog sie in eine Nische, in der ein großes Bild von Tavis und seiner Familie hing.

Dicht beieinanderstehend drückten sie sich an das kalte Gestein. Die Kriegerin hielt die Luft an, denn der Mann lief genau auf sie zu. Wenn er die Nische ausleuchtete, wären sie aufgeschmissen. Ihr Herzschlag beschleunigte sich. Der Lichtschein seiner Lampe wurde deutlicher und wies darauf hin, dass er näher kam.

Leandra griff zu dem Dolch, der an ihrem Waffengürtel hing. Sie wollte dem Mann nichts tun, doch sie würde es, wenn er sie entdeckte. Davin legte seine Hand auf

Leandras, die den Knauf des Dolches fest umschlossen hielt.

Was soll der Mist? Sie musterte ihn aus zusammengekniffenen Augen, doch ehe sie verstand, was er ihr mitteilen wollte, holte er aus und schlug dicht an Leandras Kopf vorbei. Der Krieger stürzte vor und fing den Wachmann ab, bevor er geräuschvoll auf dem Boden gelandet wäre.

Den Aufschlag der Lampe verhinderte Leandra mit dem Fuß.

„Du musst nicht jedem gleich die Kehle aufschlitzen!", schimpfte der Krieger und schnappte sich die Handfesseln, die an dem Gürtel des bewusstlosen Mannes hingen.

„Das hatte ich überhaupt nicht vor", grummelte sie und wusste, dass Davin ihr die Lüge nicht abnahm. Sein Grinsen verriet ihn.

Er fesselte und knebelte den Mann in einer beachtlichen Geschwindigkeit. Zusammen zogen sie ihn in die dunkle Ecke und eilten die geschwungene Treppe des Turmes hinauf.

Oben angekommen zog Davin den Schlüssel, den er von Luna bekommen hatte, aus seinem Oberteil und öffnete den Raum.

Ein muffiger Geruch nach altem Papier und Staub stieg ihnen in die Nasen. An den runden Wänden waren ebenso runde Regale angebracht, die Massen von Büchern beherbergten. Kisten stapelten sich neben einem schmalen Schreibtisch, auf dem eine niedergebrannte Kerze stand.

„Wo fangen wir am besten an?", fragte die Kriegerin und versuchte, in der Dunkelheit etwas zu erkennen.

Davin entzündete die Kerze und leuchtete die Buchrücken aus. Auf jedem war eine Jahreszahl vermerkt.

„Ich würde sagen, wir fangen einfach vor einhundert Jahren an", flüsterte er.

„Einhundertneunzehn", korrigierte Leandra ihn.

Er zog eine Augenbraue nach oben und begann mit der Suche.

Das erste Buch, das sie herauszogen, war schwer und wuchtig. Mit einem dumpfen Aufschlag ließ Leandra es auf den Tisch fallen. Davin setzte sich auf den Stuhl davor und schlug es auf.

Sofort fiel auf, dass einige Textpassagen nicht mehr vorhanden waren. Es war, als hätte sie jemand ausradiert, was vollkommen unmöglich war, da die Worte mit Tinte geschrieben waren.

„Seltsam", grummelte Davin und blätterte einige Seiten durch.

Jetzt verstand die Kriegerin, was die Frau in ihrem Traum gemeint hatte, als sie sagte, dass der Wahrer als Einziger die Erinnerungen behalten würde. Runa hatte sich und ihren Bruder Rafail auf magische Art aus allen Aufzeichnungen und dem Gedächtnis der Menschen gelöscht.

„Diese Magierin muss sehr mächtig gewesen sein." Davin sprach das aus, was Leandra dachte, und holte ein anderes Buch aus dem Regal hervor.

Sie versuchte, sich an alles zu erinnern, was ihr in Bezug auf ihre Träume oder die Informationen über den Wahrer des wahren Thronerben einfiel. *Moment mal …* „Davin, ich glaube, wir suchen an der falschen Stelle!" Sie ging auf das älteste Buch zu, das sie finden konnte. „In meinem Traum hat der kleine Junge den Auftrag bekommen, der Wahrer des wahren Thronerben zu sein. Wenn Runa ihren Bruder gebannt hat, war es Rafails Geist, der in der Flasche war." Sie machte eine kurze Pause, setzte sich auf den Stuhl und schlug das Buch auf.

„Der wahre Thronerbe …“, murmelte sie. „Da schau! Dieses Königreich wurde wenige Jahre, bevor die Bücher gebannt wurden, gegründet.“

„Es ist kein Geheimnis, dass die neun Inseln einmal von einem König regiert wurden.“

„Wie kam es denn dazu, dass jede Insel seinen eigenen König ernannt hat?“ Leandra hielt ihm das Buch unter die Nase.

„Der einsame König, so wird er in Geschichtsbüchern genannt, hat keine Kinder bekommen. Als er dann gestorben ist und es keinen Nachfolger gab, hat jede Insel seinen eigenen König bestimmt“, erklärte er die Geschichte, die Leandra auch kannte.

„Ja, aber was ist, wenn er eben doch Kinder hatte. Runa und Rafail. Somit wäre Rafail der wahre Thronerbe der neun Inseln. Er wäre der rechtmäßige König über alle Inseln.“

Sie wollte gerade das Buch zuschlagen, als ihr Blick auf ein Symbol fiel, das neben die Jahreszahl gemalt war. Vorsichtig strich sie darüber.

„Ist das ein Tintenfleck?“, fragte Davin und inspizierte das Symbol.

Er konnte es nicht sehen! Es war zum Verrücktwerden. Dort war ganz eindeutig ein Würfel abgebildet. Warum sah sie als Einzige Bilder in diesen vermeintlichen Tintenflecken? Und woher kamen diese? Sie schlug geräuschvoll das Buch zu und beließ es dabei. Visionen, Symbole, die nur sie sehen konnte. Vermutlich war das der Fluch der Auserwählten.

Davin öffnete den Mund, doch sie hörte ihn nicht.

O nein, gerade jetzt?

Es sah aus, als würde sein Körper kurz aufflackern. Sie spürte, wie er ihr das Buch aus der Hand nahm.

Ein anderes Bild drängte sich vor ihre Sicht. Das einer Höhle …

Es dauerte einen Augenblick, bis ein Mann und ein kleiner Junge in ihr Blickfeld kamen.

„Ist Mama für immer weg?" Der Junge hatte eine verkorkte Flasche in der Hand und hielt sie fest an seine Brust gedrückt.

„Ja", murmelte der Mann und zog geräuschvoll seine Nase hoch. Er weinte. „Gib mir die Flasche. Wir werden sie mit der Prophezeiung zusammen verstecken." Der Mann nahm dem Jungen die Flasche ab und steckte sie zusammen mit einer Schriftrolle in einen tiefen Spalt im Gestein.

Das war der erste Wahrer des wahren Thronerben. In der verkorkten Flasche war die Seele von Ray!

„Wir sollten es Onkel erzählen!"

„Niemand! Hör mir jetzt genau zu! Niemand wird von diesem Ort hier erfahren. Du hast deine Mutter gehört. Die Erinnerungen werden verblassen, die Menschen werden vergessen. Aber du bist der Wahrer! Du allein wirst die Erinnerung haben und nur du entscheidest, an wen du sie weitergeben wirst …

Die Bilder verschwanden und Leandra spürte Hände um ihre Oberarme, die sie leicht schüttelten.

„Hey, bist du noch da?" Davin stierte sie besorgt an und fing ihren irritierten Blick auf.

„Ich habe sie wieder gesehen", platzte es aus ihr heraus.

„Was hast du gesehen?"

Jetzt gab es kein Zurück mehr. Es ergab keinen Sinn, Davin anzulügen, er hatte gemerkt, dass sie weggetreten war.

„Die Visionen, ich sehe sie seit einiger Zeit immer wieder. Ausschnitte von Runa und ihrer Familie. Rafail, der auf der Suche nach mir ist. Julius Turmbau, der die

Hinweise in die Kindergeschichten geschrieben hat, oder wie eben, die Höhle, in die die Flasche mit Rays Seele gebracht wurde." Ihre Stimme überschlug sich beinahe, doch sie berichtete Davin von jedem Bild, das sich in ihren Geist geschlichen hatte. Es fühlte sich so befreiend an und doch hatte sie Angst, er würde sie für verrückt halten.

„Du siehst richtige Bilder vor deinen Augen?", fragte er und legte das Buch, das mittlerweile auf Leandras Schoß lag, an die Seite.

„Nicht nur das. Ich sehe auch in diesem Tintenfleck ein Symbol", gestand sie weiter.

Der Krieger bedachte sie mit skeptischem Blick. „Und was siehst du?"

Sie wusste, dass es sich albern anhörte, doch wann wäre die Möglichkeit besser als jetzt? „In diesem einen Würfel. Im goldenen Buch gibt es auch solch ein Bild, das weder Xander noch Liam sehen konnten. Es zeigt einen Dolch."

„Das sollten wir vielleicht im Hinterkopf behalten. Doch was ist mit der Höhle aus der Vision? Es würde sich sicherlich lohnen, auch ihr einen Besuch abzustatten." Der Krieger presste den Kiefer aufeinander und spannte ihn an.

„Ich weiß nicht, wo sich die Höhle befindet. Vielleicht hier auf dieser Insel, weil Taras' Familie hier lebt und Runa mit seinem Ur-Großvater verheiratet war. Sie könnte sich überall befinden. Vielleicht auf Calixto, weil dort die Geschichte mit den Magier-Zwillingen begonnen hat. Wir sollten so oder so dort hinreisen, denn wenn es wirklich so ist, dass Rafail der rechtmäßige Thronanwärter der neun Inseln ist, dann wurde er im Schloss von Calixto geboren und dazu muss es Mitschriften geben."

„Das hört sich nach einem guten Plan an." Davin beugte sich grinsend zu der Kriegerin und gab ihr einen zaghaften Kuss.

Leandra deutete an, in die Hände klatschen zu wollen, doch verkniff sich ihre überschwängliche Freude. Sie mussten am Stück dieses Schloss verlassen und das taten sie umgehend.

Aufbruch nach Calixto

Leandra stand mit gepackter Tasche an dem Strand, an den sie damals angespült worden war, als Kapitän Dreifinger sie von Bord geworfen hatte. Sie und ihre Gefährten beobachteten das Schiff, das gerade anlegte.

Als Davin und Leandra unbemerkt aus dem Schloss entkommen waren, hatten sie Liam über ihre Unternehmung und die Vermutungen informiert. Liam rief daraufhin alle im Sitzungssaal zusammen. Brian war doch geblieben, was Leandra sehr freute. Der junge Krieger hatte allerdings von ihrem alten Meister Antworten gefordert. Xander hatte sich noch einmal aufrichtig für die Geheimnistuerei entschuldigt und erzählt, dass er damals auf die Suche der Bücher gegangen sei, weil seine Familie lange Zeit glaubte, dass die Auserwählte ihrer Blutlinie entspringen müsse. Taras war involviert, weil Runa seine Vorfahrin war und sie den Bann gesprochen hatte. Xander und Taras waren demnach wichtige Informationsquellen für Ullrich gewesen.

Leandra ließ sich die letzten Stunden und die Erkenntnisse immer wieder durch den Kopf gehen. Sie musste zugeben, dass sie ihren alten Meister und dessen Freund bezüglich ihrer Vorsicht mit den Informationen, die sie herausgaben, verstand.

Beide hatte große Verluste eingebüßt und waren mehr oder weniger durch ihre Familien in die Sache integriert. Dass Ullrich auf feindlichen Seiten stand, hatten die beiden nicht wissen können. Leandra konnte es sehr gut nachvollziehen, warum sie ihrem Meister blind vertraut hatten. Für sie war Xander trotz der Geschehnisse noch immer eine Vertrauensperson und sie blickte zu ihm auf. Ihr hätte dieser Fehler genauso passieren können.

Das vom König geliehene Schiff schaukelte sachte hin und her, als die sechs Krieger frisch eingekleidet und mit Proviant für die Überfahrt an Bord gingen.

Brian warf seine Tasche in die Ecke und machte sich daran, beim Ablegen zu helfen. Er wirkte genervt und lustlos. Leandra fragte sich, mit was für Argumenten Jerry ihn überredet hatte, sich der letzten Suche anzuschließen.

„Hey, schön, dass du geblieben bist.“ Es war das erste Mal, dass sie ihn seit ihrem letzten Gespräch ansprach.

„Das kann ich jetzt nicht so sagen, aber es freut mich, dass es dich freut“, gab er grummelnd zurück.

„Warum bist du geblieben?“

„Weil ich es damals versprochen habe und dann ziehe ich das bis zum bitteren Ende durch!" Er schaute sie nicht an, sondern rollte die Taue, die vor seinen Füßen lagen, auf einen Haufen.

Das Schiff hatte abgelegt und entfernte sich vom Festland. Taras mühte sich die Treppe, die unter Deck führte, runter. Er lief schlecht und wirkte müde. Dass Magie Wunden nur oberflächlich heilte, war allen bekannt, aber wie schlecht es Taras wirklich ging, konnten sie nur mutmaßen. Sicherlich wäre es sinnvoller gewesen, wenn er bei Feli und den Kindern geblieben wäre und seinen Verletzungen Zeit gegeben hätte, um zu heilen.

„Als du mich nach deiner Trauerphase fragtest, ob ich dir alles beibringe, was ich weiß, meintest du das so?" Xander war auf die Kriegerin zugegangen und blickte sie ernst an.

Natürlich wollte sie besser werden und auch wenn Xander sie belogen hatte, konnte sie sich keinen besseren Lehrer vorstellen als ihn, doch es schien ihr in diesem Augenblick falsch. „Xander, ich weiß nicht …", begann sie, doch er holte ein altes Buch hervor, das er Leandra unter die Nase hielt.

„Das ist ein einmaliges Angebot. Ich bilde dich weiter aus. Du wirst machen, was ich dir auftrage, ohne es zu hinterfragen. Du wirst alles, was ich von dir verlange, ohne zu zögern erledigen. Du wirst mir blind vertrauen und das ohne den kleinsten Zweifel."

Leandra schaute ihn mit großen Augen an. „Das würdest du machen?" Woher dieser plötzliche Sinneswandel kam, verstand sie nicht.

Xander hatte ihr deutlich gemacht, dass er ihre Rachepläne nicht unterstützte. Der ehemalige Meister zog eine Augenbraue nach oben und nickte ernst.

Leandra nahm das Buch entgegen, das er ihr hinhielt.

„Das wird dein Leitfaden sein. Tipps und Tricks der Großmeister sind darin niedergeschrieben. Nimm es dir zu Herzen."

Leandra grinste. Glücksgefühle machten sich breit und sie freute sich auf das neue Training. Sie fühlte sich Lillien näher denn je. Sie würde in die Fußstapfen der Meisterin treten, das schwor sie sich. „Danke, danke, danke!" Sie drückte sich das Buch gegen die Brust. Auch wenn sie von den Großmeistern nichts hielt, waren sie die perfekten Lehrmeister. Sie würde alle ihre Tricks studieren, um beim nächsten Aufeinandertreffen noch besser vorbereitet zu sein.

„Brian wird mit dir nachher Kraftübungen machen, du musst stärker werden." Mit diesen Worten drehte sich der ehemalige Meister um und schlenderte unter Deck.

Jerry, der in der Nähe stand, starrte Leandra mit offenem Mund an. „Leandra, weißt du, was das bedeutet? Das ist Training über die absolute Grenze hinaus!"

Sie zuckte mit den Schultern und setzte sich auf den Boden, um ihr neues Buch unter die Lupe zu nehmen.

Sie konnte ihre Freude kaum verbergen, jetzt würde sich alles zum Guten wenden. Mit Xanders Hilfe würde sie besser, schneller und stärker. Sie befanden sich auf dem Weg, um das letzte Buch zu bergen! Bald würde der Spuk ein Ende haben!

Meister. Der Titel war einfach gehalten. Sie schlug das Buch auf und las die erste Seite:

Du hast dich dazu entschlossen, den schwierigsten Ausbildungsweg zu gehen. Werde vom perfekten Krieger zu einem Meister! Nimm deine Aufgabe ernst und halte dich an die Regeln der Großmeister. Du wirst lernen, über dein Limit zu gehen, du wirst Momente der Einsamkeit haben und dich gegen Gruppen beweisen müssen. Kämpfe, als gäbe es kein Morgen, aber lass die Nacht nicht dein Herz leiten. Sei bereit, Opfer zu geben, aber werde nie zu einem. Sei stark wie ein Bär, listig wie eine Schlange, schlau wie ein Fuchs, aber bleibe ein Mensch …

„Er macht es tatsächlich!" Davin setzte sich neben Leandra und lugte zu dem Buch in ihren Händen. „Ich kenne Xander zu wenig und weiß nicht, wie er vorgeht, aber in meinem letzten Jahr bei Ullrich wurde ich auf den Meister vorbereitet. Ullrich sah mich als sein persönliches Projekt und ich sollte die Prüfung früher als alle anderen im nächsten Jahr ablegen. Er wollte Anerkennung bei den Großmeistern, was keiner von ihnen vorher geschafft hat. Ich bin durch die Hölle gegangen. Diese Ausbildung ist hart, Leandra!" Er zog aus der Innentasche seines Oberteils eine weitere Ausgabe des Buches hervor.

„Warum sagst du mir das jetzt?"

Davin strich sich verlegen durch das Haar. Seine Kiefermuskeln spannten sich an. Er schien seine nächsten Worte weise wählen zu wollen. „Weil ich euch hätte ausliefern müssen. Das war meine Aufgabe, als ich nach Abiona gekommen bin."

Leandra hatte so was in der Art schon geahnt, als sie damals mit Atara und dem Buch unter dem Arm geflüchtet ist und Ullrich Davin nachgebrüllt hat, er solle sie aufhalten.

„Warum bist du bei uns geblieben?"

Der Krieger sog die Luft scharf ein und zog eine Augenbraue nach oben, als wollte er sie zurechtweisen. „Was lehren uns die Meister über die Liebe? Dass sie gefährlich ist, uns schwach und verwundbar macht? Wir sollen unsere Gefühle unterdrücken, ausschalten, erst gar nicht zulassen." Er sah sie ernst an.

Sie nickte kaum merklich. Eine Gänsehaut überzog ihren Körper, als sich seine Lippen ihrem Ohr näherten. „Sie erzählen uns das, weil sie wollen, dass wir das glauben und somit vollkommen ihnen gehören, ich jedoch sage, Liebe bedeutet etwas völlig anderes. Liebe bedeutet Macht! Zwei Menschen, die sich lieben, sind doppelt so stark, doppelt so schlau, doppelt so mutig und doppelt so wertvoll in einfach allem, was sie gemeinsam bewältigen können."

Leandras Herz schlug ihr bis zum Hals, als er ihr die Worte zuflüsterte. Sie verlor sich in seinen blauen Augen. Schmetterlinge breiteten sich in ihrem Bauch aus und, ohne es bemerkt zu haben, hatte sie die Luft angehalten. „Liebe bedeutet auch Leid, Angst, Verletzbarkeit. Man teilt alles", hauchte sie und hielt dem Blick stand.

„Man teilt nichts, es verdoppelt sich alles." Davin wich ein Stück zurück und zerstörte das unsichtbare, geladene Band zwischen ihnen.

Endlich konnte sie Kriegerin wieder frei atmen. Was war das nur? Ihre Gefühle drohten, sie zu ersticken.

Er schlug das Buch auf der letzten Seite auf. Es zeigte ein Bild der neun Großmeister. „Merle und Falk sind verheiratet. Seit der Gründung des Rates sind sie ungeschlagen und unbesiegt. Sie kämpfen bis zum heutigen Tage Seite an Seite. Sie waren noch nie getrennt voneinander. Melvin und Melina waren Zwillinge, sie verband eine ganz besondere Art von Liebe. Die der Geschwister. Von klein an waren sie unzertrennlich und waren es bis zuletzt." Davin erzählte dies mit solch einer Ruhe, dass man hätte denken können, die Großmeister wären schon seit längerer Zeit verstorben und nicht erst vor Kurzem durch ihre Hände.

Er blätterte weiter und Leandra ließ die Worte in ihrem Kopf kreisen. Wenn er recht behielt, war es wirklich unlogisch, dass die Meister keine Familien haben durften.

„Und das war der Satz, der mich ins Grübeln gebracht hat: Liebe bedeutet, sein eigenes Leben aufzugeben." Der Satz stand mitten in einem von Melvin geschriebenen Teil.

Leandra kannte den ganzen Schrieb nicht, deshalb schaute sie Davin mit hochgezogenen Augenbrauen an.

„Er war tatsächlich von allen Großmeistern der Einzige, dem man kein Kind zuspricht. Alle anderen haben Nachkommen gezeugt oder sind, bevor der Rat gegründet wurde, verheiratet gewesen."

Leandra musste sofort an ihren Vater und Großvater denken. In ihrer Kindheit hatte ihr Vater nie über den Großmeister gesprochen, die Überraschung war mehr als groß gewesen, als sie ihren Großvater das erste Mal gesehen hatte. Er war ein grauenhafter Mensch und Leandra fragte sich, warum ihr Vater sie nicht vorgewarnt hatte.

„Ich denke, die Liebe von Melvin zu seiner Schwester ging über die natürliche Geschwisterliebe hinaus", erklärte er.

Leandra verzog angeekelt das Gesicht. „Das ist widerlich!"

„Aber möglich."

Davin war von ihrer Frage, warum er bei ihnen geblieben war, komplett abgewichen, als wollte er ihr aus dem Weg gehen.

„Genau genommen lautete meine Frage: Warum bist du bei uns geblieben?"

„*Genau genommen* war das meine Antwort. Wegen dir."

Leandra huschte ein Grinsen über die Lippen und die Schmetterlinge waren wieder da. „Hoffentlich bereust du das nicht irgendwann."

„Das glaube ich nicht. *Ich* habe dich nicht des Buches wegen geheiratet."

Jetzt stieg ihr die Verlegenheitsröte ins Gesicht und sie wusste nicht, was sie darauf sagen sollte.

Schweigend saßen sie nebeneinander und lauschten dem Knarren des Holzes, das durch die Bewegungen des Schiffes zu hören war. Ein kühler Wind peitschte übers Deck.

Es war schon fast Abend, als Brian auf Leandra zukam und sie aufforderte, mit ihm zu kommen. „Los, auf den Boden, wir fangen mit Liegestützen an", forderte er sie forsch auf. Er hatte noch immer schlechte Laune und gab sich keine Mühe, es zu verbergen.

Leandra tat wie befohlen und so stand ihr eine lange stille Trainingseinheit bevor. Immer wieder korrigierte er falsche Haltungen und ließ sie für Fehler mehrfache Wiederholungen machen. Stellenweise machte er mit, ein anderes Mal ließ er Leandra allein die Übungen durchführen. Sie hielt bei fast allen kriegerischen Tätigkeiten problemlos mit ihren Kameraden mit, nur in einem Punkt war sie ihnen immer unterlegen: ihre körperliche Stärke, doch daran wollte Xander nun mit ihr arbeiten.

Nach vier Stunden beendete Brian das Training. „Nur dass du Bescheid weißt, Jerry und ich waren gegen dieses Theater hier. Intensives Training schadet sicherlich nicht, doch deine Beweggründe dafür sind falsch." Brian wartete die Antwort nicht ab. Er drehte sich auf dem Absatz um und verschwand unter Deck.

Leandra war egal, was Brian und Jerry darüber dachten, es war einzig und allein ihre Entscheidung. Sie war froh, dass sich Xander nach dem ganzen Durcheinander, das hier die letzten Tage geherrscht hatte, ihrem Wunsch angenommen hatte.

Sie schöpfte sich das eiskalte Wasser ins Gesicht und schaute in den alten, fast blinden Spiegel, der über der Waschschüssel hing. Wie ein königliches Schiff wirkte dieses hier sicherlich nicht. Die Atara war bedeutend komfortabler und besser gepflegt, doch sie wollte sich nicht beklagen. Das Schiff erfüllte seinen Zweck. Vier Mann in königlicher Gardistenkleidung hatte sie schon umherstreifen sehen. Was sicherlich bedeutete, dass sie auf Calixto nur abgesetzt würden.

Leandra spürte, wie ihre Muskeln brannten, ihr graute es vor dem Morgen. Neben der kleinen Kammer mit der Wasserschüssel und einem Eimer für die Notdurft gab es nur eine Kajüte, die gerade so für die sechs Gefährten zum Schlafen ausreichte.

Ausgebreitetes Stroh diente ihnen als Schlafstätte und als Leandra den Raum betrat, schliefen Taras, Davin und Jerry schon. Xander studierte eine Karte und Brian war, nachdem sich Leandra frisch gemacht hatte, in die kleine Kammer verschwunden.

Völlig erschöpft ließ sie sich zwischen Taras und Davin nieder. Selbst Jerrys lautes Schnarchen störte Leandra heute nicht, sie hatte keine Mühe, direkt in den Schlaf zu finden.

„Hey.“

Leandra spürte eine Hand an ihrer Schulter und versuchte, sich zu orientieren. Wie lange hatte sie geschlafen?

„Komm mit.“

Ihre Kameraden schliefen alle, bis auf Jerry, der ihr die Hand entgegenhielt.

„Was ist los, Jerry?", murmelte sie und legte ihren Kopf im Stroh nieder. Jeder Muskel schmerzte und sie bezweifelte, dass sie aufstehen konnte.

„Du wirst mit mir trainieren", flüsterte er freudig.

„Verdammt, es ist mitten in der Nacht und ich habe vielleicht drei Stunden geschlafen", jammerte sie und gähnte laut.

„Du wolltest dieses besondere Training!"

Leandra verstand und da sie zeigen wollte, dass sie das harte Training durchstand, mühte sie sich vom Strohlager auf und folgte Jerry aufs Deck. „Was soll ich machen?" Das Gähnen, das sich anbahnte, unterdrückte sie.

„Das ist eigentlich ganz einfach. Setz dich an den Mast und ich werde dir ein Brett auf den Kopf legen und einen Becher mit Wasser daraufstellen. Bleibt es bis Sonnenaufgang auf dem Brett, ist alles gut, mit jedem Becher, der fällt, verlängert sich die Zeit um eine Stunde."

Leandra runzelte die Stirn und rief sich Xanders Worte in den Kopf, ihm, ohne zu hinterfragen, zu gehorchen. Doch ob dieses Training wirklich irgendetwas Sinnvolles mit sich brachte, war fragwürdig.

Die ersten zwei Stunden vergingen recht schnell, auch wenn Leandra vom starren Sitzen Schmerzen am Po und im Genick hatte. Das Schiff lag ruhig auf dem Meer, immer mehr Wolken versammelten sich am Firmament. *Hoffentlich zieht kein Gewitter auf.*

Jerry hatte sich dem goldenen Buch gewidmet und schrieb hin und wieder etwas in sein Notizbuch. Leandra beobachtete ihn still. In dieser unbequemen Position versuchte sie sich Gedanken über ihre Visionen, Runa und Rafail zu machen.

„Was denkst du, wie gefährlich ist dieser Rafail alias Ray?“, fragte Jerry irgendwann. Das Rauschen des Meeres hatte beinahe seine Frage übertönt.

Leandra kamen sofort die Bilder in den Kopf, als sie ihm das erste Mal begegnet war. In einem kleinen Laden mit Krimskrams. Er hatte ihr eine Kiste mit allerhand Informationen zu Zwergen gezeigt. Wenn sie ihn auf ihre erste Begegnung hin beschreiben müsste, wären es Worte wie: seltsam, eigenartig, etwas verrückt, aber dennoch freundlich und nett. Das Schiff begann zu wanken und das Holz ächzte unter den immer höher werdenden Wellen. Sie schlugen gegen das Bugspriet und feiner Niesel bestäubte die Krieger. Der Wind nahm zu und schaukelte das Schiff unruhig hin und her.

Es bestand keine Chance, den gefüllten Becher auf dem Brett zu retten. Mit einem Aufschlag des Schiffes fiel der Becher über Deck.

Selbst Jerry hielt sich an einem Tau fest, um nicht über Bord zu gehen.

„Zählt das als verloren?“, fragte Leandra und mühte sich auf die Beine. Regen gesellte sich zu dem Sturm. Sie waren vermutlich genau in eine Wetterscheide geraten. Gelöste Strähnen aus ihrem Haar klebten ihr nass im Gesicht.

„Ich glaube, das können wir wirklich vergessen“, gab Jerry zu und hangelte sich mit Leandra in Richtung Treppe. Das Schiff wankte heftig auf und ab. Die See war unruhig und der Sturm tobte wild.

„Wo willst du denn hin?“, fragte Xander, als Leandra die Treppe hinabsteigen wollte. Sicherlich waren all ihren Kameraden durch das Schaukeln und Knarren der Balken wach geworden.

Leandra musterte ihn verwundert. „Es stürmt!“

„Das Wetter ist perfekt für deine nächste Aufgabe!“

Die Kriegerin erwiderte nichts, denn bei solch einem Wetter versuchte man, das Schiff samt der Besatzung sturmfest und sicher zu machen. So wenig Mann wie möglich sollten sich oberhalb des Decks aufhalten.

„Du kletterst ins Krähennest und holst mir die dort oben angebrachte Kiste herunter.“

Leandra traute ihren Ohren nicht. Bei diesem Unwetter, das dort draußen tobte, wollte er sie wirklich ins Krähennest klettern lassen?! Sicherlich wollte er testen, wie weit sie ihm Folge leisten würde.

Wenn er denkt, ich gebe auf, hat er sich geschnitten. Leandra wankte auf die Takelage zu.

„Heute noch!“, hörte sie Xander brüllen.

Jerry war unter Deck verschwunden, doch der ehemalige Meister beobachtete jeden Schritt, den sie tat.

Der Sturm war wild und die Wassertropfen, die ihr ins Gesicht prasselten, waren hart wie Kieselsteine. Das Schiff flog über die Wellen und schlug hart auf dem Wasser auf. Allein bei diesem Wetter an Deck zu sein war lebensgefährlich, auf einen Mast zu klettern grenzte an reine Dummheit.

Leandra warf einen letzten Blick zu ihrem Meister, der sie mit verschränkten Armen musterte. Er würde sie nicht aufhalten. Also schnappte sie sich eines der Seile, das in der Nähe des Mastes lag, und schwang es sich um die Hüfte. Sie verknotete es sorgfältig und das andere Ende warf sie um den Mast. Wenn sie stürzte, dann sollte das Seil sie ein wenig abbremsen.

Stück für Stück hangelte sie sich die Leiter nach oben. Keuchend biss sie die Zähne zusammen. Sie wollte es schaffen, auch wenn ihre Muskeln schmerzten und sie erschöpft und müde war. Das Brennen in Armen und

Beinen ignorierend konzentrierte sie sich allein auf den Aufstieg.

Die Hälfte hatte sie geschafft, als eine größere Welle das Schiff gefährlich auf die Seite warf. Sie rutschte ein Stück nach unten. Ihr Herz raste vor Aufregung und das Seil, das sie fest umklammert hielt, schnitt ihr in die Handinnenflächen. Geistesgegenwärtig zog sie sich an den Mast zurück und stieß erleichtert den Atem aus. Ein leiser Fluch entwich Leandra, doch Aufgeben war keine Option. Sie kletterte weiter. Das letzte Stück war greifbar nah, als es anfing zu blitzen und gleich darauf ein lauter Donnergroll folgte.

Im Krähennest bei Gewitter war eine sehr schlechte Ausgangsposition, doch sie hatte das Ziel vor Augen und würde es jetzt erreichen. Mit Schwung zog sie sich in das Innere des Krähennestes und entdeckte augenblicklich die Kiste.

Sie war mit einem Seil an der Innenwand befestigt. Der Knoten saß fest und die nassen Hände behinderten sie am Lösen der Verknotungen. Wieder fuhr ein Blitz in der Nähe ins Wasser und ein lauter Knall ertönte.

Beeil dich!, sprach sie sich Mut zu.

Es dauerte einen Moment, dann hatte sie den ersten Knoten auf. Wieder sauste ein Blitz herab und Leandra wurde es langsam zu ungemütlich. Ihre Finger zitterten vor Aufregung und Anstrengung. Sie waren eiskalt und schmerzten bei jeder Bewegung.

Der Himmel grollte und Leandra atmete erleichtert aus, als sie den letzten Knoten geöffnet hatte. Die Kiste klemmte sie unter den Arm und rutschte mithilfe ihrer Seilkonstruktion zügig den Mast herab.

Leider verlief ihr Plan anders und sie kam nicht wie geplant auf ihren Füßen auf, sondern landete mit dem

Kinn auf einem großen Fass, das über Deck rollte.

Der Kriegerin wurde schwarz vor Augen und sie merkte, wie sich das warme Blut mit dem kalten Regen vermischte.

„Verdammter Wellengang“, schimpfte sie und hangelte sich Richtung Treppe, an der sie schon von Xander und Brian empfangen wurde.

Nachrichten von der anderen Seite

Taras hatte sich Leandras Wunde angenommen und reinigte sie mit Alkohol, der ihr Tränen in die Augen trieb. Er war blass und wirkte kränklicher als die letzten Tage, vermutlich weil Liam ihn nicht mehr mit magischer Heilung zur Seite stand. Seine Wunden waren schwerwiegender gewesen, als er sich selbst eingestehen wollte.

„Da könnte eine Narbe bleiben“, sagte er ernst und begann, eine Nadel mit einem Faden zu bestücken.

„Sehr gut“, lobte Xander seine Schülerin und öffnete die kleine Kiste. Taras freute sich über den Inhalt ebenso wie Jerry, nur die Kriegerin wusste noch immer nicht, was sich in der Kiste befand. Sie konzentrierte sich auf den Schmerz, der sich mit jedem neuen Einstich in die Haut ergab.

„Den Ersten hat sich Leandra verdient“, sagte Xander und hob ihr eine Flasche mit brauner Flüssigkeit unter die Nase.

„Was ist das?“ Sie verzog das Gesicht.

Taras war vorsichtig und sehr bemüht, aber das Kinn war eine schmerzhafte Stelle zum Nähen.

Hinter Leandra übergab sich Jerry gerade das dritte Mal in einen Eimer. „Gib mir den Fusel! Mein Magen verkraftet dieses Geschaukel nicht“, sagte er und erbrach sich erneut.

Auch Leandra war flau im Magen und sie nahm dankend die Flasche an, um einen ordentlichen Schluck zu trinken. Ihre Gefährten betäubten sich immer mit Alkohol, vielleicht half es ja.

Das Zeug brannte wie Feuer, als es ihr die Kehle hinunterrann, und sie schüttelte sich. Sie gab die Flasche an Taras weiter und streckte ihm brav das Kinn entgegen. Die letzten Stiche brachten Leandra fast an den Rand der Verzweiflung und sie musste stark an sich halten, nicht vor Schmerz zu schreien, doch mehr als ein Stöhnen kam ihr nicht über die Lippen.

Langsam beruhigte sich der Wellengang und Leandra entledigte sich ihrer nassen Kleidung. „Was kommt als Nächstes?“, fragte sie an Xander gerichtet, doch dieser deutete nur ein Grinsen an.

„Ruh dich aus.“

Das waren genau die Worte, die sie hatte hören wollen. Sie war am Ende ihrer Kräfte und zitterte am ganzen Leib.

„Warum willst du das machen?“, fragte Brian jetzt, während er mit Davin zusammen die Decken und Kissen, die sie in der Nacht benutzt hatten, wegräumte.

„Und es geht schon wieder los.“ Leandra legte sich auf das Stroh und drückte sich ein Kissen unter den Kopf, bevor die beiden Männer alle verstaut hatten.

„Lass sie sich ausruhen, das Training ist hart“, sagte Davin und schloss die Truhe.

„Ich glaube nicht, dass sie dich als Sprecher braucht“, zischte Brian und lehnte sich an die Truhe.

Die Kriegerin hatte keine Lust auf die Streitigkeiten und stieß genervt die Luft aus. „Ich bin wirklich sehr müde und wäre euch dankbar, wenn ihr mir ein paar Stunden Schlaf gönnt.“

Davin kam der Aufforderung direkt nach und ging, doch Brian blieb hartnäckig. „Ich will es nur verstehen. Niemand wird dir die Prüfung abnehmen.“

„Es geht nicht darum, ein Schriftstück in den Händen zu halten. Ich will all das können, was Xander kann. Ich will alles wissen, was er weiß. Ich will perfekt sein wie Lil…“ Das letzte Wort verschluckte Leandra und ihr Mund wurde trocken. Der Name brannte in ihrer Kehle, er fühlte sich an wie Versagen, wie Hilflosigkeit, wie Verrat.

„Ich dachte mir bereits, dass es dabei um sie geht.“ Er verließ den Raum.

Leandra war genervt. Ein Stück weit hatte er recht. Ja, Lillien spielte bei dieser Entscheidung eine wichtige Rolle, aber dennoch war es nötig und ihr wichtig, nicht auf der Stelle stehen zu bleiben, sondern nach vorn zu schauen. Sie wollte von einem der Besten lernen. Hier ging es nicht mehr um Rache. Wenn sie das nächste Mal den Großmeistern gegenüberstehen würde, wollte sie sichergehen, dass sie es mit jedem Einzelnen von ihnen aufnehmen konnte, auch wenn Davin nicht in der Nähe war.

Wenn sie auf Tim traf, wollte sie wissen, dass sie schneller war als seine unsichtbare Macht, und wenn sie ihrem Bruder begegnete, wollte sie keine Angst vor ihm haben müssen.

„Hab ich dir gefehlt?" Das Plätschern eines Baches hatte die Stimme fast übertönt.

Wo war sie denn jetzt gelandet? Überrascht stellte Leandra fest, dass sie mit beiden Füßen im kalten Nass stand, von dem sie zuerst nur die Geräusche wahrgenommen hatte. Die Steine um ihre Füße glitzerten und funkelten vom hellen Mondlicht erleuchtet. Neugierig schaute sich die junge Kriegerin zu allen Seiten um. Eine weite Wiese lag um den Bachlauf. Blumen, so weit das Auge reichte, und ein kleiner angrenzender Wald.

Wo war sie? Sie setzte einen Fuß in das weiche Gras. Der Boden war warm und die kurzen Halme kitzelten Leandra an den Füßen.

„Ich habe dir gefehlt!"

Wieder diese Stimme, die sie nicht zuordnen konnte. Zu allen Seiten drehte sie sich um, doch niemand war zu sehen. Ein Rascheln ertönte und sie schaute zu dem kleinen Wald, aus dem es gekommen war.

Ein Busch wackelte und Leandra trat näher, um zu sehen, was sich dort versteckt hielt. Ein Vogel? Ein Eichhörnchen? Vielleicht eine Maus? Leandra blieb stehen, als sie eine Pfote unter dem Busch hervorkommen sah.

Das ist nicht möglich …

Mit einem Hops sprang ihr Wotan entgegen. Leandra fiel vor Schreck nach hinten und landete im Gras. Ihre Augen waren fest auf den Hasen mit Geweih gerichtet. Er war es wirklich. Schnüffelnd hoppelte er auf sie zu.

„Und mich begrüßt du nicht?" Wieder diese Stimme und diesmal schien sie direkt hinter Leandra herzukommen. Sie

drehte sich um und erblickte eine Hand, die ihr aufhelfen wollte. „So lange ist es her, als wir uns zuletzt gesehen haben, meine Schwägerin."

Leandra stockte der Atem. Ihr Herz raste und sie verstand nicht, was hier vor sich ging. Es handelte sich um einen Traum! Ganz sicher war dies ein Traum!

Dexter stand in voller Größe und quicklebendig vor ihr und hielt ihr auffordernd die Hand hin. Seine grünen Augen funkelten im Mondschein hell auf. Leandra öffnete den Mund, doch es kam kein Ton heraus. Mit weit aufgerissenen Augen schaute sie Davins Bruder an. Bilder ihrer gemeinsamen Kindheitsabenteuer kamen ihr in den Kopf und zuletzt sein lebloser Körper, der auf dem Schlachtfeld von Halima lag. Sie schüttelte den Kopf, um die Bilder loszuwerden.

„Du machst ihr Angst." Das war eindeutig Tristans Stimme.

Die Kriegerin wollte aufstehen, doch sie stolperte unbeholfen vorwärts und landete vor dem Rotschopf, der sie mitleidig musterte. „Es tut mir leid", sagte er einfühlsam und hob ihr eine Hand entgegen.

Das ist ein Scherz. Sie verstand nicht, warum die Männer um sie herumstanden und Wotan … Ihr geliebter Wolpertinger. Seine Knopfaugen fixierten sie, als erwartete er, gestreichelt zu werden.

Leandra mühte sich auf ihre Beine und schaute einen nach dem anderen an. Wieder öffnete sie den Mund, um etwas zu sagen, doch sie brachte nicht einen Ton hervor. Sie presste sich die Hand auf den Mund und versuchte, sich zu räuspern, doch auch das gelang nicht.

„Du bist hier, aber warum?"

Leandra fuhr herum. Lillien kam aus dem Wald gelaufen. Was passierte hier? Wo war sie? Warum sah sie die Toten? Warum war sie hier bei ihnen? War sie gestorben und nun ein Geist? Was war hier los?

Ängstlich wich Leandra einige Schritte zurück, bis sie an etwas stieß, das am Boden lag.

„Pass auf! Du weckst sie noch …" Der Geschichtenschreiber Turmbau, den sie damals mit Taras aufgesucht hatte, kniete neben einer toten Frau und sang leise ein Lied.

Erschrocken trat die Kriegerin zurück und fiel über einen anderen Körper. Einen Männerkörper. Langsam erhob sich dieser und drehte den Kopf in ihre Richtung. Erst jetzt erkannte Leandra die klaffende Wunde in seinem Rücken. Es war der erste Mann, den sie ermordet hatte. Sie sah das Bild genau vor Augen, beim Elfenwald waren sie und Brian beinahe festgenommen worden. Es war ihr erster richtiger Kampf. Ihre Klinge hatte den Rücken des Mannes durchbohrt und er war vor Brian zusammengesackt.

NEIN! Bilder, die schon längst verblasst sein sollten, kamen in ihr auf. Ihre Kehle war trocken und wirkte wie zugeschnürt. Sie wollte das alles nicht sehen. Ein schreckliches Gefühl überrollte sie. All diese Menschen waren wegen ihr oder durch ihre Hand gestorben.

Leandra schlug sich die Hände vor den Mund, doch was war das? Sie waren nass. Zitternd schaute sie auf ihre Finger. Blut klebte an ihnen. Noch warm und in großer Menge!

Immer mehr Menschen traten auf die Wiese und jedes einzelne Gesicht hatte sie schon einmal gesehen.

Leandra versuchte, das Blut an ihrer Kleidung abzuwischen, doch es gelang nicht. Neues Blut quoll hervor und rann über ihre Hände und letzten Endes sogar über die Arme.

„Du kannst es nicht wegwischen … Es ist ihr Blut, das an deinen Händen klebt!"

Leandra stierte zu den Menschen, die sich um sie herum versammelt hatten, auch einige Elfen tauchten auf.

Ray stand neben ihr und zeigte zu den Menschen, die immer mehr wurden. Lillien versuchte sich an einem Lächeln, doch ihre Augen zeigten Enttäuschung.

„Das wollte ich nicht … Es tut mir leid …", stammelte die junge Kriegerin. Ihre Stimme war wieder da und ihre Atmung war frei, auch wenn ihre Kehle wie zugeschnürt wirkte. Tristan schüttelte betrübt den Kopf. Neben Dexter tauchte Selena auf. Sie hielt das Buch, das Dexter ihnen in ihrer Kindheit gestaltet hatte, in der Hand und drückte es sich fest vor die Brust.

„Es ist zu spät … Ihr Blut klebt an deinen Händen … Es ist ihr Blut … ihr Blut …"

Laut schreiend und schweißgebadet setzte sich Leandra auf. Tränen rannen ihr in Bächen über das Gesicht. Sie spürte das pikende Stroh unter sich und studierte den Raum. Sie war wieder auf dem Schiff. Ihr Herz schien ihr fast aus der Brust springen zu wollen, so heftig schlug es. Es war ein Traum! Sie hatte nur geträumt. Ihre Hände! Schnell hob Leandra sie und betrachtete sie von allen Seiten. Kein Blut! Die Tür schlug auf und Davin stürzte herein.

„Was ist passiert?", rief er und eilte auf Leandra zu. Erleichtert warf sie sich ihm in die Arme und ließ ihren Gefühlen freien Lauf. Er drückte sie fest an sich und streichelte ihr sachte über die Haare. „Es ist alles gut. Ich bin da!"

Leandra presste sich fest an seine Brust und versuchte, sich zu beruhigen. „Sie waren alle da! Alle, deren Blut an meinen Händen klebt!" Ihre Stimme überschlug sich und sie schluchzte laut.

„Beruhig dich, Leandra … Egal, was du gesehen hast, es war ein Traum."

„Nein! Sie waren da … Alle waren da! Tristan, Wotan, Dexter, Lillien, Elfen und so viele andere! Ihr Blut klebt an meinen Händen!“, schrie Leandra.

Davin drückte sie wieder an seine Brust.

„Ray …“

Seine Muskeln spannten sich an. „War er da? In deinem Traum?“

Erneut kontrollierte die Kriegerin ihre Hände und stellte erleichtert fest, dass sie unverändert – ohne Blut – waren.

„Er hat recht … Es ist meine Schuld, dass sie alle gestorben sind.“

„Was ist los?“, fragte Taras und humpelte auf das Strohlager zu.

„Ray ist wieder da!“

Ray

Zitternd saß Leandra mit angewinkelten Beinen im Stroh und wischte sich die letzten Tränen aus dem Gesicht. Davin schlang eine Decke um sie. „Egal, was er dir versucht einzureden, es ist nicht deine Schuld, dass Tristan und die anderen gestorben sind! Dich trifft keine Schuld! Hast du das verstanden."

„Lillien war so enttäuscht und dein Bruder ..." Ihre Stimme brach. Es hatte sich so verdammt real angefühlt und Ray hatte recht. Sie hatte einen jeden von ihnen auf dem Gewissen, egal auf welche Art und Weise.

„Leandra! Ray will dich quälen. Er will, dass du ein schlechtes Gewissen hast", knurrte Davin zwischen den Zähnen hindurch.

„Warum sollte er das wollen?“ Das war eine berechtigte Frage. Was hätte Ray davon, wenn sie sich schlecht fühlte?

„Ich weiß es nicht. Aber er war es, der dich diese Leute hat sehen lassen. Er war wieder in deinem Kopf.“ Sein Kiefer spannte sie an.

Leandra lehnte die Stirn an die Knie. Sie fühlte sich, als hätte sie einen Drei-Tage-Marsch ohne Schlaf hinter sich. Sie zitterte und die Bilder ließen ihr keine Ruhe. Immer wieder kamen ihr die enttäuschten Augen von Lillien in den Kopf.

„Wir alle haben Blut an unseren Händen, das schließt auch deine Opfer mit ein. Der erste Mann, den du getötet hast, hätte dich, ohne mit der Wimper zu zucken, umgebracht, wenn du ihm nicht zuvorgekommen wärst. Und glaub mir, Ray hat es nicht nur an seinen Händen, er trägt ein ganzes Fass mit sich.“ Taras lehnte an der Wand und beobachtete die Reaktion von Leandra, aber es kam keine.

Sie fühlte sich schlecht, auch wenn Taras recht behielt, sie hatte nie wahllos Menschen gejagt.

„Wir legen bald an. Sammle dich und gönn dir noch etwas Ruhe. Du bist eine Kriegerin und Opfer gehören zu diesem Job dazu“, murmelte Taras und hangelte sich an der Wand entlang zur Tür.

„Aber Lillien –“

„War eine Kriegerin. Du trägst keine Schuld an ihrem Tod! Und nur mal so am Rande … Vermutlich hat sie mehr Menschen auf dem Gewissen als ich.“ Taras wollte die Situation entspannen, doch Leandra war viel zu aufgekratzt, um jetzt einen klaren Kopf zu behalten. Der ehemalige Spion warf Davin einen vielsagenden Blick zu.

„Ich kümmere mich um sie", entgegnete der Krieger, der Leandra im Arm hielt.

Nachdem Taras das Zimmer verlassen hatte, stand Davin auf und ging auf die Tür zu.

„Lass mich nicht allein", flehte Leandra. Sie war durcheinander und ängstlich.

Ray hatte zu große Macht über ihren Geist.

„Ich hole etwas zu trinken, ich bin gleich wieder da", murmelte er knapp.

Sie war fürchterlich müde, aber sie wollte um keinen Preis einschlafen. Zu groß war die Angst, dass Ray sie wieder im Traum besuchen würde, und das wollte sie verhindern.

Davin kam mit einer Flasche Wasser zurück und hielt sie Leandra unter die Nase. Er setzte sich dicht neben sie und räusperte sich. „Wir müssen einen Weg finden, damit er sich nicht mehr wie es ihm beliebt in deinen Kopf einklinken kann." Davin kannte die Geschichte von Ray und Tim, die sich eine Zeit lang in ihrem Kopf eingenistet hatten.

Leandra nickte und legte ihren Kopf an seine Brust. „Ich will das nicht mehr. Es war schrecklich und Dexter –"

„Dexter ist seit Jahren tot und das durch Tims Hand." Davin gab Leandra einen Kuss auf den Hinterkopf.

„Ich weiß." So langsam beruhigte sie sich und war ihm unendlich dankbar, dass er bei ihr war.

Die beiden saßen eine Weile beieinander und unterhielten sich über Davins letztes Jahr bei Ullrich. Leandra wollte wissen, wie er ihn auf die Meisterprüfung vorbereitet hatte. Im Grunde ähnlich wie Xander die Sache anging. Erst einmal wurde ihm alles abverlangt, um zu schauen, ob er dem Druck gewachsen war. Später wurde er gezielten Trainingseinheiten, aber mit größeren Pausen ausgesetzt.

Auch wenn Leandra noch immer das Gefühl hatte, Ray in unmittelbarer Nähe zu haben, fanden die beiden den Weg an Deck und halfen bei den Vorbereitungen zum Anlegen. Ihre Beine schmerzten bei jedem Schritt. Der Muskelkater war deutlich zu spüren, doch dafür tat die Wunde am Kinn kaum weh. Taras hatte gute Arbeit geleistet.

„Du kannst doch auch in andere Köpfe rein“, stellte Brian an Davin gerichtet fest, während sie die Segel einholten.

„Nein, ich kann nur meine Gedanken übertragen“, wehrte der Angesprochene brummig ab.

Leandra wusste, dass dies für Davin ein unangenehmes Thema war. Er wollte weder mit Magie noch mit Rafail in Verbindung gebracht werden.

„Du bist aber ein Nachkomme Rafails und hast einen Hauch Magie in dir ... Du könntest das sicherlich lernen“, gab Brian nicht auf.

Leandra hatte eine Ahnung, worauf er anspielte.

„Worauf willst du hinaus?“, fragte Davin genervt.

„Liam meinte damals zu Leandra, als Ray in seinem Lesezimmer in ihren Kopf eingedrungen ist, dass er nicht zu ihr durchkam, weil schon jemand in ihrem Kopf war. Meine Überlegung wäre jetzt, wenn du dich mit ihr im Schlaf verankerst, kann er womöglich nicht in ihren Kopf gelangen.“

Davin schaute Brian belustigt an. „Du hast eine blühende Fantasie“, entgegnete er und warf sich seine Tasche über die Schulter, als das Schiff mit einem Ruck anlegte.

„Ich meine das ernst“, sagte Brian.

„Ich glaube auch, das könnte funktionieren", mischte sich nun Jerry ein.

Leandra hatte ihn nicht einmal bemerkt. Sie war so sehr auf Davin fixiert gewesen, weil sie auf seine Antwort gespannt war.

„Ich will mit diesem Hokuspokus nichts zu tun haben, ich weiß nicht, wie oft ich das noch sagen muss."

„Du könntest ihr helfen!", rief Brian Davin hinterher, doch dieser war bereits auf dem Weg, das Schiff zu verlassen.

Leandra fand, dass man der Idee von Brian Gehör schenken sollte. Es ärgerte sie, dass Davin in diesem Bezug so stur war.

Der Hafen, an dem die Gruppe angekommen war, war einer der kleineren von Calixto.

„Willkommen auf der größten und verrücktesten aller Inseln", murmelte Taras und atmete die salzige Meeresluft tief ein.

Leandra erinnerte sich, dass sie vor Jahren, als das ganze Spektakel angefangen hatte, einen Schüler von hier abgeholt hatten. Angelo. Der junge Mann hatte Xander einen verzauberten Kompass geschenkt, mit dem sich Tim in Leandras Kopf klinken konnte, um mit ihr in Kontakt zu treten. Damals war Tims Magie noch nicht so ausgereift wie heute.

„Wir gehen zu Joe", sagte der alte Meister zu Taras.

Dieser verzog genervt das Gesicht.

„Wir brauchen neue Waffen und auf Joe ist Verlass. Vor allem können wir dort unterkommen und neue Pläne schmieden."

Leandra erinnerte sich, dass Brian ihr einmal erklärt hatte, dass Xander die Waffen für sie auf Calixto kaufte. Bestimmt war dieser Joe ein Schmied.

Sie durchquerten zielstrebig den Hafen und Leandra merkte sofort, dass sich Xander sehr gut auskannte. Sie gab sich Mühe, mitzuhalten und biss die Zähne zusammen, weil das Brennen in den Beinen nicht nachließ.

Direkt am Hafen lag ein kleines Fischerdorf. Wie bei dem Großteil der anderen Inseln dominierten aus Raumauerwerk gefertigte Häuser das Gesamtbild. Im Dorfkern fand sich ein großes Gebäude wieder, das sich sehr von den anderen unterschied.

„Was ist das?“, fragte die junge Kriegerin und beäugte es skeptisch. Ein viereckiger Bau mit vier nach oben ragenden Türmen stand dort. Jeder der außenliegenden Türme hatte eine andere Farbe. Blau, grün, rot und gelb. Der Hauptbau war in Braun gehalten.

Leandra kniff die Augen zusammen, um die Symbole, die über dem Eingangstor hingen, zu erkennen. Eine rot-gelbe dreizüngige Flamme, ein braun-hellblauer Wirbel, zweifarbig blaue Wellen und ein grün-braunes Blatt.

„Uh, als ich das letzte Mal hier war, haben sie noch nicht so dick aufgetragen“, murmelte Taras und stellte sich neben Leandra.

„Wer?“

„Angefangen hat es vor vielleicht achtzehn oder neunzehn Jahren. Fünf Frauen, die Tränke, Mittel und Salben aus naturbezogenen Sachen herstellten. Diese Salben und Tränke waren besser und effektiverer als alles andere, was übliche Heiler herstellten. Man konnte sie allerdings nicht einfach so kaufen. Sie wurden auf dem Schwarzmarkt höher als Gold oder Diamanten gehandelt.“

„Warum sprichst du in der Vergangenheitsform?“, wollte die Kriegerin wissen.

„Vor fünf Jahren bekamen die Schwarzhändler auf einmal keine Ware mehr geliefert." Taras zog ein kleines Fläschchen aus seinem Oberteil und trank es aus. Es war ein Schmerzmittel, das Feli ihm mitgegeben hatte.

„Was hat dieses Gebäude damit zu tun?

„Keine Ahnung, aber diese vier Symbole waren ihre Zeichen. Alles, was man von ihnen erstehen konnte, war in kleine Lederbeutel gepackt, auf denen diese vier Zeichen prangten. Vielleicht sind ihre Mittel mittlerweile offiziell kaufbar", überlegte der Krieger laut und zuckte mit den Schultern.

Xander schlug einen anderen Weg ein, der von dem auffälligen Haus wegführte. An jeder Ecke arbeiteten Menschen, die etwas aus Fisch herstellten. Pasteten, eingelegter Fisch, geräucherter Fisch. Alles, was das Herz begehrte.

Leider roch es dementsprechend an jeder Ecke stark nach den Meeresbewohnern. Die Fischabfälle wurden in großen Fässern vor den Häusern gelagert und das machte den Gestank fast unerträglich.

„Ich halte das nicht aus! Sag mir bitte, dass wir nicht hierbleiben!", flehte Jerry, der immer blasser wurde. Er hatte sich sein Oberteil über die Nase gezogen.

„Wir holen nur was ab", beruhigte ihn Xander.

„Dem Himmel sei Dank!" Jerry tänzelte um die Tonnen. Immer darauf bedacht, keiner näher als nötig zu kommen.

Leider wurde der Geruch mit jedem Schritt, den sie in die hinteren Gassen des Dorfes taten, beißender. Es war widerlich und die Kriegerin fragte sich, wie man hier freiwillig leben konnte.

Xander steuerte einen alten Bauernhof an. Tiere sah man hier nicht, dafür Unmengen an Fässern voller

Fischabfälle, die gerade von zwei jungen Männern in einen weitläufigen hölzernen Behälter gekippt wurden. Der Innenhof war besudelt und auch alles andere wirkte nicht einladend. Mit jedem ausgeleerten Behälter wehte eine unangenehme Wolke des fauligen Fischgestanks zu den Gefährten.

Jerry blieb stehen und stierte die beiden jungen Männer geschockt an. „Was machen die denn da?", fragte er und verzog angeekelt das Gesicht.

„Ich nehme mal an ihre Arbeit", antwortete Davin und schritt an den Männern vorüber, als würde er sie nicht sehen. Auf dem Hof wimmelte es nur so von Ungeziefer, Ratten und anderen verwahrlosten Tieren.

„Depp, das sehe ich auch ... aber für was wird dieser Müll hier abgeladen?"

„Er wird weiterverarbeitet. Dies ist ein spezieller Hof. Hier werden die Fischabfälle zusammen mit Mist und was weiß ich noch allem zu einem speziellen Dünger verarbeitet. Das gibt es nur hier auf dieser Insel und nur in diesem Dorf. Geniale Sache, wenn du mich fragst. Da wird wortwörtlich aus Scheiße Gold gemacht", erklärte Taras und zeigte auf einen übergroßen Misthaufen.

„Ja, *genial.*" Jerry rümpfte die Nase und trat einen Schritt zurück.

Xander wies die anderen an, auf dem Hof zu warten. Er selbst schritt in das Innere der großen Stallung. Leandra setzte sich auf einen alten Stamm, der am Rand des Weges lag, und beobachtete die jungen Männer, die mühevoll die Abfallbehälter in eine Vorrichtung kippten. Vermutlich rutschten die Abfälle in ein Sammelbecken oder Ähnliches. Auf alle Fälle verschwanden sie recht zügig.

„Du kannst dich doch nicht auf diesen dreckigen Stamm setzen!", tadelte Jerry und schob sich sein Oberteil erneut über die Nase.

Leandra zog die Augenbrauen nach oben. Jerrys Empfindlichkeiten gingen ihr manchmal wirklich auf die Nerven. Der Hof war unfassbar schmutzig, aber der Stamm wirkte noch mit am einladensten. Leandra war froh darüber, sich setzen zu können. Taras forderte Brian auf, um die Stallung herumzulaufen, um sich ein wenig umzusehen. Sein Trank schien Wunder zu wirken, er sah fitter und belastbarer aus als noch vor einigen Minuten.

„Ist bei dir alles gut?", erkundigte sich Davin und musterte Leandra.

„Ja, nur ein wenig Muskelkater", gab sie zu.

Ein Pferdewagen voll mit Mist steuerte den Hof an. Leandra betrachtete das Treiben kritisch. Der schmale Weg zum Hof hin war gepflastert und überall lagen glitschige Fischreste, sodass die Pferde ins Straucheln gerieten.

„Es würde jetzt gerade noch fehlen, dass der Karren umkippt", prophezeite Jerry so laut, dass der Mann, der den Karren führte, es hören konnte.

Der dicke Mann mit Vollbart und Pfeife im Mund schaute ihn entrüstet an. „Papperlapapp, Susi und Rosi kennen den Weg hier nur zu gut, sie wissen von der Sauerei, die diese Tunichtgute hinterlassen", schimpfte er und zeigte nach einem kräftigen Zug an seiner Pfeife auf die jungen Männer, die sich gerade das nächste Fass mit Fischabfällen herbeigezogen hatten.

„Die alten Mähren können kaum geradeaus laufen, das hat nichts mit dem bisschen Fisch auf dem Boden zu tun", sagte einer der beiden laut und lugte genervt zum Pferdewagen.

Die drei Männer schienen sich bereits zu kennen, so wie sie miteinander sprachen. Der Vollbärtige schien allerdings eine kurze Zündschnur zu haben, denn mit einem Satz sprang er vom Wagen, der gerade neben Jerry angehalten hatte, und ging drohend auf den jungen Mann zu, der seine Pferde beleidigt hatte.

Jerry studierte den Berg Mist skeptisch und beschloss wohl aus Sicherheitsgründen, einige Schritte von diesem wegzugehen.

„Was sagst du zu meinen Damen? Alte Mähren?" Der dicke Kutscher wollte gerade zu einem Schlag ausholen, als die jungen Kerle ihm das leere Fass über den Kopf stülpten.

Lachend versuchten sie, den Mann völlig in das Fass zu stopfen, doch dieser wehrte sich fluchend und bemühte sich, sich zu befreien. Die *Tunichtgute* lagen vor lauter Lachen fast am Boden.

„Helft dem Mann!", ermahnte Leandra ihre Gefährten. Sie war schockiert über das, was sich die Männer geleistet hatten.

Davin ging auf das laufende Fass zu, das bei jedem Schritt drei Verwünschungen ausstieß, und versuchte, den Mann zu befreien. Dieser allerdings steckte fest, was die zwei Gehilfen nur noch lauter zum Lachen brachte.

„Jerry!", forderte Davin.

Doch dieser verzog angeekelt das Gesicht. „Vergiss es! Ich fass dieses stinkige Fass nicht an!"

Leandra verdrehte genervt die Augen, stand auf und kam Davin zu Hilfe. Mit zwei kräftigen Zügen hatten sie den Mann befreit. Dieser stürmte wutentbrannt auf die zwei jungen Kerle zu. Die waren noch immer so sehr am Lachen, dass sie gar nicht mitbekamen, wie sich der Vollbärtige ihnen näherte.

Den ersten der beiden schnappte er sich und warf ihn gegen drei volle Fässer, die ihn unter ihrem Inhalt begruben. Den zweiten packte er am Kragen und wirbelte ihn so herum, dass er gegen den Wagen voller Mist krachte.

Durch den plötzlichen Aufprall scheuten die Pferde auf und rannten los, dabei verloren sie einen großen Haufen Mist, der direkt neben Jerry zu Boden fiel. Mit einem Satz sprang dieser auf die Seite und wich dem fallenden Mist gerade noch aus. Was er jedoch nicht gesehen hatte, war die große Pfütze mit Fischresten, auf der er ausrutschte und die ihn unglücklicherweise kopfüber in den großen Holzbehälter beförderte, in den die jungen Männer die Abfälle gekippt hatten.

„Ohhhuu", entfuhr es Davin. Er presste sich die Faust vor die Stirn.

Leandra konnte nicht fassen, was gerade passiert war. Das alles war so schnell geschehen, dass alle Umstehenden geschockt zu Jerry schauten, der wie vom Pfeil getroffen aus dem Holzbehälter schoss.

Mit beiden Händen wischte er sich den stinkigen Schleim aus dem Gesicht. Eine Fischgräte samt dazugehörigem Kopf rutschte ihm über die Stirn, während er wie paralysiert an sich herunterschaute.

„Also ehrlich, Jerry, erst jammerst du über den Gestank und dann nimmst du in dem Abfall auch noch ein Vollbad?" Taras war mit Brian zurückgekommen und stierte die Sauerei von allen Seiten an.

„Ich werde sie umbringen!" Jerry zog wutentbrannt sein Schwert, das ihm sofort aus der Hand glitt.

„Was ist denn hier los?", brüllte eine fremde Stimme.

Joe

Der Besitzer des Hofes schritt mit Xander aus dem Stall und herrschte seine Mitarbeiter an, umgehend für Ordnung zu sorgen. Der dicke Mann versuchte, seine Pferde einzufangen, und Jerry erhielt das Angebot, sich den Gestank abzuwaschen und frisch einzukleiden.

Nach dem ersten Schrecken musste Leandra mit einem Mal laut loslachen. Alle schauten sie tadelnd an. „Es tut mir leid!", hechelte sie und hielt sich den Bauch. „Fliegt ausgerechnet *er* kopfüber in den Kübel!" Ihr Lachen steckte auch Brian und Taras an.

Davin erzählte Xander noch einmal die kurze Version und musste dann selbst lachen. Jerry kam nach einer

Weile mit sauberer Kleidung und nassen Haaren aus dem Wohnhaus.

„Was hast du hier eigentlich geholt?", wollte Brian jetzt von Xander wissen.

Dieser hielt ihm einen Sack mit Münzen unter die Nase. „Ich habe unsere Bezahlung für Joe besorgt. Er hier hatte Schulden bei mir", gab Xander gleich die Antwort auf die nächste Frage und zeigte auf das Wohnhaus.

Leandra machte sich schon lange nicht mehr die Mühe, Sachen zu hinterfragen. Zu neunzig Prozent bekam sie ja doch keine Antwort.

Zu jedermanns Erleichterung wanderten sie aus dem muffigen Dorf heraus und auf weite grüne Wiesen. Nicht weit hinter der Dorfmauer führte ein Weg links auf eine kleine Anhöhe. Rund um das Anwesen standen hohe Bäume. Ein ansehnliches Holzhaus, aus dessen Schornstein große Rauchsäulen zogen, bildete den Mittelpunkt. Die Krieger steuerten geradewegs darauf zu.

Rechts neben dem Haus befand sich ein überdachter Platz, auf dessen Mitte ein wuchtiger Amboss stand. Eine Frau holte gerade ein glühendes Stück Eisen aus den Kohlen, die im Ofen hinter ihr brannten. Mit geübter Leichtigkeit legte sie das Eisen auf den Amboss, hob den Hammer, der danebenstand, und schlug ohne Unterlass auf das Stück Eisen ein.

Die Frau war mit unglaublicher Schönheit gesegnet. Ihr schwarzes Haar trug sie in einem Pferdeschwanz nach hinten gebunden. Einzelne Haarsträhnen klebten ihr an der schweißnassen Haut. Sie dürfte etwa Taras' Alter haben. Hochkonzentriert blickte sie auf das Eisen vor sich. Zwei Lederarmbänder lagen um ihre Handgelenke und passten gut zu ihrem ledernen Oberteil, das sich wie ein Korsett um ihre Taille legte.

„Donnerwetter, was ist denn das für ein heißer Feger", säuselte Jerry und ließ die Frau nicht aus den Augen.

„Klappe", herrschte Xander gleichermaßen wie Taras.

Jerry zuckte erschrocken zusammen. Beschwichtigend hob er die Hände und lief schweigend auf die Frau zu.

Diese schaute auf und warf genervt das Stück Eisen in die Glut. Schwer atmend nahm sie einen großen Schluck aus einem Trinkschlauch und begutachtete die sechs der Reihe nach. „Xander", begrüßte sie ihn mit tiefer, aber wohlklingender Stimme.

„Joe", antwortete er.

Leandra wechselte irritierte Blicke mit Brian, Davin und Jerry. Alle waren davon ausgegangen, dass Joe ein Mann war.

Missbilligend musterte sie Taras, sagte aber nichts.

„Wir brauchen neue Waffen", kam der ehemalige Meister direkt auf den Punkt.

Die Frau verschränkte die Arme vor der Brust. Irgendetwas an ihr kam Leandra bekannt vor. Sie kam nur nicht drauf was.

„Ich bin Jerry!", unterbrach der junge Gefährte die Stille.

Mit einer hochgezogenen Augenbraue musterte Joe ihn und Leandra dachte, sie hätte für den Bruchteil einer Sekunde einen leichten Blaustich in ihren Haaren gesehen. „Ihr bleibt länger?" Die Frage richtete sich wieder an den ehemaligen Meister. Sie strich sich eine Strähne aus dem Gesicht.

Erst jetzt erkannte Leandra die Augenfarbe der hübschen Frau. Sie waren dunkelblau mit einem Lilastich. *Konnte es sein, dass …* Leandra kniff die Augen zusammen, was der Schmiedin nicht entging.

„Schlaues Mädchen", flüsterte diese leise und schenkte Leandra ein ihr bekanntes gefährliches Grinsen. Es war ihr nie in den Sinn gekommen, dass Xander eine Schwester hatte.

„Kommt mit", sagte sie sanft. „Du kennst dich hier aus, fühlt euch wie daheim. Ihr solltet alle ein Bad nehmen. Einer von euch stinkt, als wäre er in eine Güllegrube gefallen!" Diese Worte waren an Xander gerichtet.

„Wer ist das?", flüsterte Jerry lauter als gewollt.

Leandra verdrehte die Augen.

Joe blieb jedoch stehen und wandte sich auf ihren hochhackigen Lederstiefeln um. „Die gute Schwester", erklärte sie lächelnd und linste dann zu Taras. Ihr linkes Augenlid zuckte. „Oder wie er sagen würde, die Hölle auf Erden, wenn man es sich mit mir verscherzt." Ihre Blicke trafen sich und man hätte die Luft schneiden können, so dick war sie geworden.

Leandra sah gerade noch, wie Xander die Augen verdrehte.

„Erklärt ihr uns gleich die Missstände zwischen euch? Oder müssen wir das wieder über zig Wege erfahren?", fragte Brian und schaute zu Taras. Auch ihm war aufgefallen, dass etwas in der Luft lag.

Leandra ahnte, dass es sich um eine Liebesgeschichte handelte. Taras hatte was mit ihr und sie dann Hals über Kopf verlassen. So wie es eben Taras' Art war, zumindest wäre das nichts Neues.

„Er hat mir meinen Bruder genommen, das ist alles", knurrte die Schmiedin.

Das war nicht das, womit die hier Anwesenden gerechnet hatten. Jerry runzelte die Stirn und sprach dann aus, was alle dachten. „Ihr hattet nichts miteinander?"

„Nein!“, riefen Joe und Taras im Chor. Sie schnalzte schockiert mit der Zunge.

„Ich habe Xander vor ihrer Gehirnwäsche gerettet!“

Joe stürmte geradewegs auf Taras zu, der diese Aussage getroffen hatte. „Du hast ihn entführt! Ihm dumme Flausen in den Kopf gesetzt, bis er gegangen ist, und dann hast du ihn allein gelassen! Du bist ein Betrüger und ein Lügner“, kläffte sie und tippte Taras energisch gegen seine Brust.

Leandra riss erschrocken die Augen auf und versuchte, den Streithähnen zu folgen.

„Ich bin ein erwachsener Mann und treffe meine Entscheidungen selbst! Keiner von euch beiden hatte mit meinem Entschluss etwas zu tun“, mischte sich jetzt Xander ein und ging auf das Wohnhaus zu.

Doch Joe und Taras blieben voreinander stehen und musterten sich feindselig.

„Du bist ein kleinkarierter Drecksack.“

„Und du eine fürchterliche Furie.“

Davin schüttelte den Kopf und schritt an den beiden vorbei in Joes Haus. Leandra folgte ihm.

„Joe lebt etwas abseits des Dorfes, aber sehr fortschrittlich.“ Xander erklärte die Raumaufteilung, damit sich jeder zurechtfand. Anscheinend würden sie wirklich ein paar Tage bleiben. „Davin, du kommst mit mir jagen“, befahl er anschließend und ging auf einen Raum gegenüber der Eingangstür zu.

Brian erkundete mit Leandra das Wohnzimmer, das sich direkt auf der linken Seite des Hauses befand. Es war ein heller Raum mit massiven Holzmöbeln. Ein schwerer Tisch mit zehn Stühlen füllte die Mitte. Im hinteren Teil standen drei Sofas und zwei Sessel in einer Sitzgruppe zusammen.

Leandra ließ sich auf eines der Sofas fallen. Die Erschöpfung ihrer drei Trainingseinheiten war noch deutlich spürbar.

Bilder zierten die Wände, doch keines, das auf Xanders Familie hinwies. Ein großer Kamin, in dem sauber aufgestapelte Holzscheite lagen, fügte sich in das perfekte Gesamtbild des Hauses. Alles wirkte gemütlich und wohnlich.

„Und nun schau ihn dir an … Er hätte hier glücklich werden können. Eine neue Frau, eine neue Familie, alles das, was er verloren hat, hätte er hier wiederbekommen!" Die beiden Streithähne hatten den Eingang zum Haus gefunden.

„Du spinnst vollkommen! Hätte er hier so einsam versauern sollen wie …"

„Wie ich? Ist es das, was du sagen wolltest? Schau dich hier mal um, du verwöhntes kleines Prinzchen. Ich bin nicht wie du mit dem Goldlöffel im Mund geboren. Ich habe mir das alles selbst verdient, da blieb wenig Zeit für Mann und Kinder", keifte sie weiter, ihr linkes Augenlid zuckte.

Taras verzog genervt das Gesicht. „Aufführen tust du dich auf jeden Fall wie eine alte Jungfer."

Mit einer schallenden Ohrfeige war das Gespräch beendet. Joe verschwand in der Küche und Taras setzte sich neben Leandra. „An jeden Ort der Welt hätten wir segeln können, aber wir müssen im Nest des Drachen landen", schimpfte Taras und zog sich seine Schuhe aus.

Brian lehnte derweil an einer Wand und lauschte dem Spektakel. Er wirkte nachdenklich.

„Ich weiß nicht, wie es zu eurem Streit gekommen ist und warum er sich nicht aus dem Weg räumen lässt. Aber du bist unglaublich unverschämt!

Die Ohrfeige war mehr als verdient, wenn du mich fragst", erklärte Leandra Taras. Sie nahm sich eine der zusammengelegten Decken und schwang sie sich um die Schultern.

„Dich fragt aber keiner", fauchte er sie an und fuhr sich über das Gesicht.

„Ich muss erst einmal Zimmer herrichten, ehe ihr euch ausruhen könnt, mit Gästen habe ich heute nicht mehr gerechnet", rief Joe Richtung Wohnzimmer.

„Auch wenn ich völlig erschöpft bin, glaube ich nicht, dass ich jetzt schlafen könnte." Leandra wollte die Schmiedin beruhigen, damit sie sich nicht verpflichtet fühlte, ihr Haus auf den Kopf zu stellen. Sie kam sich vor wie ein Eindringling.

„Schon gut, ich bin von meinem Bruder Schlimmeres gewohnt. Wir haben ein stilles Abkommen. Wenn er hier auftaucht, hat er sich um das Essen zu kümmern und ich kümmere mich um einen Schlafplatz." Das erklärte die Hilfsbereitschaft von Joe und Xanders Aufforderung zur Jagd.

Taras war blass und verzog sein Gesicht zu einer Grimasse. Er hatte sicherlich wieder Schmerzen. Der Trank musste seine Wirkung verloren haben.

„Frag Joe, ob sie etwas gegen deine Schmerzen hat", flüsterte sie.

„Ich gebe dir jetzt einen guten Rat. Nimm von dieser Frau nichts zu trinken an, von dem du nicht selbst gesehen hast, dass es aus einer neu geöffneten Flasche ausgeschenkt wurde."

„Ach, du spinnst ja. Sie ist Xanders Schwester und nur, weil ihr verstritten seid, heißt das nicht, dass man ihr nicht trauen kann", schimpfte Leandra und massierte sich die Oberschenkel.

„Hast du Schmerzen?“ Joe hatte gerade den Raum betreten.

„Nein, ich bin etwas erschöpft. Gib mir ein paar Minuten und dann helfe ich dir, ein Schlaflager für uns zu errichten“, entgegnete sie freundlich und beobachtete Taras aus dem Augenwinkel. Er holte ein kleines Fläschchen hervor und trank es in einem Zug aus.

Joe verschwand aus dem Raum, kurz darauf klapperten Töpfe.

„Warum bist du auf diese Reise mitgegangen? Feli hätte dich gesund pflegen können.“ Die Kriegerin war auf seine Antwort gespannt.

„Weil ihr mich braucht“, murmelte er und schloss die Augen, als wollte er seine Gedanken sammeln.

„Ja, wenn du gesund wärst, würde ich dir zustimmen!“

„Taras, das Bad ist frei! Gönn dir eine Ladung kaltes Wasser. Soll manchmal Wunder wirken.“ Und die Sticheleien gingen weiter. Joe betrat mit einer dampfenden Tasse den Raum und reichte sie Leandra.

Sie hatte nicht gesagt, dass sie durstig war, doch sie nahm die Tasse dankend entgegen und schenkte Taras einen zuversichtlichen Blick, der ihn wissen lassen sollte, dass sie keine Sorge hatte, etwas von Joe zu trinken.

Taras verließ kopfschüttelnd das Zimmer.

„Ich hasse ihn“, murmelte Joe und setzte sich neben Leandra. „Wie gehört ihr jetzt zu meinem Bruder?“

Die Kriegerin richtete sich auf und lugte zu Jerry, der mit wieder neuer Kleidung das Zimmer betrat. „Dein Haus ist ein Traum“, sagte er und setzte sich zu den Frauen.

Wie auf Kommando löste sich Brian und nahm mit verschränkten Armen auf einer Sitzfläche Platz.

„Danke und jetzt erzählt mal“, forderte Joe die Krieger auf. Während Jerry berichtete, wurde Leandra von Sekunde zu Sekunde müder.

Sie schaute auf die halb leere Tasse in ihrer Hand. „Was ist das?“, fragte sie, doch die Antwort bekam sie nicht mehr mit.

***

„Keine Sorge, sie schläft sich nur fit. Der Trank wirkt Wunder, allerdings macht er unfassbar müde.“

Brian und Jerry tauschten skeptische Blicke. Brian kannte Xanders Schwester nicht und noch mal jemandem so blind zu vertrauen, wie er es bei Xander getan hatte, würde nicht erneut passieren. „Warum hast du das gemacht?“, entfuhr es ihm laut. Sein Magen zog sich zusammen. Egal wie die beiden zueinander standen, er liebte Leandra noch immer und würde nicht zulassen, dass ihr jemand absichtlich Schaden zufügte.

„Sie meinte, sie sei erschöpft, könne aber nicht schlafen“, gab sie selbstbewusst zurück und lächelte.

„Sie macht gerade eine schwierige Phase durch“, sagte Jerry.

„Jeder, der mit meinem Bruder und dem Harlekin an seiner Seite unterwegs ist, macht früher oder später schwere Phasen durch“, entgegnete die Schmiedin genervt.

„Sie ist die Auserwählte, falls dir das etwas sagt“, murmelte Jerry.

Brian beobachtete Joe. Er konnte die Frau nicht einschätzen und wenn sie nur halb so verlogen war wie ihr Bruder, dann würde das schon ausreichen, um ihr zu misstrauen. Von innen biss er sich auf die Unterlippe.

Er konnte nicht fassen, dass Jerry der Frau das mit der Auserwählten direkt erzählte.

„Ich lebe etwas abgeschieden, aber dennoch bin ich sehr gut informiert. Ich weiß, was man sich über die Bücher erzählt und dass Magier aufgetaucht sind. Ich dachte mir, dass sie die Auserwählte sein muss. Spione, Könige, die Großmeister und andere Meister suchen nach euch“, teilte sie ihr Wissen mit.

„Wir kennen eure Familien-“, begann Brian, wurde jedoch von einem lauten Poltern unterbrochen. Er wollte sie gerade auf ihre Vorfahren ansprechen, da rumpelte es erneut. Sie standen auf und traten an die Hintertür, die zur Terrasse führte.

Xander und Davin schritten mit einer großen Wildsau im Schlepptau auf das Haus zu.

„Na los, lasst uns die Sau zerlegen. Ich habe einen Bärenhunger“, grölte Xander und wischte sich die blutverschmierten Hände an seiner Hose ab.

Brian und Jerry folgten der Aufforderung und bereiteten die Sau für das Essen vor. Xander schickte Davin in den Waschraum. Er stellte sich in den Türrahmen und musterte seine Schwester.

Brian behielt sie im Blick. Er war sich noch immer nicht sicher, ob man den beiden trauen konnte, immerhin waren sie Nachkommen der Magier-Zwillinge.

„Was hast du mit ihr gemacht?“, fragte der ehemalige Meister seine Schwester.

„Sie hat sie betäubt, was sonst? Das kenne ich nur zu gut“, mischte sich Taras ein, der auf die Terrasse trat und sich mit einem Handtuch durch das nasse Haar wuschelte.

„Ich hätte dich nicht betäubt, wenn du nicht –“

„Könntet ihr bitte nur ein einziges Mal aufhören, euch wie kleine Kinder anzufeinden? Da waren meine Schüler im Alter von zwölf Jahren reifer als ihr beide jetzt. Ihr benehmt euch wie ein altes Ehepaar."

Die Köpfe der beiden Streithähne schnellten zu Xander und stierten ihn fassungslos an.

„Vorher gefriert der Feuerengel ein", stieß Joe empört aus.

Feuerengel? Was hatte das schon wieder zu bedeuten?

„Dich als Schwager zu haben klingt verlockend, aber das Opfer dafür ist mir zu groß!"

Flehend hob Xander die Hände gen Himmel, als würde er von dort oben auf Beistand hoffen.

„Feuerengel?", fragte Jerry verwirrt und kam Brian somit zuvor.

„Der Vulkan am anderen Ende der Insel", antwortete Taras und schlenderte ins Innere des Hauses.

Brian sah nicht, was er dort machte, doch Joes Blicken nach zu urteilen nichts, was ihr gefiel.

„Kann ich dich irgendwie bei deiner Suche in *meinen* Schränken unterstützen?", fragte sie mit hoher Stimme.

Davin, der endlich das Badezimmer frei gemacht hatte, trug Holz herbei, um es an der Feuerstelle, über der gleich das Schwein gegrillt werden sollte, aufzustapeln.

„Ist irgendetwas besonders an diesem Vulkan?", fragte Brian, der zwar von dem feuerspuckenden Berg gehört, allerdings noch keinen gesehen hatte.

„Es gibt einige Menschen, die diesen Vulkan anbeten. Sie glauben, in seinem Inneren sei eine Göttin gefangen", entgegnete Joe und verschränkte die Arme vor der Brust.

„Wieso das?", fragte er weiter und befestigte das ausgenommene Schwein mit Jerrys und Davins Hilfe über dem entzündeten Feuer.

„Weil nur Weiber und Drachen Feuer spucken", murmelte Taras und erntete dafür einen feindseligen Blick von Joe.

„Es gibt hier ein paar kräuterkundige Frauen, die dort in der Nähe ihre Kräuter sammeln und angeblich ihre Anweisungen zu den speziellen Tränken, die sie brauen, von einer Frauenstimme bekommen haben, die aus dem Inneren des Vulkans kommt", sagte Joe.

„Das sind die Frauen aus diesem bunte Tempel, den wir vorhin gesehen haben", bestätigte Taras.

„Ich muss noch einen Auftrag fertig machen", sagte die Schmiedin und verabschiedete sich von den Männern.

„Wieso nennen sie ihn Feuerengel?" Brian setzte sich auf einen großen Baumstamm am Feuer.

„Das musst du die Furie fragen, wenn sie wieder da ist", antwortete Taras und nahm einen kräftigen Schluck aus einer Flasche, die er aus dem Haus geschmuggelt hatte.

Xander schlug ihm mit der flachen Hand gegen den Hinterkopf. „Jedem anderen hätte ich für diese Bemerkungen schon die Vorderfront eingeschlagen", sagte er und ließ sich neben Brian nieder.

„Sie ist ein hinterhältiges Biest!", knurrte Taras.

„Ich weiß überhaupt nicht, was du gegen sie hast. Sie nimmt uns hier auf, ohne uns zu kennen, stellt keine unangenehmen Fragen, lässt uns ihr Bad benutzen und du gehst einfach an ihre Schränke, als gehörte die Bude hier dir", stellte Davin fest.

„Und ein heißer Feger ist sie obendrauf", stellte Jerry fest und zuckte mit den Augenbrauen.

„Ja, jetzt zeigt sie sich von ihrer guten Seite, ihr werdet den Besen schon noch kennenlernen", prophezeite Taras.

„Hast du noch eine Schwester? Weil sie vorhin meinte, sie sei die gute Schwester?“, fragte Brian und schaute seinen ehemaligen Meister an.

„Ja“, sagte er genervt.

„Und wann lernen wir die böse kennen?“, bohrte er weiter. Er wollte Xander aus der Reserve locken. Die beiden hatten ein Vieraugengespräch gehabt und dabei hatte der Meister ihm versprochen, sich ihnen gegenüber offener zu zeigen.

***

Davin folgte dem Gespräch zwischen Brian und Xander nur mit halbem Ohr. Sein Interesse galt seiner Schwester. Sie war ebenso wie Xander mit dem Wissen um die Magier aufgewachsen, dessen war sich der Krieger sicher.

Er huschte zur Vordertür des Hauses. Ein kleines Fenster daneben legte die Sicht auf den Schmiederaum frei. Er lauschte den harten Schlägen auf das glühende Eisen.

„Sie hasst es, wenn man sie bei ihrer Arbeit beobachtet“, sagte Taras, der hinter Davin die Treppe ins obere Stockwerk hechtete.

Na dann wollen wir mal sehen, was für eine Furie sie wirklich ist, dachte sich Davin und öffnete die Haustür, um sich zu Joe zu stellen.

Die Funken flogen bei jedem Hammerschlag, der auf das Eisen traf. Kurz schaute sie zu Davin auf, sagte aber keinen Ton, sondern konzentrierte sich auf ihre Arbeit.

Die Frau hatte wirklich Kraft. Jeder Muskel in ihren Oberarmen war angespannt und zeichnete sich deutlich ab. Die losen Haarsträhnen fielen ihr immer wieder auf die Stirn, die mit feinen Schweißperlen überzogen war.

Mit einem lauten Zischen kühlte Joe das Eisen in einem Wasserkübel ab. „Komm her und ich weihe dich in die Kunst des Schmiedens ein", lud sie ihn ein und wischte sich mit dem Handrücken über die Stirn.

„Ich glaube nicht, dass ich so eine gute Figur beim Eisenschlagen mache wie du." Er lief an ihr vorbei und betrachtete allerhand Waffen, die in einem großen Korb lagen. Schwerter, Äxte, Dolche …

„Wie gehört ihr zu Xander?", fragte sie und nahm einen Schluck Wasser aus der nebenstehenden Flasche.

„Leandra, die junge Frau, die du vorhin betäubt hast, war eine seiner Schülerinnen. Genauso wie Brian und Jerry." Davin lehnte sich an einen Tisch und musterte sie.

„Und du?", fragte sie weiter.

„Hmmm … Frage-Antwort-Spiel … Ich glaube, ich bin dran mit Fragen." Er lächelte sie charmant an.

Joe kniff die Augen zusammen.

„Keine Angst, ich will nichts über Taras und dein komisches Verhältnis wissen. Ist Joe die Abkürzung von deinem richtigen Namen?" Davin wählte seine Fragen weise. Er wollte zuerst ihr Vertrauen gewinnen.

Sie schaute ihn gefährlich grinsend an. Genau das Grinsen, das Xander immer an den Tag legte. Die beiden waren eindeutig Geschwister. „Jolene", entgegnete sie und lehnte sich mit verschränkten Armen an den Amboss.

„Ein sehr schöner Name. Gefällt mir besser als Joe. Ich war bei Ullrich in der Ausbildung und habe im Frühjahr meine Prüfung abgelegt. Bis dahin war ich auf der Seite des Feindes", gab er wahrheitsgemäß zu. Er wollte ihr Vertrauen und dazu musste er ihr die Wahrheit sagen.

Joe beäugte ihn ernst. „Stell deine Frage", forderte sie.

„Warum bist du die gute Schwester?"

„Xander ist zwei Jahre älter als ich und wir beide haben noch eine Halbschwester, väterlicherseits. Sie ist nur ein halbes Jahr älter als Xander. Nora hat sich schon früh in der Jugend auffällig verhalten. Sie ist gefährlich. Sie lebt in den Schatten als Auftragsmörderin. Diesen Job beherrscht sie wie kein anderer. Bete, dass ihr ihr niemals begegnet. Ihre Abgeschiedenheit zur Außenwelt und zum alltäglichen Leben hat sie sonderbar gemacht."

Davin fixierte Joe unbeeindruckt und ließ die Worte sacken. Das waren bedeutend mehr Informationen, als er sich erhofft hatte.

„Hast du jetzt Angst?", hakte sie spöttisch nach.

Davin funkelte sie belustigt an. „War das deine Frage?", wollte er bezogen auf das Frage-Antwort-Spiel wissen.

„Ich denke, du hast keine Angst, was im Falle unserer Halbschwester ein großer Fehler ist. Warum bist du bei Xander?" Ihr Bruder war ihr wichtig, sonst würde sie nicht alles um ihn herum formulieren.

„Ich bin wegen Leandra hier. Die Bücher interessieren mich kein bisschen."

Joe stellte sich aufrecht hin und schritt auf Davin zu. „Warum wegen ihr?", fragte sie prüfend. Sie glaubte ihm nicht.

„Sie ist meine Frau und wir sind durch einen Fluch aneinandergebunden. Selbst wenn ich wollte, könnte ich mich nicht von dieser Gruppe trennen, außer Leandra käme mit." Die Wahrheit so auszusprechen fühlte sich falsch an und doch hatte er die Schmiedin genau da, wo er sie haben wollte. Sie wurde neugieriger.

„Das soll ich dir glauben?"

„Das ist jetzt schon die dritte Frage infolge. Ich bin dran, was kannst du mir über Runa erzählen?“

Die Augen der Schmiedin weiteten sich erschrocken und sie schüttelte verneinend den Kopf. „Das klärst du besser mit meinem Bruder“, entgegnete sie knapp.

Davin nickte. Er hatte zu früh gefragt. Um sie nicht zu verärgern, bohrte er nicht weiter nach.

Schweigend, aber ihn noch immer im Auge behaltend widmete sich Joe wieder ihrer Arbeit.

Davin schnappte sich eins der stumpfen Schwerter aus dem Korb, prüfte es und begann, es zu schleifen. Er fragte Joe nicht, ob er ihr helfen konnte, er tat es einfach.

Über drei Stunden arbeiteten sie Seite an Seite, ohne ein weiteres Wort miteinander zu wechseln. Als es dunkel wurde, beendete Joe das Schweigen: „Du machst das richtig gut“, lobte sie Davin, nachdem sie seine Schleifarbeiten kontrolliert hatte.

Er lachte überrascht. „Das sollte ich wohl können“, bestätigte er und kratzte sich verlegen am Kopf.

Feuerengel

Lachend schlenderten Davin und Joe um das Haus und auf die Feuerstelle zu, an der sich die anderen unterhalten hatten. „... er ist vor Zorn fast explodiert, als der Junge das gute Schwert vor lauter Übermut im Meer versenkt hat." Davin machte eine winkende Handbewegung und Joe hielt sich den Bauch vor lauter Lachen.

Die Gefährten unterbrachen ihre Gespräche und schauten die beiden fröhlich gestimmten Menschen an. Leandra saß nicht bei ihnen.

„Da brat mir doch einer einen Storch", murmelte Taras.

„Ich muss in den Waschraum, ich danke dir für deine Hilfe und netten Geschichten", verabschiedete sich Joe und huschte durch den Hintereingang ins Innere ihres Hauses.

„Es war mir eine Freude, Jolene“, rief er ihr hinterher und damit waren ihm alle Blicke gewiss.

„Jolene?!“ Taras starrte mit hochgezogener Augenbraue zu Xander.

„Junge, was hast du gemacht? Niemand nennt sie so. Sie hasst ihren Namen.“ Xander staunte. Anhand seiner krausen Stirn erkannte Davin, dass er wirklich überrascht war.

„Verstehe ich nicht, Jolene klingt so viel schöner als Joe“, entgegnete er und setzte sich an das Feuer, über dem das Fleisch verführerisch duftete.

„Bei was hast du ihr geholfen?“, fragte Brian und legte kleine Stücke Holz nach.

„Ich habe die Schwerter und Dolche geschliffen“, erklärte er.

Taras bekam den Mund nicht mehr zu.

„Sie ist eine bezaubernde Frau, du musst stolz auf deine Schwester sein“, versuchte er, das Gespräch zu beenden und presste den Kiefer aufeinander.

„Wir reden hier doch alle von derselben Person oder habe ich was verpasst?“, fragte Taras und schaute auf die Tür, durch die Joe eben verschwunden war.

„Ich glaube schon“, stammelte Xander und bot Davin einen Becher mit Wein an, den er dankend entgegennahm. Jolene war in seinen Augen wirklich eine umgängliche Person, mit der man sich nett unterhalten konnte. Er wollte ihr Vertrauen gewinnen und das funktionierte nur, wenn er sich mit ihr anfreundete.

Xander und Taras hatten lange genug geschwiegen und Davin bezweifelte, dass sich daran etwas ändern würde. Ihre einzige Chance, an Informationen ranzukommen, war Joe.

„Ich schaue kurz nach Leandra.“

„Das habe ich eben getan, sie schläft friedlich. Ich hätte da allerdings noch ein paar Fragen.“ Davin wurde von Taras ins Kreuzverhör genommen, da dieser noch immer keine Erklärung für Joes Verhalten hatte.

„Du hast ihr aber nicht von Liam erzählt, oder?“, fragte Xander nach einer Weile und Davin verneinte.

„Gut.“ Er seufzte laut.

Jolene setzte sich mit nassen Haaren an das Feuer.

Taras musterte sie mit zusammengekniffenen Augen und auch Xander ließ seinen Blick einen Moment länger als nötig auf ihr ruhen.

„Was habe ich verpasst?“, fragte sie vorsichtig in die Runde.

Taras schüttelte nur den Kopf.

„Atara und mein Sohn Liam sind noch am Leben“, platzte es aus Xander heraus.

Joe sagte kein einziges Wort, sie stierte ihren Bruder mit großen Augen an.

„Sie gehören einem Magierzirkel an“, fügte er langsam hinzu. In der Betonung seiner Worte vermutete Davin eine verschlüsselte Botschaft, die Joe jedoch nicht zu verstehen schien. Sie zog die Augenbrauen zusammen und wieder zuckte ihr linkes Augenlid.

Wut kochte in Davin hoch. Erneut versuchte Xander, Informationen zurückzuhalten, doch der Krieger ließ sich nichts anmerken und versuchte, aufmerksam zuzuhören – jede Information konnte wichtig sein. Sein Plan stand schon lange fest. Sobald sie genug Informationen zusammen hätten, würde er das letzte Buch mit Leandra bergen und es zu Liam bringen. Er traute weder Xander noch Taras und was mit Brian und Jerry war, interessierte ihn nicht. Für ihn zählte nur

Leandra und dass sie unbeschadet aus dieser Nummer herauskam.

„Eine Tochter hat er auch", fügte Jerry unbeeindruckt hinzu und bekam für seine Taktlosigkeit einen Tritt von Brian.

Joe linste von ihrem Bruder zu Jerry und wieder zurück.

„Ist alles gut bei dir?", fragte Taras.

„Ich …", begann sie, brach aber abrupt ab und eilte ins Haus.

„Was hat sie denn?", fragte Jerry und schaute Xander an, der ebenfalls ratlos aussah.

„Davin soll nach ihr sehen, er ist doch so dicke mit ihr", schlug Taras vor und grinste spöttisch.

„Ihr geht es gut." Xander winkte ab.

***

„Du bist es?"

Leandra war warm. Prüfend blickte sie sich um. Nicht schon wieder, war ihr erster Gedanke, als sie vor sich einen lichten Wald erblickte. Der Boden war mit hartem Stein gepflastert. Es kam ihr vor, als würde er Hitze abwerfen. Es wurde von Sekunde zu Sekunde wärmer.

„Du bist die Auserwählte!" Die Stimme kam von hinten.

Ohne zu zögern, drehte sich die Kriegerin um und schaute auf einen riesigen Berg. Sie war bereit, würde all ihren Opfern ins Gesicht sehen und ihnen entgegenschreien, dass sie nichts falsch gemacht hatte. Immer wieder war sie solch eine Szene durchgegangen und war gespannt, auf wen sie zuerst treffen würde.

Schweiß stand ihr auf der Stirn. Die Luft war stickig und das Atmen fiel schwer. Sie stolperte einige Schritte zurück, als sie feststellte, dass der Berg vor ihr dicke Rauchwolken ausstieß. Sie stand vor einem aktiven Vulkan.

„Das darf doch nicht wahr sein", sagte sie laut und war erleichtert, dass sie diesmal sprechen konnte.

„Endlich bist du hier." Wieder diese Stimme und sie schien aus dem Inneren des Vulkans zu kommen.

„Wer spricht da?" Leandra konnte nicht fassen, dass sie schon wieder in einem Traum gefangen war. Suchend hielt sie nach allen Seiten Ausschau. Ray musste in der Nähe sein, nur wo.

„Mein Name ist Runa."

...

Leandra schreckte hoch und versuchte, ihre Atmung zu beruhigen. Schon wieder hatte sich jemand in ihren Kopf geschlichen und es war diesmal ganz offensichtlich nicht Ray. Ihr Herz überschlug sich beinahe. Sie setzte sich in Windeseile vom Sofa auf.

Es musste spät am Abend sein, denn draußen war es dunkel und Kerzen erhellten den Raum.

„Geht es dir gut?", fragte Taras grinsend und nippte an einer dampfenden Tasse, die er in den Händen hielt.

„Ob es mir gut geht? Ich wurde gegen meinen Willen betäubt!", entfuhr es ihr laut. Zumindest nahm sie dies an, so schnell wie sie nach der Tasse Tee eingeschlafen war. Ihre Erinnerungen kamen zurück und sie ärgerte sich, nicht auf Taras gehört zu haben. Sie wollte hier weg. Am besten jetzt gleich.

Ihr Herz raste. Niemandem konnte sie trauen und doch musste sie mit ihnen zusammenarbeiten. „Jeder versucht, mich zu steuern", stieß sie genervt hervor.

Brian betrat den Raum.

„Menschen betäuben mich, wenn ihnen danach ist, schreiben mir vor, wann ich was zu tun habe. Oder besuchen mich in meinem Kopf, wie es ihnen beliebt!“ Ihre Hände zitterten und sie musste ihrem Unmut freien Lauf lassen, sonst würde sie vor Zorn platzen.

„Einigen scheint es zu gefallen, wenn sie sich in ihren Kopf setzen“, murmelte Brian und lümmelte sich auf den Sessel.

Leandra verstand nicht, worauf er hinauswollte. Sie klagte ihr Leid und er lenkte das Thema um. Wut kam in ihr auf.

„Was genau meinst du?“, wollte Xander wissen. Die Kriegerin hatte ihren ehemaligen Meister nicht gesehen. Er saß an der hintersten Ecke des Tisches und studierte eine Karte im lauen Kerzenlicht.

„Deine Schwester erzählt Davin oben eine Kindheitsanekdote nach der anderen, während er ihr mittels Hokuspokus-Trick seine Erlebnisse schickt“, berichtete Brian.

Xander wie auch Taras stierten ihn überrascht an.

Leandra allerdings zog sich der Magen zusammen. Davin bekam schon einen Nervenzusammenbruch, wenn man das Wort Magie nur in den Mund nahm, und bei ihr wendete er sie an?

„Wir reden von Joe? Jolene, die niemandem vertraut und niemanden an sich ranlässt?“, fragte Taras mit Nachdruck.

Doch Leandra fand die Tatsache mit Davin bedeutend interessanter.

„Dich lässt keiner freiwillig an sich ran!“

Joe und Davin betraten das Zimmer und somit waren alle bis auf Jerry an einem Ort.

„Was stimmt denn nicht mit dir? Wir haben uns nur nett unterhalten“, richtete sich Davin an Brian, der das Thema angesprochen hatte. Sie hatten dem Gespräch wohl schon seit der ersten Minute gelauscht.

„Sie ist niemals nett!“, sagte Taras ernst und deutete auf die Schmiedin.

„Ich habe oben drei Zimmer, in die ihr euch verteilen könnt.“ Sie ging erst gar nicht auf Taras' Sticheleien ein.

„Du hast mich betäubt“, warf Leandra ihr jetzt vor, weil sie sich nicht einfach übergehen lassen wollte.

„Du meintest, du brauchtest Ruhe und ich habe sie dir ermöglicht. Sind deine Wehwehchen besser?“

Das war nie Leandras Aussage gewesen! Die Wut wurde stärker, weil Joe versuchte, ihr Worte in den Mund zu legen, um ihre Taten zu rechtfertigen. Sie stellte sich auf und stellte überraschend fest, dass ihr Muskelkater verschwunden war.

„Wie weit ist denn dieser Vulkan von hier weg?“, lenkte Xander jetzt das Thema um.

Die Kriegerin überlegte, ob sie ihn zurechtweisen sollte, sie war es leid, immer übergangen zu werden.

„Drei Tagesreisen, wenn man läuft“, sagte Joe und trank einen Schluck Wasser.

„Was willst du denn dort?“, fragte Brian.

Es wäre die perfekte Möglichkeit gewesen, von ihrem Traum zu berichten und die anderen einzuweihen, doch sie behielt es für sich.

Xander wusste vermutlich mehr, als er zugab, sonst hätte er sich nicht genau über diesen Ort erkundigt, der in ihrem Traum erschienen war. Immerhin hatte er ihnen auch verheimlicht, mit der Magierin verwandt zu sein. Die Stimme hatte sich mit Runa vorgestellt und es konnte sich hierbei einzig und allein um die Zwillingsschwester des Magiers handeln.

Wieder eine Erkenntnis, dass sich Xander nicht geändert hatte, und ihr Dinge vorenthielt. Ihr Entschluss war gefasst. Sie würde noch heute Nacht Davin davon überzeugen, sich allein auf die Suche des letzten Buches zu begeben. Wenn der Ringfluch nicht wäre, würde sie ihn nicht einmal mitnehmen.

„Der Vulkan ist nicht aktiv, vielleicht sollten wir ihn näher betrachten", gab der alte Meister zu bedenken.

Es war eine Möglichkeit, aber am heutigen Abend wollten alle nur noch ins Bett. Morgen konnten neue Pläne geschmiedet werden.

„Was ist das zwischen Joe und dir?", fragte Leandra Davin, nachdem sie es sich auf einem Kissenlager in einem von Joes oberen Zimmern bequem gemacht hatten. Der Raum war eng und ungemütlich.

Der Krieger schaute Leandra überrascht an und nahm seinen Waffengürtel ab. Aus dem Nachbarzimmer hörten sie Jerry und Brian sprechen.

„Ich weiß nicht, was du meinst", gestand er und legte eine Hand an Leandras Kinn.

Sie zuckte zurück, weil sie einen stechenden Schmerz erwartet hatte, doch dieser blieb aus. Prüfend tastete sie nach der Stelle, die Taras genäht hatte, doch sie war beinahe verheilt.

„Was hat diese Hexe mir nur eingeflößt", schimpfte sie und erfühlte und zerschnitt mit ihrem Dolch die Fäden, mit der die Wunde verheilen sollte. Mit einem leisen Fluchen zog sie sie aus der Haut.

„Sie sollte uns diese Kräuter, die sie dir verabreicht hat, mitgeben, das ist ja unglaublich", murmelte Davin und erntete einen genervten Blick.

„Nein, nicht unglaublich, sondern Magie!"

„Jolene kann ni-"

„Jolene … Niemand nennt sie so. Was ist passiert, als sie mich betäubt hat?"

„Nichts ist passiert. Ich versuche, ihr Vertrauen zu gewinnen, um an Informationen zu kommen“, erklärte er sich und stieß fest den Atem aus.

Die Kriegerin hatte keine Lust auf unnötige Diskussionen, doch das Thema mit seiner Magie musste sie noch klären. Er sollte ihr helfen, andere aus ihrem Kopf auszuschließen. Sie war es leid, solchen Träumen ausgesetzt zu sein.

„Brian meinte, du könntest probieren, meine Gedanken zu blockieren, damit kein anderer sie steuern kann.“ Ob das die richtige Formulierung war, wusste sie nicht, doch sie war sich sicher, dass er wusste, worauf sie hinauswollte. Nervös wickelte sie eine Haarsträhne um ihren Zeigefinger.

„Leandra, ich bin kein Magier“, entgegnete er genervt und legte sich auf das Kissenlager.

„Wenn man es genau nimmt –“

„Ich will mit diesem Hokuspokus nichts zu tun haben“, unterbrach er sie forsch und presste seinen Kiefer aufeinander.

„Oh, dann war das vorhin bei Joe mit deiner Gedankenübertragung sicherlich aus Versehen“, grummelte Leandra lauter als beabsichtigt und legte sich zu ihm. Sie war topfit und würde sicherlich kein Auge zubekommen, doch wie ein aufgescheuchtes Hühnchen hier herumzuwandern ergab auch keinen Sinn.

Davin stieß genervt die Luft aus. „Ernsthaft? Ist das jetzt so eine Art Eifersuchtsnummer?“

Was?! Das interpretierte er aus ihren Worten? „Warum willst du es denn nicht versuchen? Warum weigerst du dich, diese Gabe zu nutzen?“ Ihre Gesichter waren nur wenige Zentimeter voneinander entfernt.

„Weil das größenwahnsinnig macht! Schau dir Tim an. Oder unsere alte Freundin Lexi. Auch Liam ist ein seltsamer Kauz. Ich bin mir nicht sicher, ob er wirklich so ist, wie er tut. Ich habe Nachforschungen angestellt. Er hat eine Statue von dir anfertigen lassen."

Leandra zog eine Augenbraue nach oben. Diese Information war keine neue, nur dass es nicht Liam gewesen war.

„Das war Atara und nicht er. Sie halten das alles, was hier passiert, für einen wichtigen Punkt unserer Geschichte. Er hat sie mir gezeigt."

„Ja genau, so wird das sein."

Leandra drehte ihm den Rücken zu und sagte nichts mehr. Jetzt mit ihm zu diskutieren war sinnlos.

Warum nur wehrte er sich so gegen seine Gabe? Die junge Kriegerin wollte es nicht verstehen. Er war vielleicht der Einzige, der ihr helfen konnte.

Grüße N

Als Leandra aufwachte, war sie allein in dem kleinen Zimmer. Sie war, ohne es zu merken, eingenickt. Regen prasselte an die Scheibe. Es war dunkel draußen, es musste noch recht früh sein.

Das Zimmer, in dem sie mit Davin untergekommen war, diente Joe wohl als Lagerraum für Dokumente ihres Geschäfts. Gestern Abend war es zu spät gewesen, um etwas zu erkennen, und interessiert hatte es die Kriegerin auch nicht.

In hohen Kisten stapelten sich unzählige Dokumente und Papiere. Leandra schaute sich einige an. Es waren Rechnungen. Joe war eine beliebte Waffenschmiedin, wie es aussah.

Sie schlurfte auf das Fenster zu, das Ausblick auf die Rückseite des Hauses bot. Der Regen war stark und es stürmte heftig. Die Bäume, die um das Haus standen, bogen sich in alle Richtungen.

„Der Tag fängt schon mies an, was?" Brian betrat das Zimmer. Er wirkte müde.

„Das Wetter passt zu meiner Stimmung", antwortete Leandra und fuhr sich über die Oberarme. Kälte breitete sich in ihr aus, von der sie nicht wusste, woher sie kam.

„Die Wände hier in dem Haus sind sehr dünn, wir haben euer Gespräch gestern Abend zum Teil mitbekommen. Er wird dir nicht helfen, habe ich recht?"

Leandra schüttelte den Kopf.

„Ich finde das genauso unheimlich wie du und echt schade, dass er dir nicht helfen will", murmelte er und trat einen Schritt auf sie zu. „Hör zu, Leandra, ich möchte, dass du weißt, dass egal, was zwischen uns falsch gelaufen oder passiert ist, ich trotzdem immer für dich da sein werde."

Es waren gut gemeinte Worte und doch lösten sie in Leandra nur Unbehagen aus. Sie wollte die Suche nach dem letzten Buch allein erledigen. Auch wenn Brian nichts für die gegenwärtigen Umstände konnte, wollte sie ihn nicht dabeihaben. Sie würde Davin noch heute einweihen.

Ein lautes Klirren war zu hören. Es musste von draußen kommen. Zwei vermummte Gestalten schlugen mit Schwertern aufeinander ein.

„Wer ist das?", fragte Leandra und drückte sich näher an die Scheibe.

Die beiden waren fast gleich groß und wirkten gleich stark. Es war ein ausgeglichener Kampf.

„Das sind Xander und Davin", stellte Brian fest.

Der Regen hatte die Mäntel der Männer völlig durchnässt und der Schlamm unter ihren Füßen ließ sie immer wieder wegrutschen. Laut prallten die Schwerter aufeinander und beide versuchten, den jeweils anderen zu entwaffnen.

Mittlerweile hatte Leandra erkannt, wer sich unter welchem Mantel verbarg und beobachtete interessiert das Kampfgeschehen.

Davin holte aus und ließ sein Schwert mit einer beachtlichen Schnelligkeit auf Xander zu rasen, dieser wich in letzter Sekunde aus, bevor ihn das Schwert an der Schulter hätte treffen können.

Der alte Meister hielt einen Moment inne. Etwas schien seine Aufmerksamkeit auf sich zu ziehen. Davin zog sich die Kapuze vom Kopf und schaute jetzt in einen der Bäume in der Nähe des Hauses.

„Was ist da?" Auch Brian versuchte, den Grund der Unterbrechung auszumachen.

Leandra erkannte nichts, also beschloss sie, nach unten zu laufen. Taras und Joe saßen sich am Tisch gegenüber. Sie zeichnete etwas auf ein Blatt Papier und er las in einem Buch.

„Guten Morgen", flötete Joe, doch Leandra ignorierte sie.

Zum einen war sie noch immer sauer und zum anderen wollte sie wissen, was dort draußen los war. Sie stürmte durch den Wohnraum und geradewegs auf die Terrassentür zu.

Davin und Xander waren einige Schritte zurückgegangen, um die Baumspitze besser im Blick zu haben.

„Was ist?", fragte Taras.

Davin warf dem ehemaligen Meister sein Schwert zu und sprang mit Anlauf auf den Baum zu, um sich gekonnt an den Ästen hochzuziehen. Brian trat ins Freie und kletterte nach einem kurzen Gespräch mit Xander auf einen der Äste zu, um Davin zu folgen. Der Baum war hoch und dicht bewachsen. Von Leandras Position aus erkannte sie nichts, sie hatte allerdings keine Lust, sich den beiden anzuschließen, daher wartete sie im Trockenen.

Xander trat wieder einige Schritte an den Baum heran und streckte die Arme nach oben.

„Ein Sack?“, murmelte Leandra.

Jemand stand auf und Taras ging an ihr vorbei vor die Tür, um mit Xander den großen Sack entgegenzunehmen. Mühsam trugen sie den schweren Fund ins Haus. Ein leises Stöhnen war zu hören. Er bewegte sich.

„Xander, was ist das?“, fragte Joe und stellte sich neben Taras, der sein Schwert gezogen hatte, um sofort eingreifen zu können, falls dort etwas drin sein sollte, was ihnen nicht gefiel.

Davin schnitt den Sack der Länge nach auf. Sofort hielten sich alle die Hand vor Nase und Mund. Der Gestank war nicht auszuhalten.

„Was zum …“ Brian trat einen Schritt zurück und Joe rückte schutzsuchend an Taras heran.

Xander kniff die Augen zusammen und hob mit seinem Schwert den aufgeschnittenen Stoff an. Was sich den Gefährten jetzt zeigte, war ein Bild des Grauens! Ein blutüberströmter Mann lag darin. Er lebte. Voraussichtlich nicht mehr lange, aber er tat es. Sein Körper war mit Schnitten und klaffenden Wunden übersät.

„Vater!“ Xander riss den Sack auf.

Joe stieß einen spitzen Schrei aus und mit angstverzerrtem Gesicht drückte sie sich an Taras, der schützend eine Hand um sie legte.

Xander beugte sich zu dem Mann und hob dessen Kopf an. „Wer hat dir das angetan?“ Seine Stimme klang wütend. Er wusste genau wie alle anderen, dass sie nichts mehr für den Mann tun konnten. Ein Röcheln entkam der Kehle des Sterbenden, doch sagen konnte er nichts.

„Vater, wer war das?“ Xander hob ihn weiter an und versuchte, ihn zum Sprechen zu bewegen.

Die fast schon trüben Augen des Mannes stierten seinen Sohn an und ein kleines Lächeln zauberte sich auf den Mund. „Du … bist … hier …“, formten seine Lippen.

Xander nickte eifrig. „Ja, das bin ich.“

Joe kniete sich zu ihrem Bruder und umfasste die Hand des Mannes. Ihr Gesicht war tränennass und sie zitterte.

„Joe …“

Sie nickte bitter lächelnd. Sie wollte tapfer sein und Leandra bewunderte sie für ihre Ruhe, um dem Mann ein paar letzte friedliche Minuten zu schenken. Die Kriegerin selbst war innerlich völlig aufgewühlt und ihr Herz schlug in einem ungesunden Rhythmus. Wer tat einem alten Mann so etwas an?

Noch einmal fiel ihr Blick auf den Mann und den zerschnittenen Sack. Erst jetzt bemerkte sie das Schwert, das auf dem Stoff abgebildet war. Vielleicht konnte sie damit den Schuldigen überführen. „Schau mal, vielleicht finden wir hiermit heraus, wer hinter der Tat steckt.“

Xander zog die Augenbrauen zusammen. „Das ist ein Schmutzfleck“, entgegnete er und rubbelte mit den Fingern an der Stelle, an der Leandra eindeutig das gemalte Schwert erkannte.

Sie zog die Stirn in Falten und lugte zu Davin, der sie interessiert musterte. Seinem Gesichtsausdruck nach zu urteilen war genau das wieder der Fall. Noch einmal taxierte sie den Sack und dann fiel ihr etwas anderes ins Auge.

„Sind das Buchstaben?“ Leandra zeigte auf den Oberkörper des Mannes. Langsam schob sie die Fetzen, die einmal sein Hemd waren, an die Seite. Sie war gespannt, ob die anderen sie auch sahen.

Xander kniff die Augen zusammen.

Im Ofen. N

Mit einem Blick zu Joe stand er auf.

Leandra entnahm seinem Blick, dass er genau wusste, wessen Handschrift das war.

„Das war Nora“, murmelte er.

Joe schüttelte den Kopf. „Wir sind tot!“, sagte sie und drohte umzufallen.

Taras fing die sonst so taffe Schmiedin auf und half ihr, sich aufs Sofa zu setzen.

„Das hier“, Davin zeigte auf den röchelnden Mann, „war die Schwester, von der du mir erzählt hast?“

Aus Nase, Mund und Augen des Mannes trat Blut hervor. „Xander“, spuckte er mit letzter Kraft aus.

Sein Sohn schien zu verstehen, was er von ihm wollte.

Er hob sein Schwert, schloss die Augen und mit einem tiefen Seufzer stieß er es in die Brust des Mannes.

Joe zuckte zusammen und dicke Tränen liefen ihr lautlos die Wangen hinunter.

Leandras Magen zog sich zusammen und machte unschöne Geräusche. Sie wusste nichts von Xanders Familiengeschichte, doch dass seine Schwester den eigenen Vater so zugerichtet hatte, war krank.

„Wo ist Jerry?“, fragte Davin.

„Vorhin, als ich aufgestanden bin, lag er im Bett“, sagte dieser und stürmte aus dem Zimmer und die Treppe zu den Schlafräumen hinauf.

Xander forderte Davin auf, den Leichnam vor die Tür zu schaffen.

„Es tut mir leid“, sagte Taras zu Joe und diese schaute ihn mit verweinten Augen an.

„Lass das –“

„Nein, wirklich, Jolene! Ich meine das ernst.“

„Er ist weg!“ Brian sprang die Treppe hinunter und hielt einen Brief in der Hand.

Liebe, Hiebe, Heiterkeit, Mama weint und Papa schreit. Liebe, Triebe, helle Kerzen, Mama leidet, Papa hat starke Schmerzen. Liebe, Diebe, Kinderlein, leiden müssen sie, so ist es fein! N

Leandra verstand kein Wort und gab den Brief an Xander weiter, der gerade wieder mit Davin zurückkam.

Er las den Brief. Sie sah in seinen lilafarbenen Augen die Beunruhigung. „Verdammt“, brummte Xander. Mit festen Schritten eilte er aus dem Haus und direkt auf Joes Schmiedeofen zu.

Leandra folgte ihm. Der Ofen war offen, sodass man direkt in sein Inneres hineinschauen konnte. Joe hatte ihn noch nicht angefeuert. Lange suchen musste der ehemalige Meister nicht, denn die Nachricht sprang ihn förmlich an.

Ein Totenschädel mit Diadem auf dem Kopf lag mitten in der erkalteten Asche. Zwischen den noch vorhandenen Zähnen klemmte ein Brief.

Nein, du bist dafür zu klein, das hört nicht gern das Kindlein. „Ich werde euch zeigen, dass ich es auch allein kann." Mutig war sie, bis der böse Mann kam. Prinzessin sein, das ist nicht leicht, dann war da noch der große Teich … N

Leandra fuhr es durch Mark und Bein. Was passierte hier? Diese Geschichte passte zu der von Taras' kleinen Schwester. Sie war damals allein zum Kelpiesee aufgebrochen und nicht wieder zurückgekehrt. War es möglich, dass dies ihr Schädel war?

„Es ist ihr Diadem …" Taras' Stimme war leise, doch gefasst. Er stand hinter Leandra und eine Gänsehaut breitete sich auf ihrem Körper aus.

„Ich schwöre dir, wenn sie etwas damit zu tun hat –"

„Wir müssen Jerry finden", unterbrach Taras seinen Freund und steckte das Diadem in die Tasche.

Schalter um, Gefühle aus, dachte sich Leandra und suchte in Taras' Blick vergeblich nach Trauer.

„Was ist das für ein krankes Spiel?", mischte sich nun Brian ein und hielt sein Schwert fest umgriffen.

„Die anderen beiden Briefe hatten Hinweise, dieser nicht", sagte Xander, der tatsächlich ein Spiel zu erkennen schien.

Er gab ihn Taras. Dieser entfaltete und überflog ihn schnell. Leandra fühlte sich nicht wohl bei dem Gedanken, den Hinweisen zu folgen, doch sie mussten Jerry retten, wer wusste schon, was diese Verrückte ihm antat.

„Hinweise auf den nächsten Ort …", murmelte Taras, „vielleicht müssen wir zu einem Teich."

„Wir fragen Joe."

Die Schmiedin saß mit angewinkelten Beinen auf einem der Sofas und schniefte in ein Tuch.

„Gibt es hier in der Nähe einen Teich?“, fragte Xander. Es war faszinierend, wie dieser Mann funktionierte. Er hatte das Ziel vor Augen, ihren Kameraden zu retten, und blendete alles andere aus.

„Ein Stück in den Wald hinein, Richtung Hafen, an dem ihr angekommen seid“, sagte sie knapp.

„Sachen packen, wir brechen auf“, befahl der ehemalige Meister.

Keiner hinterfragte die Anweisung und alle bis auf Joe verschwanden, um ihre Taschen zu holen.

„Was denkst du, was hier vor sich geht?“, fragte Leandra an Davin gerichtet, der sich zusätzliche Dolche an die Schlaufen an seinem Stiefel befestigte.

„Ich habe keine Ahnung, aber diese Person scheint sehr grausam und gut informiert zu sein“, stellte der Krieger fest. „Du hast wieder ein Bild gesehen, stimmt's?“

Leandra nickte, doch ihre Gedanken galten Jerry. „Ich hoffe, wir finden Jerry lebend“, murmelte sie.

„Ich frage mich, warum sie es auf ihn abgesehen hat und ob Ullrich oder Tim ihre Finger im Spiel haben.“

Leandra dachte über seine Worte nach. Was hätten sie davon, Jerry zu entführen?

„Hör zu“, begann Davin und griff nach Leandras Händen, „ich glaube, Jerry ist nur eine Finte. Sie haben es auf dich abgesehen. Ich werde nicht zulassen, dass dir etwas passiert.“

Ein wohliger Schauer durchfuhr Leandras Unterleib und sie spürte, wie Hitze ihre Wangen flutete. „Ich würde das letzte Buch gern allein mit dir suchen.“

Davin nickte kaum merklich und hauchte ihr einen sanften Kuss auf die Stirn. „Dann machen wir das so.“

Leandra wollte ihn küssen oder in den Arm nehmen, doch er zog sie sanft aus dem Zimmer und mit sich die Treppe hinunter. Sie mussten sich beeilen.

„Xander, das ist Wahnsinn. Nora wird euch einen nach dem anderen umbringen. Die Großmeister werden sie beauftragt haben!" Joes Stimme bebte.

Doch ihr Bruder steckte sich ein zweites Schwert an den Gürtel und richtete sich in voller Größe auf. „Nora ist gut, doch ich bin besser", sagte er mit einem Augenzwinkern.

„Es ist mein Ernst! Xander, das ist kein Spiel. Wenn wir auf ihrer Liste stehen, ist es vorbei."

Er drückte Joe fest an sich und holte tief Luft. „Komm mit uns, Joe, nur so lange, bis wir Nora haben."

Leandra hielt das nicht für die beste Idee. Sie glaubte nicht, dass Jolene kämpfen konnte. Hier war sie sicherlich besser aufgehoben und würde sie bei ihrer Arbeit nicht behindern.

„Bloß nicht! Sie macht uns nur unnötig das Leben zur Hölle!", fauchte Taras und hatte seine alte Feindseligkeit wiedergefunden.

„Warst du es nicht, der sich vorhin schützend vor sie gestellt hat?", fragte Davin jetzt schmunzelnd.

„Nein, er hat sie schützend in den Arm genommen", korrigierte Leandra und sah Unbehagen in Taras aufkommen.

„Wir müssen los, noch besteht die Chance, dass Jerry lebt", lenkte Taras das Thema um.

„Ich finde allerdings, dass Xander recht hat. Hier allein in deinem Haus ist es viel zu gefährlich für dich. Begleite uns, bis wir wissen, auf was es Nora wirklich abgesehen hat."

Jolene musterte Davin einen Augenblick. Sie schien ihre Optionen abzuwägen. „Ich kann gut auf mich allein aufpassen", sagte sie abschließend.

„Gut, das wäre geklärt, wir brechen auf! Danke für deine Gastfreundschaft und bis bald!", verabschiedete sich

Taras und drückte Xander seine Tasche, die er von oben mit runtergebracht hatte, in die Hand. Er lief heute deutlich besser als die letzten Tage und doch war er nicht fit.

„Begleite uns wenigstens bis zum Teich", schlug Brian vor.

Leandra wurde ungeduldig.

Wieder dachte die Schmiedin über die Worte nach und zog den Aufbruch unnötig in die Länge.

„Nur wenn der mir nicht noch mal zu nahe kommt", sagte Jolene, zeigte auf Taras und warf sich einen Mantel über.

Na endlich!

Der Weg war eine Katastrophe. Es regnete und stürmte wie zuletzt auf dem Schiff. Knöchelhoch wateten sie durch Matsch und Schlamm.

Leandra machte sich Sorgen um ihren Kameraden. Warum hatte Xanders Schwester es auf Jerry abgesehen? Steckte sie mit Tim unter einer Decke? Aber warum dann Jerry und nicht sie? Ihr Herz schlug schneller und sie machte sich Gedanken, was diese Frau mit ihrem Kameraden anstellte. Wurde er vielleicht gerade gefoltert, um Informationen preiszugeben? Aber wenn ja, welche? Sie hatte noch immer keine Gelegenheit gehabt, sich mit dem Rätsel der Schlüssel zu beschäftigen.

Klitschnass stand Leandra im Schlick, als sie plötzlich abbremsen musste. Brian war stehen geblieben und mit ihm alle anderen.

Der Tümpel entsprach genau der Vorstellung der Kriegerin. Alles wirkte düster und grau. Die knorrigen Bäume trugen keine Blätter und die braune Brühe stank nach verrotteter Wildnis.

Bitte lass Jerry nicht in diesem Gewässer sein!

Auf den ersten Blick erkannte Leandra niemanden an oder um den Tümpel herum. Davin schnalzte mit der Zunge und nachdem auch Xander ein Zischen ausstieß, folgte Leandra ihren Blicken. An dem Stamm, der waagerecht über den Tümpel gewachsen war, war ein Mensch angebracht. Die langen Haare hingen in nassen Strähnen vom Kopf.

„Es ist nicht Jerry!“, murmelte Brian.

Der Boden war glitschig. Leandra rutschte aus und fing sich in letzter Sekunde an Davin ab.

Seine Kleidung war wie ihre völlig durchtränkt. So schnell es den Gefährten möglich war, staksten sie durch die Schlicke, die mit jedem Schritt schmatzende Geräusche von sich gab. Wieder rutschte die Kriegerin aus und fand diesmal Halt an einem moosbewachsenen Baumstumpf. Sie fuhr sich über die Augen, in der Hoffnung die regenverschleierte Sicht zu bessern, doch es war aussichtslos. Sie trat näher an den Mast, um besser sehen zu können. „Brian … Das ist Melissa“, stellte Leandra geschockt fest und zeigte auf die bewusstlose Person. Wieso, um Himmels willen, war dort die junge Frau aus Brians Kindertagen angebunden?

Davin und Taras umrundeten den Tümpel, um zu sehen, ob sich jemand in der Nähe aufhielt. Brian, Xander und Leandra stapften durch den knöchelhohen Schlamm auf die junge Frau zu, der Blut vom Körper tropfte.

Melissa hatte eine offene Wunde an der Schläfe und ihr Hals zeigte bläuliche Verfärbungen, als hätte sie jemand gewürgt. Das gelbe Kleid, das sie trug, war schmutzig und zerrissen.

„Was soll das?“, fragte Brian und begann, sich am Stamm hochzuhangeln, um an die Fesseln zu kommen. Da das Holzungetüm schräg über die stinkige Brühe gewachsen war, musste Brian aufpassen, nicht abzurutschen. Ein Fehltritt und er würde baden gehen.

Leandra trat neben Xander, um Melissa mit ihm aufzufangen.

„Das ist schlimmer als jede Horrorgeschichte“, stellte Joe fest und schaute sich zu allen Seiten ängstlich um.

„Sie lebt“, rief Brian und durchtrennte erst die Seile an den Füßen, die sofort nach vorn fielen. Der Körper baumelte jetzt bedrohlich über dem Teich.

Brian durchschnitt ein weiteres Seil. Ein lautes Knacken war zu hören, als der schlaffe Körper nach vorn flog und über dem braunen Wasser baumelte.

„Sie wird in den Tümpel fallen“, prophezeite Leandra.

Taras hatte die rettende Lösung. Er würde Davin auf die Schultern nehmen und dieser sollte versuchen, die junge Frau an den Beinen Richtung Land zu schleudern, sobald Brian die Fesseln löste.

„Das wird nicht klappen“, sagte Joe und zog die Augenbrauen zusammen. Leandra befürchtete, dass sie damit richtiglag, wollte jedoch nicht widersprechen.

Taras und Davin positionierten sich und Xander und Leandra stellten sich an die Stelle, an der gleich Melissa landen sollte.

Brian löste die Fesseln und dann passierte alles fürchterlich schnell. Davin packte die Beine der zierlichen Frau und schleuderte sie mit Schwung auf Xander und Leandra zu. Die beiden griffen nach den herunterbaumelnden Armen und zogen sie zu sich.

Mit einem dumpfen Aufschlag landeten die drei im Matsch. Leandra drehte Melissa sofort auf den Rücken. „Melissa! Hörst du mich?“, rief Leandra und entdeckte erst jetzt den Zettel in ihrem Mund. Vorsichtig zog sie ihn heraus und gab ihn an Xander weiter.

„Jeder hat eine Vergangenheit, des einen Freud, des andern Leid. Verliebt, verlobt, verheiratet. Weggeworfen wie einen gebrauchten Gegenstand. Als Nächstes müsst ihr suchen im nassen Sand, N." Xander hatte den Brief laut vorgelesen und beugte sich jetzt zu Melissa.

„Mir gefällt dieses Spiel nicht!", knurrte Brian und schulterte die bewusstlose junge Frau.

„Will er sie jetzt den ganzen Weg ins Dorf tragen?", fragte Joe an Davin gerichtet.

„Wir werden uns abwechseln", antwortete er und richtete seinen Blick auf Leandra.

Sie hielt sich aus dem Gespräch raus und musterte den erschlafften Körper, der über Brians Schulter baumelte.

„Unser Vater ... Taras' Schwester ...", murmelte Joe und lief neben Davin her. Sie sprach nicht direkt mit einem der Krieger, doch sie hörten ihr zu. „Ich meine ... Könnte es nicht sein, dass jeder von uns einen geliebten Menschen vorgesetzt bekommt?"

„Ich glaube nicht, dass Brian dieses Mädchen liebt", erklärte Davin knapp und lugte verstohlen zu Leandra.

Erwartete er jetzt eine Reaktion von ihr? Sie würde sicherlich nichts über Brians Vergangenheit erzählen. Und Joes Theorie gefiel ihr nicht.

„Vielleicht hatte er mal eine besondere Bindung zu ihr?", überlegte Joe laut.

„Wenn deine Theorie stimmt, dann fehlen jetzt noch Leandra, Xander und ich", schlussfolgerte Davin und Leandra zog scharf die Luft ein. Mutmaßungen brachten nichts, sie mussten Jerry finden und zwar schnell.

Nora

Auch wenn Jolene es nicht vorgehabt hatte, begleitete sie die Gruppe zu dem Strand, über den sie die Insel betreten hatten.

Leandra blickte sich zu allen Seiten um. Felsen, Steine, Geröll, Sand. Mehr gab es nicht zu sehen. Das Meer war unruhig und schickte hohe Wellen an den Strand. Der Wind pfiff zwischen den wankenden Palmen hindurch und gab dem Ganzen eine gespenstische Atmosphäre.

Von Jerry fehlte jede Spur.

Leandra wischte sich die nassen Strähnen aus dem Gesicht und suchte nach einem Anhaltspunkt. Sie war durchnässt und fror, doch sie würde bis ans Äußerste gehen, um ihren Kameraden aus den Fängen dieser Frau zu befreien.

„Wo sollen wir suchen?", fragte Jolene ihren Bruder und hielt Ausschau. Der Regen wurde langsam weniger.

„Erinnerst du dich an die alte Höhle, in der wir früher immer gespielt haben?", fragte Xander.

Joe schien einen Moment zu überlegen. Sie übernahm die Führung und wanderte voraus. Je näher sie dem feuchten Gestein kamen, desto mehr Unbehagen machte sich in Leandra breit. Es fühlte sich an, als wäre sie schon einmal hier gewesen, doch es war kein entspanntes Gefühl wie *Heimkommen*, sondern eher Beklemmung wie *Du-bist-hier-nicht-Erwünscht*.

Ein Schauer durchfuhr sie beim Betreten der dunklen Höhle. Es roch nach Meeresluft und war unangenehm feucht. Licht fiel nur durch einen kleinen Spalt im Gestein und reichte gerade dazu aus, um sich einen groben Überblick zu verschaffen.

Xander und Davin gingen umgehend alle Wände ab, während sich Brian mit Melissa auf dem Arm auf einen Stein setzte und sich Taras zu ihnen gesellte. Der Krieger hatte bisher gut durchgehalten, aber jetzt schienen ihn seine alten Wunden zu schaffen zu machen.

Joe nahm sich der bewusstlosen Frau an.

Sie konnten sich keine Pause erlauben, doch Leandra wollte die anderen nicht zur Rede stellen, suchte selbst die Felswände ab. Ihre Kehle war wie zugeschnürt, was einerseits an der stickigen Luft liegen konnte oder andererseits an der Hetzjagd, der sie nachgingen.

Ein weißer Fleck erregte ihre Aufmerksamkeit. Sie trat näher darauf zu. *Was ist das?* Die Bilder einer ihrer Visionen kamen ihr in den Kopf. *Die Höhle, der kleine Junge, die verkorkte Flasche …* War sie etwa in der Höhle aus ihren

Visionen? War das die Höhle, in der Rays Seele aufbewahrt worden war? Die Kriegerin konnte es sich beim besten Willen nicht vorstellen. In ihren Träumen war alles viel heller, trockener und doch gab es eine gewisse Ähnlichkeit.

Sie erkannte den Spalt, in den der Mann aus der Vision einen Zettel geschoben hatte. Ihr Herz pochte bis zum Hals und mit zittrigen Fingern kam sie dem Verlangen nach, den Brief herauszuziehen.

Vorsichtig tastete sie sich voran und versuchte, etwas außer Gestein zwischen ihren Fingern zu spüren.

„Hast du etwas gefunden?" Xander hatte sich von hinten genähert und beäugte sie neugierig.

Die Kriegerin tastete den Spalt ab, fand jedoch nichts.

„Nein, ich dachte, dort könnte ein Hinweis sein", gab sie missmutig zu und zog ihre Hand zurück.

War es möglich, dass man sich so täuschen konnte? Sie war sich so sicher gewesen, dass dies der Ort war, an dem die Prophezeiung versteckt war. Sie stieß genervt die Luft aus und ihr Blick fiel erneut auf den weißen Fleck, der ihre Aufmerksamkeit erregt hatte.

Sind das Ringe? Genau neben dem Spalt waren zwei ineinandergeflochtene Ringe gemalt.

„Was siehst du?", flüsterte Davin. Xander hatte sich zu den anderen gestellt und war außer Hörweite.

„Du siehst es wieder nicht?"

„Ein weißer Fleck", bestätigte er ihre Vermutung.

„Wir sind hier falsch", brummte Xander und stierte aus dem Höhleneingang.

„Im nassen Sand hieß es!" Brian musterte den Untergrund zu seinen Füßen. Doch der Boden war größtenteils aus Stein.

Xander hechtete aus der Höhle und auch Taras und Brian standen auf, um ihm hinterherzulaufen.

„Gibt es hier etwas Ungewöhnliches oder Besonderes, an dem man einen Menschen vergraben kann?“, fragte Davin an Jolene gerichtet.

Auch die beiden verließen den feuchten Raum. Leandra folgte und spürte mit jedem Schritt, den sie aus der Höhle trat, wie sich ihre Lunge öffnete. Zumindest fühlte es sich danach an.

Was war das nur für ein seltsamer Ort?

Xander winkte den Gefährten von einer nahegelegenen Palme zu.

„Dort haben wir immer unsere Schätze vergraben“, sagte Joe beim Laufen.

Ein frisch aufgeschütteter Hügel ließ vermuten, wo sich das nächste Opfer befand. In Windeseile gruben sie, was das Zeug hielt. Ein lebloser Körper kam zum Vorschein, für ihn kam jede Hilfe zu spät.

Die Person, die hier lag, war vom Körperbau her eindeutig ein Mann, doch sein Gesicht war so verdreckt, dass nicht zu erkennen war, um wen es sich handelte.

Vorsichtig wischte Leandra über das Gesicht des Toten und zuckte erschrocken zurück. Eiseskälte schoss ihr durch die Glieder, sie war zu keiner Reaktion fähig. „D-Das ist B-Bastian“, entfuhr es Leandra. Ihre Stimme versagte.

Davin trat gegen die Palme und raufte sich die Haare. Sie starrte auf das blasse Gesicht ihres ehemaligen Kindheitsfreundes. Davin hatte ihr erzählt, dass er seit einiger Zeit wieder Kontakt zu ihm pflegte und ihn unterstützt hatte. Ihr Herz wurde schwer. Sie musste an den kleinen Jungen denken, den sie das letzte Mal bei ihm gesehen hatte.

„Weiter! Wohin müssen wir?“, brüllte Davin. Er war sauer und aufgebracht. Auch Leandra ließ dieser Fund nicht kalt, doch sie zwang sich, Ruhe zu bewahren.

Taras zog einen Zettel aus der Tasche des alten Freundes.

„Zu spät kommen ist schlecht, für manch einen läuft das nicht gerecht! Verliert keine weitere Zeit, ihr habt nur diese eine Gelegenheit. Ticktack, die Turmuhr schlägt bald, das bedeutet für manch einen Gewalt."

Ohne zu zögern, rannte Xander los und der Rest hinterher.

Zu jeder vollen Stunde wurde laut Jolene die Turmuhr geläutet und Leandra vermutete, dass sich dort entweder Jerry befand oder eine andere Überraschung wartete.

Niemals hätte sie es für möglich gehalten, ihren Schalter umzulegen. Sie fühlte keine Traurigkeit: Den Toten konnte sie nicht mehr helfen, Jerry vielleicht schon. Jede Minute zählte und das erste Mal seit ihrer Ausbildung verstand sie Taras und Xander. Sie war so auf die Rettung ihres Kameraden fokussiert, dass sie es schaffte, alles andere auszublenden.

In dem Hafendorf angekommen schlug ihnen der Gestank von Fisch entgegen. Der Turm, an dem das große Ziffernblatt angebracht war, stach direkt ins Auge. Es waren nur noch wenige Minuten zur vollen Stunde.

Leandras Herz raste und sie bündelte ihre letzten Kräfte, um schneller zu laufen.

Davin war der Erste, der am Turm ankam und, ohne zu zögern, riss er die Tür auf und eilte nach oben. Leandra hetzte ihm nach.

In der Mitte auf der Treppe lagen zwei fremde Männer mit aufgeschnittenen Kehlen. Davin achtete nicht auf sie und sprang über die leblosen Körper. Der Turm war hoch und der Krieger unglaublich schnell. Bald hatte er einen großen Vorsprung.

Leandra wusste warum. Wo Leichen lagen und eine Glocke geläutet werden sollte, musste der Mörder in der Nähe sein. Sie behielt recht. Schon bei den letzten Stufen, die sie emporstieg, sah sie die schwarzen Lederstiefel. Ein Dolch flog, der eine Frau direkt in die Wade traf. Kein Zucken, keine Regung, nicht einmal ein Schrei oder Stöhnen. Sie stand in schwarzes Leder gekleidet an einer der mächtigen Glocken.

„Davin, das war jetzt aber nicht nett“, sagte eine tiefe und doch melodische Stimme.

Man hätte denken können, die Frau und der Krieger würden sich schon ewig kennen. Nora achtete nicht auf ihn, sie konzentrierte sich auf die, die hinter ihm heraufkamen.

Ihre langen blonden Haare umrahmten das puppengleiche Gesicht. Die strahlend blauen Augen machten die Täuschung perfekt. Sie sah lieblich und vollkommen unschuldig aus. Ihre schmächtige Statur ließ nicht vermuten, dass sie jemanden überwältigen konnte.

Taras stellte sich zu Davin und auch er staunte nicht schlecht. „Sag mir nicht, dass sie Nora ist“, stammelte Taras und lugte zu Xander, der sich neben ihn gesellte.

„Und ob sie das ist“, murmelte er leise und beobachtete seine Schwester ohne jegliche Gefühlsregung.

„So lang ist es her!“, säuselte die blonde Frau und legte den Kopf schief.

Leandra verließ ihre Position und begab sich neben ihren alten Meister. Umgehend zog sie die Aufmerksamkeit der Blonden auf sich.

„Das ist sie?“, fragte Nora spitz.

„Was ist sie?“ Taras ließ die Frau nicht aus den Augen.

„Ist die süß!“, witzelte Nora und zog sich den Dolch aus der Wade. Ein kleiner Schwall Blut trat hervor und lief den Stiefel hinab. „Das war nicht nett.“

„Das war es nicht“, bestätigte Davin.

„Wer hat dich beauftragt, Nora?“, fragte Xander und ging mit erhobenem Schwert auf seine Schwester zu.

„Ich möchte dem Hübschen kurz seinen Dolch zurückgeben“, entgegnete sie und warf mit einer kaum wahrnehmbaren Schnelligkeit den Dolch Richtung Davin.

Mit einer Handbewegung schlug er das Geschoss zur Seite. Blut tropfte ihm von der Handaußenseite. Er rührte sich nicht. Völlig unbeeindruckt schaute er die grinsende Frau an.

„Der Schönling gefällt mir“, säuselte sie in Xanders Richtung. „Es macht so unfassbar viel Spaß, mit euch zu spielen, aber ich muss meinen Auftrag beenden. Ich tausche die Auserwählte gegen den frechen Rotzer“, schlug sie vor und stierte zu Leandra.

„Wo ist Jerry?“, fragte Taras schroff.

Leandras Hände waren schwitzig und sie umklammerte angespannt ihr Schwert. Natürlich wollte die Verrückte sie!

Nora trat einen Schritt auf das Fenster zu, das einen Blick über das ganze Dorf bot. „Ich habe mich schon gefragt, wie es wohl sein wird, wenn ich nach so langer Zeit auf meinen Bruder treffe …“

„Und wie ist es?“, fragte Xander ungerührt.

„Interessant“, sagte sie knapp.

Die Anspannung war deutlich zu spüren. Nora drehte sich wieder um und musterte Leandra intensiv.

„Was hast du mit ihr vor?“, fragte Xander.

„Ich würde ihr am liebsten ihr hübsches Gesicht zerschneiden, daran hätte ich unfassbar viel Spaß. Allerdings muss ich sie ohne einen Kratzer übergeben. Es wird auch für mich eine neue Erfahrung sein.“

Ihre blauen Augen bohrten sich regelrecht in Leandras Seele. Ihr war nicht wohl in der Gegenwart dieser Frau.

„Wem wirst du sie übergeben?", fragte Taras, als wäre Leandras Auslieferung schon beschlossene Sache.

„Meinem Auftraggeber", sagte sie lachend und ihre Hand glitt in die Innentasche ihrer Jacke.

Umgehend zeigten drei Schwerter auf sie und Taras hatte zusätzlich einen Dolch gezogen.

„Seid ihr immer so nervös?" Sie angelte langsam nach einem Stofftaschentuch. „Hmm, die perfekte Waffe", erklärte sie und schwenkte das weiße Tuch in der Luft, als wollte sie kapitulieren.

Keiner der vier Männer war dumm genug, ihr zu glauben. „Leandra kann nicht mit dir gehen. Sie ist durch einen Fluch an mich gebunden", sagte Davin und zeigte auf seinen Ring am Finger.

„Die Ehe ist wahrlich ein Fluch, aber wie heißt es so schön? Bis dass der Tod uns scheidet? Zufällig ist das mein Fachgebiet!" Die Worte waren noch nicht richtig ausgesprochen, da flogen mit einer schnellen Handbewegung drei Wurfsterne auf Davin zu.

Während des Überraschungsmoments wirbelte sie auf Taras zu, trat sein Schwert weg, wickelte ihm das Stofftuch um den Hals und zog es fest zu. Xander holte mit dem Schwert aus, doch sie war zu schnell. Schützend schob sie Taras vor sich und Xander bremste in letzter Sekunde ab.

„Ich bin beeindruckt!", sagte sie zu ihrem Bruder. „Du hast dein Schwert gut im Griff, jeder andere hätte es nicht mehr zurückziehen können", keuchte sie und schleppte den nach Luft ringenden Taras Richtung Fenster.

Leandra hatte jegliche Chance eines Angriffes verpasst. Noch nie hatte sie jemanden in so einer Schnelligkeit handeln sehen. Das war unglaublich.

„Ich stehe auf echte Männer", flüsterte Nora Taras ins Ohr.

„Lass ihn los!", riet Leandra und trat auf die blonde Frau zu.

Irritiert schaute Nora an Taras runter, als wollte sie seinen Körper analysieren. „Was stimmt nicht mit dir? Ich spüre, dass du nicht im vollen Besitz deiner Kräfte bist. Als wärst du verletzt", murmelte sie und tastete mit einer Hand seinen Körper ab.

„Wie willst du das denn merken?", keuchte er und versuchte, sich aus ihrem Griff zu befreien.

Die Frau war Leandra unheimlich. All ihre Sinne und Muskeln waren angespannt. Sie wusste schon jetzt, dass die Frau ihnen allen überlegen war.

Brian, der mit Melissa und Joe am Eingang des Turmes wartete, wäre sicherlich eine große Hilfe gewesen, doch jetzt mussten sie das Beste aus der Situation machen.

„Du bist geschwächt", flüsterte sie in Taras' Ohr und gluckste auf.

„Nora, lass ihn los!", befahl Xander und schritt mit erhobenem Schwert auf sie zu.

„Er hat so ein hübsches Gesicht", sagte sie wie in Trance und schien sich nur noch auf ihn zu konzentrieren. Mit einer schnellen Drehung wirbelte sie Taras Richtung Fenster.

Er krachte schwungvoll durch die Scheibe und fiel in die Tiefe.

„Taras!" Leandra schrie auf und wollte auf das Fenster zuspringen, doch Davin zog sie zurück.

Xander startete einen Angriff und holte mit dem Schwert zum Schlag aus. Nora war darauf vorbereitet und wich aus.

Davin stieg in Sekundenschnelle in das Kampfgeschehen ein und auch Leandra hatte ihr Schwert gezogen und machte Anstalten, die Frau in Bedrängnis zu bringen.

Nora war wie eine Spinne. Sie rannte, sprang und wich aus, als wäre dies alles nur ein Tanzabenteuer für sie. Mit einem Sprung hinter die große Glocke war sie nicht mehr erreichbar.

„Wir haben ganz vergessen zu läuten", rief sie und setzte das große Metallelement in Bewegung. Die Glocke war riesig und es dauerte einen Augenblick, bis sie in Schwung kam.

Wie viel Kraft kann eine so zierliche Frau aufbringen?

Leandra musste der Glocke ausweichen, so schwungvoll pendelte sie. Der große Klöppel traf auf die Innenwand und durchflutete den Raum mit einem tiefen Ton. Umgehend pressten sich die Umstehenden die Hände auf die Ohren.

Irgendetwas stimmte mit der Glocke nicht, der Klang war dumpf und hallte nicht wie üblich nach.

Etwas oder *jemand* musste in der Glocke stecken. Leandras Gedanken überschlugen sich.

Xander war mit seiner Schwester beschäftigt, sodass er nur Augen für sie hatte und der Glocke keine Beachtung schenkte. Laut und schrill lachend sprang Nora auf diese und schwang mit ihr mit. „Ich wollte schon immer mal auf einer Glocke reiten!", rief sie und nach dreimaligem Hin-und-her-Schwingen hechtete sie Richtung Treppe.

Xander und Davin stürzten der Frau hinterher.

Leandra jedoch versuchte, das schwere Metallungetüm zu stoppen, was ihr nicht so einfach gelang. Sie war massiv und ließ sich nicht anhalten. Mit vollem Gewicht stemmte sie sich gegen das Metall und wurde mitgeschwungen.

Doch gerade, als sie einen Blick in die Innenseite der Glocke erhaschte, traf sie etwas am Hals und ihr wurde schwarz vor Augen.

Auftrag ausgeführt

Leandra öffnete die Lider. „Das darf doch alles nicht wahr sein!“, fluchte sie laut und schaute sich um. Sie saß in einer Kutsche und neben ihr Nora, die mit einem Dolch an den Fingernägeln spielte.

„Was ist nicht wahr?“, fragte diese unbeeindruckt.

„Jetzt bin ich schon wieder entführt worden“, grummelte die Kriegerin und beäugte ihre gefesselten Hände. Was war nur los? Sie hatte einen einfachen Plan. Härter trainieren, um besser zu werden, und das letzte Buch finden. Das konnte doch nicht so schwer sein!

Nora lachte laut auf. „Passiert dir das öfter?“

Leandra antwortete ihr nicht. Ihre Gedanken waren sofort bei ihren Gefährten. Was war passiert und wo waren sie alle? „Was ist mit Jerry?"

„Was soll mit ihm sein?", stellte Nora die Gegenfrage und fuhr Leandra mit dem Dolch über den Oberschenkel.

„Hör auf, das macht mich nervös", bemerkte die Kriegerin.

„Wegen dem hier?" Noch bevor Leandra verstand, was Nora sagen wollte, stieß sie ihr den Dolch tief in den Oberschenkel.

Ein schmerzerfüllter Schrei füllte den Innenraum der Kutsche und Nora hielt sich die Ohren zu. Das Brennen zog sich vom Oberschenkel durch den ganzen Körper. Leandra hatte kurz die Luft angehalten, um sie dann fest auszustoßen.

„Himmel, ich dachte, du bist eine Kriegerin!" Mit einer schnellen Handbewegung stopfte Nora Leandra ein Stofftaschentuch in den Mund.

Die Kriegerin schluckte heftig und schaute ihre Peinigerin zornig an.

„Fängst du jetzt gleich an zu heulen?"

Du blöde Kuh!, dachte sich Leandra und wenn sie gekonnt hätte, hätte sie es ihr direkt ins Gesicht gesagt. Warum auch immer verspürte sie ihr gegenüber keine Angst. Diese Frau war offensichtlich gestört und trotzdem wirkte sie wie ein trotziges Kind.

Unsanft zog Nora den Dolch aus Leandras Oberschenkel und ließ ihn zwischen den Fingern hin und her wandern. „Du hast es nicht verdient, die Auserwählte zu sein", murmelte Nora nach einer Weile und stierte aus dem Fenster.

Leandra war schwindelig und durch das Tuch hatte sie einen fürchterlich trockenen Mund. Antworten konnte sie nicht, daher holte sie durch die Nase tief Luft.

„Du bist eine einfältige dumme Gans, das habe ich gleich gesehen! Und diesen Mann hast du nicht verdient!"

Leandra kam sich vor, als spräche eine eifersüchtige Göre mit ihr. Die Frau musste um die vierzig Jahre alt sein.

„Er sieht gut aus ... Seine Augen, seine Lippen, seine perfekte Haut. Er ist besser trainiert als jedes bisherige Opfer von mir. Ich glaube, er wird meine persönliche Herausforderung", schloss sie ihre Rede.

Leandra schüttelte fassungslos den Kopf. Sie redete von Davin, das war offensichtlich. Aber schwärmte sie für ihn als Mann oder als ihr nächstes Opfer? Fest stand, diese Frau redete nur Schwachsinn.

Ohne Vorwarnung zerrte sie das Tuch aus Leandras Mund. „Was bist du für meinen Bruder? Zeitvertreib? Gespielin?"

„Ich habe überhaupt keine Lust, mit dir eine Unterhaltung zu führen!", sagte Leandra und bereute sofort, was sie gesagt hatte.

Nora knallte Leandras Kopf an die Holzwand des Wagens. Ein lautes Aufstöhnen gefolgt von einem Fluch verließen ihre Kehle. Die Kriegerin spürte Blut über das Gesicht fließen. Ein stechender Schmerz durchströmte sie und die Sterne vor ihren Augen ließen sich nicht wegblinzeln.

„Ich will aber mit dir reden und ich bekomme immer, was ich will!"

Leandra wurde übel und sie drohte, in Ohnmacht zu fallen. Der Aufschlag mit dem Kopf war heftiger als zuerst vermutet.

„Bleib bloß wach!"

Die Entfernung zwischen Leandra und Davin wurde größer. Die Kriegerin merkte, wie ihr Herz anfing zu schmerzen. „Ich muss gar nichts, du bist gerade auf dem besten Weg, mich umzubringen. Abschließend möchte ich dir allerdings noch meine besten Wünsche mit auf den Weg geben. Mögest du qualvoll auf dem Scheiterhaufen verbrannt werden, nachdem du drei Tage und Nächte gefoltert wurdest“, grummelte Leandra und lehnte ihre blutverschmierte Stirn gegen die Scheibe. Sie konnte nicht fassen, dass Nora sie alle überlistet hatte.

„Jetzt kommt dein wahres Gesicht zum Vorschein. Gut so!“

Die Reise dauerte nicht lange und die Distanz zu Davin war nicht allzu groß. Leandra hatte zwar Probleme mit der Atmung, aber es war nicht wie bei der letzten Entführung.

„Raus, du Schlampe!“ Mit einem Tritt beförderte Nora Leandra aus der Kutsche.

Unsanft fiel sie in den Dreck und musste kräftig husten. Die Wunde am Bein brannte, während die am Kopf pochte.

„Wo bleibt der alte Mann?“ Nora war um das Gefährt herumgelaufen und redete mit dem Kutscher.

Leandra versuchte, auf die Beine zu kommen. Ein Fluchtversuch war aussichtslos, aber dennoch wollte sie nicht kampflos aufgeben. Mühevoll zog sie sich am großen Wagenrad hoch. Im Stillen hoffte sie, den anderen würde es gut gehen, vor allem sorgte sie sich um Taras. Er hatte den Flug überstanden, dessen war sie sich sicher, doch wie?

Nora kam wieder um den Wagen herum und trat Leandra so fest ans Schienbein, dass es krachte. Schmerzerfüllt stöhnte Leandra auf.

„Bist du nicht ganz bei Trost? Du hast ihr das Bein gebrochen“, schimpfte eine unbekannte Männerstimme, die vorn vom Wagen kam. Es war der Kutscher, der sich einmischte.

„Verzieh dich einfach!“, fauchte Nora und schlug dem Pferd mit voller Kraft auf den Hintern, sodass es direkt losgaloppierte.

„Und wenn du noch einmal versuchst wegzulaufen, bringe ich dich direkt um! Und den alten Mann mit. Ich bin Auftragsmörderin und kein Kindermädchen.“

„Du bist verrückt.“ Leandra stöhnte und drehte sich mit schmerzverzerrtem Gesicht auf die Seite. Von welchem alten Mann faselte sie die ganze Zeit?

Die beiden waren auf einem großen Platz vor einer verfallenen Hütte. Sonst war weit und breit nichts zu sehen.

„Lebt Xander noch?“, fragte Leandra irgendwann und erntete dafür einen düsteren Blick.

„Ich wüsste nicht, was dich das zu interessieren hat“, sagte Nora und spielte wieder an einem Dolch.

„Warum hast du all diese Menschen gefoltert und getötet?“

Nora näherte sich Leandra und zog sie nach oben, sodass sie sich hinsetzen konnte. „Das ist mein Job“, erklärte sie grinsend.

Wer war ihr Auftraggeber? „Warum verschonst du uns? Ich meine, du bist stark und gewitzt, du könntest dein eigenes Ding durchziehen.“ Leandra versuchte, hinter die Fassade der Frau zu blicken. Sie arbeitete für jemanden, aber warum? Sie war eine tödliche Waffe, die sich niemandem unterordnen musste. Ein Hustenanfall überrannte sie und die Übelkeit nahm zu.

Nora funkelte Leandra belustigt an. „Kein Auftrag, kein Mord!“

Der Kriegerin fiel die Kinnlade runter. Das meinte sie nicht ernst! „Und dein Vater stand auf deiner Liste?“

Sie zuckte mit den Schultern, als redeten sie über einen fremden Mann und nicht über den, der ihr das Leben geschenkt hatte. „Vielleicht wusste er zu viel“, murmelte sie.

Egal wie verstritten man war, um den eigenen Vater auf dem Gewissen zu haben, gehörte eine Abgebrühtheit, die weit über das Normale hinausreichte.

„Was ist mit den Männern im Glockenturm?“, fragte Leandra und versuchte, ihre Sitzposition zu ändern. Vielleicht arbeitete Nora mit jemandem zusammen. Es war ihr ohnehin ein Rätsel, wie sie allein gegen die besten Krieger, die Leandra kannte, bestand.

„Das braucht dich überhaupt nicht zu interessieren.“

Eine Kutsche näherte sich dem Haus. Nora grinste und zog einen Dolch hervor.

So langsam mussten sie ihr doch ausgehen, dachte sich Leandra und beobachtete die schlanke Frau. Sie fasste ihr Ziel ins Auge und warf den Dolch mit präziser Genauigkeit auf den Kopf des Pferdes, das umgehend zu Boden krachte und mit seinem Sturz die Kutsche umwarf.

„Scheiße!“, entfuhr es Leandra, die mit vor Schreck aufgerissenen Augen die Szene beobachtete.

Bretter brachen und Staub wirbelte auf. Leandra stierte auf die immer näher rutschende Kutsche. Sie zog scharf die Luft ein und wartete auf den Schmerz, den sie gleich verspürte, wenn die Kutsche sie erreicht hätte. Kurz vor dem Aufprall blieb der demolierte Wagen liegen. Leandra stieß erleichtert die Luft aus.

„Wahnsinn! Das war mal knapp! Ich war mir nicht sicher, ob das reichen würde“, brüllte Nora und sprang voller Freude auf und ab.

Leandra war schockiert und erschrocken gleichermaßen. Mit einem lauten Krachen schlug die Tür des auf der Seite liegenden Wagens auf und eine Hand tastete sich langsam hervor. „Was ist passiert?“, stammelte eine hohe männliche Stimme.

„Keine Ahnung, das Pferd ist gestürzt“, entgegnete Nora und die Kriegerin beschloss, sich aus der Sache rauszuhalten. Sie wollte hier weg und das ganz schnell! Diese Frau war vermutlich gefährlicher als alle Personen zusammen, die sie je kennengelernt hatte.

Der Mann, den Leandra noch nie zuvor gesehen hatte, krabbelte aus dem Wagen. Wie durch ein Wunder schien er keine Blessuren davongetragen zu haben.

„Er will sie ohne Kratzer“, erinnerte der Mann und schaute zu Leandra.

„Ein paar kleine Schrammen“, Nora zeigte auf die Stirn, den Oberschenkel, „waren leider nicht zu verhindern. Ich habe mir wirklich Mühe gegeben, sie so heil wie möglich herzubringen.“

„Vergiss den Fluch nicht. Das sollte er wissen, wenn ich ersticke.“

„Fluch?!“ Der Mann trat ein paar Schritte zurück, als hätte Leandra eine ansteckende Krankheit.

„Wie auch immer, wenn dein Herr mich noch einmal so lange warten lässt, dann werde ich ihn als Nächstes auf meiner Liste stehen haben! Habe ich mich klar und deutlich ausgedrückt?“, schimpfte Nora und zog Leandra mit einer Hand auf die Beine.

Ihr gebrochenes Bein gab sofort nach und sie sackte in sich zusammen.

„Ach da war ja noch was … Ich glaube, ihr müsst sie erst wieder ordentlich zusammenflicken, bevor sie euch von Nutzen sein kann!“ Nora tätschelte Leandra den Kopf.

Sie wäre ihr am liebsten an die Gurgel gesprungen.

Nora hielt ungeduldig die Hand auf. Der Mann kletterte noch einmal in das Innere der Kutsche und zog einen großen Sack mit Münzen hervor.

Nora schaute kurz prüfend rein und steckte ihn weg. „Passt auf die Göre auf!“ Mit diesen Worten verabschiedete sie sich und schlenderte, ohne sich umzuschauen, einen Weg entlang.

„Ich hasse sie so sehr!“, fluchte der Mann und begutachtete seine Kutsche.

Der Fahrer des Wagens lag abseits im Dreck und mühte sich langsam auf. Er hatte vermutlich das Bewusstsein verloren. „In wenigen Minuten wird eine andere Kutsche kommen, die uns abholt. Wir kennen ihre Spiele zur Genüge“, sagte der vornehm gekleidete Mann zu Leandra. Im Moment war der Kriegerin alles egal. Sie hatte starke Schmerzen im Bein und darauf lag jetzt ihr Fokus.

Leandra war gespannt, wer sein Auftraggeber war.

„Wer sich solch eine Frau sucht, um sie mit Aufträgen zu betrauen, kann sie selbst nicht alle beisammenhaben“, fluchte sie. Der stechende Schmerz in der Brust nahm zu.

Die angekündigte Kutsche fuhr vor und Leandra ließ sich von dem fremden Mann in ihr Inneres helfen.

Schmerzen durchströmten sie beinahe an jeder Stelle ihres Körpers. Nie wieder wollte sie der Auftragsmörderin begegnen und wenn doch, würde sie nicht zögern, ihr Möglichstes zu unternehmen, um ihr den Kopf von den Schultern zu trennen. So jemand sollte nicht in Freiheit ihr Unwesen treiben.

„Zu wem werde ich gebracht?“, fragte Leandra nach einer Weile und stieß ein Stöhnen aus. Ihr ging es wirklich schlecht.

„Zum König“, berichtete der Mann knapp.

Leandra war jetzt vollends verwirrt. Sie hatte keine Ahnung, wer Calixto regierte. Mit den Oberhäuptern der neun Inseln hatte sie sich bisher reichlich wenig auseinandergesetzt. „Was will er von mir?“ Ihr Herz zog sich zusammen, doch sie hatte nicht das Gefühl, sich weiter von Davin zu entfernen.

Die Kutsche fuhr schnell, daher war es seltsam, dass sich ihr Zustand nicht verschlechterte.

„Was wird er wohl von der Auserwählten wollen?“

„Das letzte Buch?“, mutmaßte Leandra und verdrehte die Augen.

„Euer Majestät hat Hinweise, die dir bei der Suche helfen werden, allerdings besteht er auf das Buch. Sein Sohn wird dich begleiten.“

„Tolle Idee. Ich sage es gleich, ich werde nicht auf den Prinzen aufpassen. Wenn er draufgeht, ist das nicht mein Problem“, stellte sie klar. Sie wusste nicht, was sich die Leute unter der Büchersuche vorstellten, aber sie hatte auch keine Lust, diesen Boten darüber aufzuklären.

Die Kriegerin lehnte den Kopf an die gepolsterte Innenwand und schloss die Augen. Das Schaukeln der Kutsche verstärkte ihre Übelkeit.

Mitten in der Nacht stoppte die Kutsche und holte Leandra aus ihrem Dämmerschlaf.

„Was ist denn jetzt?“, knurrte der Mann, der mit ihr in der Kutsche saß.

Leandras Magen zog sich so heftig zusammen, dass sie sich übergeben musste. Der bittere Geschmack von Galle ließ sie erneut würgen.

„Hättest du nicht Bescheid geben können, dass dir übel ist!“, beschwerte sich der Mann und rümpfte angeekelt die Nase.

Die Tür wurde geöffnet und ein kleiner Mann streckte den Kopf hinein. „Die große Kutsche hat uns eingeholt. Ich sollte Bescheid geben“, murmelte er.

„Unter normalen Umständen hätte ich gesagt, wir halten die Krieger getrennt voneinander, doch da sie die Kutsche vollgekotzt hat und eh keine Gefahr darstellt, wechseln wir in die andere.“

Leandra war von dieser Idee wenig begeistert. Ihr tat alles weh und ohne fremde Hilfe würde sie nicht laufen können.

Zwei fleischige Hände zogen sie aus der Kutsche und trugen sie zu einer größeren. Erst jetzt sah Leandra den Geleittrupp, der das Wappen der Krone auf ihren Uniformen trug. Es mussten um die fünfzig Männer sein, die um die helle Kutsche warteten.

„Sitzt der König selbst in der Kutsche, um mich abzuholen?“, scherzte Leandra und ein paar Sekunden später traute sie ihren Augen nicht.

Davin saß gefesselt zwischen zwei Wachen und schloss erleichtert die Augen, als er Leandra sah. Ein Knebel steckte in seinem Mund. Blicke sagten im Moment mehr als tausend Worte. Sie war heilfroh, den Krieger zu sehen, und soweit sie es erkannte, war er unbeschadet. Sie wurde auf die Bank gegenüber von Davin gesetzt und stöhnte laut auf, als der Mann ihre Beine positionierte.

„Sie bringen uns zum König“, sagte sie und Davin nickte. „Nehmt ihm den Knebel aus dem Mund.“ Die Anweisung warf sie einem der Wachen hin, doch diese ignorierte sie geflissentlich. „Hörst du schlecht?“, raunzte sie den Mann erneut an.

Der Mann, mit dem Leandra die ganze Zeit über gereist war, kam ihrer Aufforderung nach, als sich die Kutsche in Bewegung setzte.

„Leandra! Was haben sie mit dir gemacht?", erkundigte sich Davin und rutschte auf seinem Sitz nach vorn. Sofort griff ihm der Wachmann an die Brust und drückte ihn zurück. „Lass deine Finger von mir", schnauzte der Krieger und holte aus, um dem Mann eine Kopfnuss zu verpassen. Sein Kiefer presste sich fest aufeinander.

Schwankend kippte dieser zur Seite und der andere holte aus, um Davin einen Hieb zu verpassen, als Leandra laut aufschrie. „Wenn du ihn anfasst, verspreche ich dir, dass ich das letzte Buch in alle Einzelteile zerreiße, sobald ich es in den Händen halte. Dein König wird davon nicht begeistert sein", versprach sie und ließ bedrohlich den Kiefer vor und zurückzucken. Sie hatte die Nase gestrichen voll von dem ganzen Theater!

„Müssen wir uns das alles gefallen lassen?", fragte der Wachmann den anderen Mann.

Dieser hob beschwichtigend die Hände. „Ihr werdet von uns wie Gäste behandelt, wenn ihr euch wie welche benehmt", erklärte dieser den beiden Kriegern.

„Ich wurde entführt!", protestierte Davin und Leandra konnte nur zustimmen. „Ihr habt uns Nora auf den Hals gehetzt!"

„Euer Majestät vertraut nur wenigen Menschen", erklärte der Mann.

Leandra verzog das Gesicht zu einer Grimasse. „Wie geht es den anderen?"

Er seufzte laut. „Taras und Jerry geht es den Umständen entsprechend. Ich konnte per Stein eine Nachricht an Liam schicken, doch eine Antwort bekam ich nicht mehr, denn als diese Idioten mich mithilfe der Durchgeknallten verschleppt haben, ist mir der Kontaktstein abhandengekommen." Die Krieger sprachen offen. Es gab eh nichts mehr zu verlieren.

„Was ist mit Melissa?“

„Sie war nicht bei Bewusstsein“, antwortete Davin.

Leandras Magen zog sich wieder bedrohlich zusammen und sie hatte alle Mühe, nicht erneut zu erbrechen. Der Schwindel nahm zu und am liebsten hätte sie sich hingelegt und ausgeruht.

Königssohn

Vermutlich bewegten sie sich immer weiter Richtung Inselmitte. Das Meer war nicht mehr zu sehen und Fauna und Flora veränderte sich. Leandra und Davin unterhielten sich wenig. Sie waren rund um die Uhr bewacht und standen unter Beobachtung. Die Kriegerin war einfach froh, ihn an ihrer Seite zu haben.

Sie hatte keine Angst vor dem, was käme, da sie ohnehin mit Davin allein auf die Suche gehen wollte. Sollte der König seine Männer oder seinen Sohn doch mitschicken. Wenn es an eine wichtige Aufgabe ging, waren sowieso alle ausgeschlossen, so war es schon immer gewesen. Bei den Kelpies gab es den Schutzwall, den keiner durchdringen konnte. Auch beim Klabautermann und den Zwergen konnte keiner außer ihr die Aufgabe lösen. Es spielte keine Rolle, wer sie zum Ort des Geschehens begleitete. Das einzige Hindernis, das sich jetzt ergab, war ihr gebrochenes Bein. Das würde nicht so schnell heilen.

Im Reisetross war ein angehender Heiler, der sich Leandra angenommen hatte. Er war der Lehrling vom Heiler des Königs. Er hatte Leandra das Bein geschient und schaute sich zweimal am Tag ihre Wunden an. Zwei Tage waren sie mittlerweile unterwegs und endlich sah sie mit der aufgehenden Sonne das majestätische Schloss. Es thronte herrschaftlich über dem angrenzenden Dorf auf einem hohen Hügel. Das blaue Gestein warf einen weiten Schatten über die Ländereien und Häuser. Der Anblick rief eine Gänsehaut hervor. „Das ist wirklich beeindruckend", murmelte sie und war gespannt, wie es wohl ausgestattet war.

„Nicht das größte und doch das älteste der neun Schlösser", erklärte der Mann, dessen Namen Leandra noch immer nicht kannte. Seine Geiernase reckte er jedes Mal, wenn er etwas Geschichtliches vorzutragen hatte, in die Höhe.

„Und doch geht der Besitzer beim Kack-"

„Davin!", unterbrach die Kriegerin ihren Reisegefährten forsch. Sie wusste genau, was er hatte sagen wollen, empfand es allerdings für sinnvoller, sich den König nicht direkt zum Feind zu machen. Hier hatten sie keinen Liam, der Gedanken manipulieren konnte.

„Ihr solltet Euer Majestät nicht als euren Feind betrachten. Der König heißt euch als Gäste willkommen."

„An seine Gäste stellt man allerdings keine Forderungen!", entgegnete Davin genervt.

„Und lässt sie nicht von einer geisteskranken Frau entführen", ergänzte Leandra.

Sie waren es beide leid, in dieser Kutsche zu sitzen. Die Pausen hatten lediglich zum Verrichten der Notdurft gedient. Gegessen und geschlafen hatten sie in der Kutsche in den unmöglichsten Positionen. Die Soldaten waren in den Ortschaften positioniert und wechselten sich ab, damit wohl immer ausgeschlafene Männer den Tross begleiteten. Das Ganze war so gut durchdacht und organisiert, dass sich Leandra sicher war, dass der König keinerlei Zweifel an Noras Können gelegt hatte. Doch dass Davins Laune allmählich im Keller war, war verständlich. Ihm hatten sie zudem sehr selten die Fesseln gelöst.

Die Kutsche durchfuhr zügig die breite Hauptstraße. Die Felder, an denen sie vorbeikamen, waren üppig bestellt und ordentlich gepflegt.

Der Weg, der sich um den Hügel hoch zum Schloss schlängelte, war gut ausgebaut und bot genügend Platz, dass zwei Kutschen nebeneinanderher fahren konnten. Hier wirkte alles viel geräumiger als in den meisten Dörfern, die Leandra kannte. Perfekt gestutzte Bäume säumten den Weg nach oben. Die Fahrt den Hügel hinauf löste Schwindel in ihr aus. Fest stieß sie die Luft aus.

Ein großes Tor wurde geöffnet und die Kutsche rollte in den Vorhof. Unzählige bunt blühende Pflanzen waren in perfekt angeordneten Beeten zu sehen, die in langen Pfaden zu einem prunkvollen Brunnen führten. Die Kutsche fuhr auf den Palasteingang zu und hielt vor einer großen steinernen Treppe.

Zwei Diener öffneten die Kutschentüren und noch bevor Leandra ausgestiegen war, breitete sich Gemurmel aus. Die Kriegerin versuchte auszumachen, warum alle in eine tiefe Verbeugung glitten. Die Sonne strahlte ihr direkt ins Gesicht und sie musste die Augen zusammenkneifen.

„Verbeug dich“, zischte der Mann, der sie in der Kutsche begleitet hatte.

„Ist schon gut. Sie lag schon unter mir, da will ich ein Auge zudrücken.“

Das schallende Lachen fuhr Leandra durch Mark und Bein. Sie erkannte diese Stimme sofort, hob sich eine Hand vor die Augen und erblickte nun endlich das Gesicht, das zu dem Mann in der vornehmen Kleidung gehörte, der vor ihr stand. Es war niemand Geringeres als Levin. Ihr Bruder hatte die Gefährten damals in einen Hinterhalt gelockt und Levin hatte ihr eine Narbe an der Hüfte verpasst, als sie vor ihm am Boden gelegen hatte. Zuletzt hatte sie ihn auf der Großmeisterinsel gesehen. Er hatte mit Tim zusammen das Hauptgebäude betreten.

„Ich kenne den Typen“, murmelte Davin, der sich neben Leandra aufstellte.

„Ich habe schon viel von dir gehört.“ Levin musterte den Krieger grinsend.

„Und mit wem haben wir es zu tun?“, entgegnete der Angesprochene genervt und seine Kiefermuskeln zuckten.

„Meinen Namen kennt deine *Frau* bereits. Was allerdings für sie neu sein dürfte, ist, dass ich der Thronerbe dieses Reiches bin.“ Seine giftgrünen Augen funkelten sie herablassend an.

Leandra blieb die Spucke im Hals stecken. Niemals entsprach das der Wahrheit! Kein König der neun Inseln würde seinen Sohn und Thronerben mit einem Krieger, wie ihren Bruder, in den Kampf schicken. „Träum weiter“, entfuhr es ihr unwirsch und sie humpelte auf die erste Stufe zu. Ihr Bein pulsierte und der Schmerz beim Auftreten durchfuhr sie bis zur Haarwurzel. Das Bein war geschient, doch es würden vermutlich noch einige Wochen ins Land gehen, ehe sie es wieder richtig benutzen konnte.

„Ich habe meinem Vater angeboten, euch persönlich zu euren Zimmern zu begleiten. Es ist doch immer schön, jemanden zu kennen, wenn man irgendwo neu ankommt." Levin hielt Leandra seinen Arm entgegen, damit sie sich einhaken konnte.

Sie dachte jedoch nicht im Traum daran, dieses Angebot in Erwägung zu ziehen. Eher wäre sie die Stufen hinaufgekrochen.

„Befreit mich von den Fesseln, dann kann ich *meiner Frau* selbst helfen", knurrte Davin.

Levin beäugte Davin herablassend. Seine Nasenflügel blähten sich auf, bevor er einem Diener das Zeichen gab, seiner Bitte nachzukommen.

„Ihr seid unsere Gäste, nicht unsere Gefangenen, allerdings hoffe ich, ihr wisst euch dementsprechend zu benehmen." Mit diesen Worten stiefelte der dunkelhaarige Prinz voraus.

Leandra hakte sich bei Davin unter und humpelte mit seiner Hilfe hinterher.

Die Flure des Schlosses waren allesamt in marmoriertem Weiß gehalten. Alles strahlte, glänzte und blitzte. Bedienstete eilten umher und beäugten die Krieger skeptisch.

„Ich zeige euch die Zimmer. Ihr solltet ein Bad nehmen, denn in einer Stunde sind wir zum Essen mit meinen Eltern verabredet."

Wie auf Kommando knurrte Leandras Magen. Mit einer hochgezogenen Augenbraue musterte der Prinz sie von der Seite. „Warum bist du so schwer verletzt?"

„Ich bin froh, überhaupt noch am Leben zu sein. Wie kommt man auf die Idee, Nora um so einen Auftrag zu bitten?“ Sie klang, als würde sie Xanders Schwester schon seit einer halben Ewigkeit kennen.

„Sie ist ungefährlich, wenn man nicht auf ihrer Liste steht. Sie hat einen gewaltigen Dachschaden, doch sie mordet nicht ohne Grund und sie erfüllt ihre Aufgabe besser und gewissenhafter als jeder andere.“

„Ihr hättet mich einfach einladen können“, schlug Leandra mit piepsiger Stimme vor und wunderte sich selbst über ihr erhobenes Kinn. Warum auch immer hatte sie das Gefühl, sich diesem Mann gegenüber besser präsentieren zu müssen.

„O glaub mir, das haben wir versucht.“

Leandra blieb stehen. Was hieß, sie hatten es versucht?

„Nora war die perfekte Lös-“

„Kannst du für einen Augenblick den Mund halten?“, herrschte sie den Prinzen an und versuchte, das Gesagte zu sortieren. War das eine Anspielung, dass jemand ihre Briefe abgefangen hatte?

Auch Davin schien das so aufgefasst zu haben. Er blickte von Leandra zu Levin und wieder zurück.

„Oh, ich denke, das klären wir besser später. Wir sind sowieso an deinem Zimmer.“ Der Prinz öffnete die Tür und machte eine einladende Handbewegung in Leandras Richtung.

„Ein Zimmer reicht für uns“, knurrte Davin und zog die Kriegerin in den hellen Raum.

Mit Schwung pfefferte er die Tür vor der Nase des Prinzen zu und schlug dann wütend gegen das Holz. „Kann mir irgendwer erklären, was das hier für ein Spiel ist?!“, knurrte der Krieger und begleitete Leandra zu einem gepolsterten Stuhl. „Wir dürfen diesem Kerl nicht glauben!", brummte Davin. „Er hat sich einige Male mit Ullrich getroffen. Sie stecken unter einer Decke." Er schien sich zu erinnern, wo er Levin schon gesehen hatte.

Leandra schwirrte der Kopf. Sie wusste nicht, wem sie vertrauen konnte und wem nicht. Jeder erzählte andere Versionen, doch aus diesen Konstrukten die Wahrheit herauszufiltern, war ein Ding der Unmöglichkeit.

„Aber warum sollte er solche Sachen behaupten? Schau dich um, Davin, wir sind hier allein. Sie vertrauen uns. Wir könnten jederzeit verschwinden." Die Kriegerin wusste selbst nicht, warum sie annahm, dass sie hier wie Freunde aufgenommen wurden, doch der erste Eindruck hatte genau das vermittelt.

„Wann lernst du endlich, genau hinzusehen?" Ein bitteres Lachen stahl sich auf Davins Lippen. Er schnappte sich einen der schweren Stühle, lief auf das Fenster zu und warf ihn mit vollem Elan dagegen.

Leandra zog ihren Kopf ein, um nicht von den Splittern verletzt zu werden, doch es war unnötig. Die Scheibe vibrierte kurz, zersprang jedoch nicht.

Davin zog an dem Fenstergriff, um ihr zu demonstrieren, dass sich auch dieses nicht öffnen ließ. Bevor Leandra etwas sagen konnte, eilte er auf die Tür zu und öffnete sie.

Vier schwerbewaffnete Männer lugten ihnen entgegen und bevor jemand etwas sagen konnte, warf Davin die Tür zurück ins Schloss. „Hast du wirklich geglaubt, sie lassen uns ohne Beobachtung?"

Eine Tür im hinteren Bereich des Zimmers, die Leandra nicht aufgefallen war, wurde zu Davins nächstem Ziel. Diesmal jedoch stand niemand davor. Es war das Badezimmer, das mit einer Wanne voller Wasser auf sie wartete. Leandra holte tief Luft und musterte den Raum das erste Mal, seit sie ihn betreten hatten.

Es war ein übliches Gästezimmer, das außer Wandmalereien, die verschiedene Wildblumen zeigten, unspektakulär eingerichtet war. Ein großes Bett, ein Schrank, eine Sitzgruppe bestehend aus einem niedrigen Holztisch und zwei gepolsterten Sesseln und ein kleiner Kamin, in dem schon lange kein Feuer gebrannt hatte. Zwei hohe Fenster erhellten den Raum und die schweren grünen Vorhänge sorgten für Gemütlichkeit.

Mit einem tiefen Seufzer fixierte sie den Sessel, der auf dem Boden vor dem Fenster lag. Woher hatte Davin gewusst, dass die Scheiben nicht kaputt gehen würden? Sie ärgerte sich darüber, dass er ihr immer einen Schritt voraus war.

„Ich nehme ein schnelles Bad", grummelte er und verschwand im angrenzenden Raum, bevor Leandra etwas erwidern konnte.

Jetzt saßen sie hier in einem Schloss und hatten keinerlei Anhaltspunkte zur nächsten Büchersuche. Alles, was hätte schieflaufen können, war schiefgelaufen. Was wollte der König von ihnen? Das letzte Buch? Sie wusste nicht einmal, wo sie ihre Suche beginnen sollte, geschweige denn, was für ein Rätsel auf sie zukam. Stattdessen drangsalierte sie Ray mit toten Kameraden in ihren Träumen. Tim griff ihr Lager an und jetzt war sie mit Davin hierher entführt worden, während sie von Visionen und Bildern, die außer ihr niemand sehen konnte, geplagt wurde. Nicht einmal das goldene Buch hatten sie bei sich und das war ihr letzter Anhaltspunkt zu der Büchersuche gewesen.

Erschöpft ließ sich Leandra auf das Bett fallen und versuchte, sich an die letzten Worte aus dem Buch zu erinnern. *Die fünf Schlüssel*, begann sie in Gedanken aufzuzählen. In einem der ersten Kinderreime, die sie gelesen hatte, war von den Fundorten die Rede gewesen, und laut Jerrys Aussage solle sich das letzte Buch in einer Bibliothek befinden.

Davin kam wohlriechend und nur mit einem Handtuch bekleidet zurück und durchwühlte den Kleiderschrank nach passender Kleidung. Kopfschüttelnd warf er ein Teil nach dem anderen auf das Bett und entschied sich für die einfachste Hose und das einfachste Hemd, das er fand.

Die beigefarbene Hose saß ebenso straff wie das Hemd, das wie eine zweite Haut seinen Rücken umschloss.

„Ist das Männerkleidung?", fragte er genervt und zog die Schultern nach vorn. Mit einem lauten Ratschen gab der Stoff unter seinen Muskeln nach. Er verdrehte die Augen.

Leandra musste lachen, als er sich mühevoll aus den Stofffetzen schälte. Mit einem gezielten Wurf landete das zerrissene Stück Stoff in ihrem Gesicht.

„Wir weichen dich jetzt mal ein und schauen dann, was hier für dich drin ist, dann bin ich vielleicht derjenige, der lacht."

Leandra ließ sich von dem Krieger ins Bad begleiten. Nach einem gründlichen Abschrubben ihrer Haut waren die schlimmsten Spuren der letzten Tage verschwunden.

Sie entschied sich für eine der enger geschnittenen Männerhosen und schlüpfte in eines der Hemden, die ihr zu weit waren. „Kann ich so vor den König treten? Ich werde keines dieser purpurfarbenen Kleider tragen!"

Davin musterte sie mit einem zufriedenen Lächeln. Er gab ihr einen Kuss auf den nassen Haaransatz. „Du siehst in allem großartig aus."

Die Worte fühlten sich an wie tausend Küsse.

Nachdem auch Davin ein halbwegs passendes Oberteil gefunden hatte, ließen sich die beiden von den vor ihrer

Tür positionierten Wachen durch das Schloss führen. Die Böden waren ohne Ausnahme auf Hochglanz poliert. Jeder Sessel und jede Vase standen akkurat an Ort und Stelle. Die Kriegerin stellte sich schnell die Frage, ob es dem König ein Anliegen war, alles so geordnet zu haben, oder ob doch eher seine Frau für Ordnung sorgte.

Die langen Flure waren für Leandra eine Tortur. Sie hatte starke Schmerzen. Im Allgemeinen war sie sehr erschöpft und hätte sich am liebsten schlafen gelegt und das Bett erst wieder am kommenden Morgen verlassen.

Im Speisesaal wurden die beiden Krieger bereits erwartet. Ein geschmorter Truthahn stand neben einem gegrillten Ferkel, das mit Kartoffeln umlegt war und verführerisch duftete. In Leandras Mund sammelte sich vor lauter Vorfreude auf den Festschmaus bereits der Speichel. Die Tage in der Kutsche hatte sie mit wenig Essen auskommen müssen.

Der König, ein hagerer vollbärtiger Mann, deutete den beiden mit einer willkommenen Geste, dass sie sich zu ihm an den Tisch setzen sollten. „Ich freue mich, euch beide hier in meinem Reich begrüßen zu dürfen. Ich habe schon so viel von der Auserwählten gehört und endlich kann ich dich an meinem Tisch willkommen heißen."

Leandras Blick huschte von dem Mann zu der schmalen rothaarigen Frau zu seiner Rechten und dann zu drei jungen Männern, die einander ähnelten. Einer von ihnen war Levin, der sie mit erhobener Augenbraue musterte.

„Danke für Eure Gastfreundschaft", murmelte Leandra und setzte sich auf den ihr zugewiesenen Platz neben Levin.

„Du riechst wieder wie ein Mensch, das gefällt mir", murmelte er so leise, dass nur Leandra ihn verstand.

Davin setzte sich auf den Stuhl ihr gegenüber und verzog sein Gesicht zu einer undurchdringlichen Maske.

Der Speisesaal war überschaubar, doch auch hier glänzte der helle Holzboden wie frisch poliert. Wandmalereien in den Ecken an Decke und Wand stachen ins Auge, waren aber nicht aufdringlich gestaltet. Kleine Blumenranken und fliegende Vögel waren darauf abgebildet.

„Ihr seid ihr Begleiter, nehme ich an." Die Frau mit den roten Haaren hatte Davin direkt angesprochen.

Er musterte sie mit hochgezogenen Augenbrauen. „Ich bin ihr Mann und vermutlich über einhundert Ecken mit Euch verwandt, Ihr müsst uns nichts vormachen."

Leandra liebte Davins direkte Art, aber ob das in ihrer Lage gerade die beste Ausgangsposition war, bezweifelte sie.

Dem König entgleisten die Gesichtszüge ebenso wie allen anderen am Tisch. „Der Junge will direkt zur Sache kommen, das gefällt mir." Der König wies seinen Dienern an, jeden mit Essen zu versorgen.

Leandra hatte einen Bärenhunger und wollte am liebsten alles probieren, doch nachdem der Teller bis zum Rand mit allerhand Leckereien gefüllt war, begann sie erst einmal zu essen.

„Ihr habt einen gesegneten Appetit, meine Liebe", stellte die Königin anerkennend fest, während sie drei dünne Karottenspalten, sechs Erbsen und eine Kartoffel auf dem Teller liegen hatte.

Leandra stierte zu Davin, der nur glucksend die Achseln hob. „Warum sind wir hier?", lenkte sie das Thema um. Sie hatte keine Lust, sich erklären zu müssen und schon dreimal nicht, sich das Essen madig reden zu lassen. Sie würde ihren Teller leer essen und wenn dann noch Platz in ihrem Magen wäre, würde sie den Pudding probieren, der seitlich bereitstand.

„Ihr sollt das letzte Buch beschaffen“, kam der König auf den Punkt.

„Und warum sollte ich das für Euch tun?“, fragte Leandra und schaufelte sich den Mund voll mit Fleisch.

„Weil es deine einzige Chance ist, am Leben zu bleiben. Du solltest wissen, dass wir sehr gut über die Büchersuche informiert sind.“

Leandra konnte ein Lachen nicht mehr unterdrücken und spuckte versehentlich ein Stück Fleisch über den Tisch.

„Bezaubernd, deine *Frau*.“ Einer der jungen Männer, die neben Davin saßen, ließ geräuschvoll seine Gabel auf den Teller fallen.

„Len!“, tadelte ihn die Königin und er verdrehte die Augen.

„Sie ist die Beste“, gab Davin zu und funkelte den jungen Mann belustigt an.

„Entschuldigung.“ Leandra winkte ab und angelte das Stück Fleisch vom Tisch, was Levin ein Schmunzeln entlockte. „Ich bin mir ziemlich sicher, dass Ihr genauso wenig über die Suche, ihre Hürden und Bürden wisst wie wir.“

„Du vergisst, dass du hier am Ort des Geschehens bist, meine Liebe“, mischte sich nun die Rothaarige ein und nippte an ihrem Becher.

Leandra wusste nicht, von was die Frau sprach und hob schulterzuckend die Achseln. „Das bedeutet?“

„Dass unser Archiv das einzige ist, das Aufzeichnungen zu der Geburt der Zwillinge hat.“

Leandra wurde heiß und kalt zugleich. Aufregung machte sich in ihr breit.

Es war genau wie vermutet. Rafail und Runa waren geboren worden, als der König von Calixto Alleinherrscher über alle neun Insel gewesen war. Er hatte Erben gezeugt und somit war Rafail der wahre Thronerbe der neun Inseln.

Die Zwillinge

„Warum habt Ihr diese Information so lange für Euch behalten, wenn Ihr doch wisst, dass nur ich die Bücher finden kann?" Der Unmut, der in Leandras Stimme mitschwang, war deutlich zu hören.

„Was denkst du, seit wann wir diese Informationen haben? Über ein Jahrhundert wurde mir und meiner Familie eine falsche Geschichte erzählt. Gefälschte Geschichtsbücher standen bei uns in der Bibliothek." Die Faust des Königs verkrampfte sich so fest, dass die Adern auf seiner Hand deutlich hervortraten. „Als ich von der Büchersuche erfuhr, wurde ich neugierig und habe Nachforschungen angestellt – mit mäßigem

Erfolg, denn man findet keine Aufzeichnungen zu diesem Mythos. Sie existieren schlicht und ergreifend nicht. Was mich allerdings stutzig machte, war, dass König Theodor mich fragte, ob sein Archivist Einblick in unsere Geschichtsbücher haben dürfe."

Leandra hörte aufmerksam zu und hatte, ohne es zu bemerken, ihren Teller komplett leer gegessen. Der Hauptgang wurde abgeräumt und Diener trugen Süßspeisen in allen Formen und Farben auf.

„Ich verneinte umgehend, doch als er nicht nachließ und mir sehr viel Geld bot, wurde ich immer stutziger. Ich stellte selbst Nachforschungen an und hierbei ist der Schwindel mit den gefälschten Geschichtsbüchern aufgeflogen."

Leandras Blick huschte zu Davin, der ebenso an des Königs Lippen hing.

„Ich schickte meinen Sohn während seines Studiums für ein Semester zum Austausch nach Lys, wo König Theodor ihm seine Gastfreundschaft anbot. Levin hatte die Möglichkeit, viele Informationen zu sammeln, gerade in Bezug auf die Büchersuche und die Zusammenarbeit zwischen König Theodor, den Großmeistern und dem Magier." Der König, dessen Namen Leandra noch immer nicht kannte, musterte sie aus schmalen Augen.

Alles, was der hagere Mann ihr erzählte, klang logisch und war aufschlussreich.

„Seid Ihr eng mit König Theodor befreundet?" Leandra war es neu, dass die Oberhäupter in engem Kontakt standen.

„Er ist mein Schwager", erklärte der König und beäugte seine Frau.

Leandra erinnerte sich an das Bild von Königin Marlena, der Frau von Theodor, und dass Tavis' Frau ihnen erzählt hatte, dass sie schönes rotes Haar habe. Jetzt schloss sich der Kreis.

„Und welches Interesse hegt Ihr an den Büchern?"

„Wie dein Gefährte schon festgestellt hat, ist meine Frau eine direkte Nachkommin von Rafail. In kurzen Worten, ein Königreich, das sich mit Magie zu helfen weiß, ist ein sehr mächtiges Königreich."

„Und genau aus diesem Grund werdet Ihr das Buch niemals in die Finger bekommen!", grummelte Davin und legte sein Besteck auf den Tellerrand. „Ich danke Euch für die Gastfreundschaft. Wir finden den Weg selbst hinaus", fügte er noch hinzu, bevor der König etwas sagen konnte. Er stand auf und huschte um den hölzernen Tisch.

Ein Klirren erklang und zahlreiche Schwertspitzen zeigten auf Davin.

„Setz dich", fauchte der König. Ein Teil der Wachleute, die im Saal verteilt gestanden hatten, war mit gezogenen Schwertern auf Davin zugetreten.

„Wenn ihr unsere Gastfreundschaft strapaziert, werde ich andere Saiten aufziehen! Vielleicht gefällt es euch im Keller besser. Die Ratten freuen sich, wenn ihr ihnen bei einem Napf voll Wasser und alten Brotkanten Gesellschaft leistet." Die Hände des Königs ruhten auf den Lehnen des Stuhls, auf dem er saß.

Leandra tauschte vielsagende Blicke mit Davin und, ohne ein Wort gesprochen zu haben, waren sich beide einig, dass sie Folge leisten würden. „Ich will das Archiv sehen", forderte Leandra.

Der Krieger setzte sich auf den Platz, den er zuvor verlassen hatte. Seine Hände legte er auf den Oberschenkeln ab und presste die Kiefer fest aufeinander.

„Bevor wir uns missverstehen." Der König räusperte sich und nahm eine gerade Haltung an. „Ihr seid nicht in der Position, um Forderungen zu stellen. Erfüllst du deine Aufgabe nicht, werden wir jemanden finden, der sie erfüllt. Wir verstehen uns?" Der letzte Satz war keine ernst gemeinte Frage, sondern eher eine Drohung, die der König sicherlich in die Tat umsetzten würde, wenn es darauf ankäme.

„Ich brauche die Informationen, um das Buch zu beschaffen", murmelte Leandra und warf einen Blick zu Levin, der die ganze Zeit über schwieg.

Der andere junge Mann am Tisch hatte noch kein einziges Wort von sich gegeben. Er schien der jüngste der drei Brüder zu sein. Zumindest nahm Leandra an, dass es sich um Brüder handelte. Man hatte sie ihnen nicht vorgestellt.

„Levin wird dir die Geschichte erzählen, mehr Informationen wirst du aus dem Archiv nicht bekommen", herrschte der König, stand auf und verließ ohne ein weiteres Wort den Raum. Seine Frau folgte ihm auf dem Fuße, die drei Männer verneigten sich zur Verabschiedung und drehten sich Leandra zu.

Levin klatschte fest in die Hände und der Hall erfüllte den leeren Saal. „Du bist ein dummes Mädchen und du ein noch dümmerer Grünschnabel."

Davin verschränkte die Arme vor der Brust und musterte den Mann, der ungefähr in seinem Alter sein musste, spöttisch.

„Levin, halt dich aus Vaters Angelegenheiten raus. Wenn sie nicht mitmacht, wird sie eben ersetzt", sprach Len, der Bruder von Levin, und würdigte die Krieger keines Blickes.

„Aber Vater sagte, dass der Magier bald kommen werde", flüsterte der Jüngste und erntete einen strafenden Blick.

Die Kriegerin ahnte, dass der König schon eine Frau parat hatte, die Leandra umbringen sollte, um die Position der Auserwählten einnehmen zu können. Aber welcher Magier sollte bald kommen?

„Verzieht euch", keifte der Älteste und widmete seine volle Aufmerksamkeit seinen Gästen. „Ich halte dich tatsächlich für eine große Kriegerin", begann Levin seine Rede. Die beiden anderen verließen tatsächlich den Saal.

„Und ich dich für einen Spinner", murmelte Leandra und humpelte auf die große Holztür zu, die zum Flur führte.

Wie durch Geisterhand schob sich eine kleine Kommode vor die Tür. Leandras Herz setzte einen Schlag aus. Sie drehte sich um und sah zwei erhobene Hände, die auf das Möbelstück gerichtet waren.

Verdammt! Sie hätte sich denken können, dass sich dieses Königshaus mit dem Thema Magie beschäftigt hatte, nachdem es seine Wurzeln kannte. Es war nur zu logisch auszuprobieren, ob einer von ihnen Magie besaß und Levin tat dies offensichtlich.

„Na prima!" Davin fiel in den Sitz zurück, aus dem er aufgestanden war, und umgriff mit Daumen und Zeigefinger seine Nasenwurzel.

„Wenn ich euch langweile oder ihr die Geschichte der Zwillinge nicht hören wollt, dann sagt es doch bitte sofort, damit ich direkt die Frau, die Leandras Platz einnehmen wird, holen kann."

Eingeschnappter konnte man nicht klingen, doch Leandra verstand ihn. Auch er hatte sicherlich Besseres zu tun, als seine Zeit mit den beiden zu verbringen.

„Nein, bitte erzähl uns die Geschichte, wir sind ganz Ohr."

Levin schnaubte verächtlich und schickte alle Bediensteten samt den auf dem Tisch stehenden Speisen raus. Er setzte sich und wies sie an, sich in seiner Nähe zu platzieren. Er verdunkelte den Raum, in dem er mit einem Wink die Vorhänge vor die Fenster fliegen ließ.

Leandra vermutete, dass Levin kein Neuling im Umgang mit Magie war. Auf dem hölzernen Tisch tauchten mit einer sanften Handbewegung zwei Kinder auf. Sie waren nicht größer als ein Apfel. Ihre Erscheinungen waren nebulös, doch sie bewegten sich, als würden sie leben. Sie rannten über die Tischplatte und versuchten, sich gegenseitig zu fangen.

Leandra stierte ungläubig auf die kleinen Figuren, die herumsprangen, als gäbe es sie wirklich. Ihr stockte der Atem. Noch nie zuvor hatte sie etwas Vergleichbares gesehen. Nicht einmal Liam hatte ihnen so etwas gezeigt.

Davins Blick hing gefesselt auf den Figuren. Auch ihm hatte es die Sprache verschlagen.

Levin grinste. Der Prinz begann zu erzählen: „Die Geschichte handelt von Rafail und Runa, zwei unbekümmerte Kinder, die zu den größten Magiern aller Zeiten heranwachsen sollten. Das wussten sie in diesem Alter jedoch nicht. Rafail und Runa waren keine gewöhnlichen Kinder. Schon der Start in ihr Leben begann anders als bei anderen.

König Nero, Herrscher über alle zehn Inseln, war ein guter und gnädiger König. Er machte seine Arbeit als Regent sehr gut, nur eines hatte er nicht geschafft. Seiner Gemahlin ein Kind zu schenken. Jahrelang hat er verzweifelt versucht, einen Thronerben zu zeugen, doch es war ihm nicht gelungen.

Der König gab seiner Gemahlin die Schuld und versuchte, mit anderen Frauen ein Kind zu zeugen, doch auch keine seiner Bettgespielinnen schenkte ihm ein Kind. Der König wurde älter und gebrechlicher und auch die Königin war bald nicht mehr im gebärfähigen Alter. Er holte sich Rat bei den besten Heilern und Kräuterkundigen, ließ von allen Inseln die bekanntesten und erfahrensten Männer und Frauen kommen, um sich seinem Problem anzunehmen, doch niemand konnte ihm helfen.

Aus Traurigkeit wurde Wut, aus Wut wurde Hass. Er begann, jeden Heiler, jeden Kräuterkundigen und jeden, der nur ansatzweise Wissen über das Kinderzeugen hatte, zu töten. Jeder, der ihm einen Rat gab und nicht das gewünschte Ergebnis erzielte, zahlte mit dem Leben.

Doch an des Königs fünfundfünfzigstem Geburtstag kam eine junge Magierin in den Thronsaal. Sie versprach dem Königspaar zwei wundervolle Kinder, die mit außergewöhnlicher Schönheit gesegnet sein sollten. Der König wurde hellhörig und sicherte der Magierin alles, was sie begehrte, zu, wenn sie hielt, was sie versprach. Doch sie warnte den König, denn sein Wunsch hatte einen hohen Preis. Mit der Volljährigkeit der beiden würde eines der Kinder grausam und habgierig werden und das andere liebevoll und hilfsbereit.

Solch eine Art Magie, die die Frau anwenden wollte, war nicht von natürlicher Art und benötigte tiefe Eingriffe in die dunkle Seite. Wo dunkle Magie im Spiel ist, herrscht oft ein Fluch mit." Levin war hochkonzentriert und seine Stimme hatte einen mystischen Unterton angenommen, der Leandra eine Gänsehaut auf die Arme zauberte.

„Als Dank verlangte die Magierin lediglich eine der zehn Inseln für sich ganz allein. Der König und die Königin hatten drei Tage und drei Nächte Zeit, sich darüber Gedanken zu machen, doch das brauchten sie nicht. Kaum war das letzte Wort der Magierin gesprochen, willigte der König, ohne Rücksprache mit seiner Frau zu halten, ein.

Die Magierin setzte ein gefährliches Grinsen auf und hob ihre Hände in Richtung des Bauches der Königin. Ihre Augen, von denen eins hellgrün und das andere lilafarben war, blitzten auf und alle Menschen im Thronsaal spürten, wie die Magie durch ihre Hände in den Unterleib der Königin floss. Die Königin schrie und stöhnte vor Schmerz, bat die Magierin aufzuhören, doch sie tat es nicht.

All ihre Magie gebündelt floss in diesen Zauber. Ihr rotschwarzes Haar ergraute, ihre Iriden verloren die Farben und sie sank in sich zusammen, als würde der Lebenssaft aus ihr weichen. Erschöpft brach die Magierin vor dem Thron zusammen und auch die Königin fiel kraftlos auf die Knie.

Der Fluch war mächtiger, als die Magierin angenommen hatte. Sie alterte um einhundert Jahre. Ihr noch bevorstehendes Leben war in die Ungeborenen geflossen. Schockiert starrte sie auf ihre Hände und betrachtete ihr Spiegelbild in einem Weinkelch. Zornerfüllt brüllte sie auf, mit dieser Wendung hatte sie nicht gerechnet und als Rache verfluchte sie die Königin. Bei der Geburt der Kinder sollte sie sterben.

Wutentbrannt ließ der König die geschwächte Magierin auf die kleinste aller Inseln bringen. Er hielt sein Versprechen und sie sollte jämmerlich eingehen. Es gab dort nichts außer Sand. Die Monate vergingen und man hörte nichts mehr von der Magierin.

Die Niederkunft der Königin stand bevor und wie es die Magierin beschworen hatte, starb sie bei der Geburt.

Der König hatte keine Zeit zum Trauern, denn sein größter Wunsch war in Erfüllung gegangen. Er hatte einen Thronerben. Rafail war ein kräftiger Knabe mit feuerrotem Haar und giftgrünen Augen und der ganze Stolz des Königs.

Runa war ein zartes Mädchen mit dunklem Haar, das bläulich schimmerte. Ihre großen lilafarbenen Augen waren einmalig.

Magier, die mit Magie im Blut geboren werden, sind mächtiger als andere Magier und das bekam das ganze Schloss zu spüren. Runa und Rafail hielten die Bediensteten immer auf Trab. Sie wussten recht schnell, mit ihrer Magie umzugehen und trieben allerlei Schabernack im Schloss und Umgebung."

Alles, was Levin erzählte, wurde von kleinen Figuren nachgespielt. Als würde man ihnen beim Erleben zuschauen.

„Der König starb, als die beiden sechzehn Jahre alt waren. Mit ihrer schwer kontrollierbaren Magie verbreitete das Zwillingspaar mehr Angst und Schrecken, als gut für sie war.

Weder Rafail noch Runa wurden als Thronerben akzeptiert und aus Angst vor ihrer Macht wurden sie verbannt. Und zwar genau auf die Insel, auf die auch einst ihre Schöpferin gebracht wurde.

Die Insel hatte sich verändert und die alte Magierin war nicht wie angenommen verstorben, sondern lebte zurückgezogen in ihrem selbst errichteten Haus. Sie nahm die beiden Jugendlichen auf und begann, sie auszubilden. Sie waren begabt und lernten schnell. Doch es kam immer wieder zu unerwünschten Besuchen von Menschen, die sie lieber tot sehen wollten, aus Angst, die beiden würden irgendwann zurückkommen und den Anspruch auf den Thron erheben.

Das große Königreich war zerstört und die übrigen neun Inseln bestimmten jeweils einen König für sich. Alles schien ruhiger zu werden, doch dem war nicht so. Immer wieder wurde die zehnte Insel, die der Magierin, angegriffen. Die Kopfgelder auf die drei waren verlockend hoch. Irgendwann ließen sie die Insel mittels Magie unsichtbar werden.

Ein Kapitän kannte jedoch die Koordinaten und spielte in einer feuchtfröhlichen Nacht um diese. Er verlor nicht nur das Spiel und die Koordinaten der geheimen Insel, wie sie mittlerweile genannt wurde, sondern auch sein Schiff mitsamt der Crew. Noch in derselben Nacht segelten sie los und wollten sich die Köpfe der drei und somit das hohe Kopfgeld holen."

Leandra horchte gebannt auf. Sie hatte eine Vermutung, was die Crew und ihren Kapitän betraf. Ein Schauer schüttelte sie und ihr gesundes Bein zitterte nervös. Beruhigend legte Davin eine Hand auf ihr Knie und nickte ihr zu, um ihr zu verstehen zu geben, dass sie den gleichen Gedanken teilten.

„Es war am Tag des achtzehnten Geburtstags der Zwillinge, als die Insel ein letztes Mal angegriffen wurde. Die alte Magierin löschte mit einem dunklen Zauber die Angreifer aus und verbannte sie dazu, die Insel über das Meer zu tragen, damit sie nicht mehr gefunden würde. Dafür zahlte sie mit ihrem Leben. Rafail war sauer! Man hatte ihnen ihr Zuhause genommen, dann die Ersatz-Mutter. Etwas Drittes würde es nicht geben.

Während Runa versuchte, Kontakte zu der normalen Welt zu knüpfen, verfolgte ihr Bruder ein anderes Ziel. Er wollte den Menschen das nehmen, was seine Schwester und ihn zu Außenseitern werden ließ. Magie war nicht weit verbreitet, aber es gab auf jeder Insel eine Handvoll Magier, die den Königshäusern zur Verfügung standen.

Einen Magier als König wollten sie nicht, aber Magier an seiner Seite wollte ein jeder König. Jahrelang beobachtete Rafail die Menschen und vor allem die Königshäuser, die die Macht der Magie immer weiter ausreizten und bald das Gleichgewicht der Natur ins Schwanken brachten. Sein Entschluss stand fest. Die Magie sollte für alle verschwinden! Er begann, sie in Bücher zu bannen.

Nach und nach konnten die Magier am Hofe einzelne Zauber nicht mehr ausführen. Auch Runa wurde darauf aufmerksam. Sie suchte ihren Bruder. Ihr war klar, dass nur er dahinterstecken konnte."

Mit einer wischenden Handbewegung ließ Levin die Figuren verschwinden. Schweiß lief ihm über die Stirn und er sah erschöpft aus. „Ich denke, das reicht für heute", murmelte er und, ohne ein weiteres Wort zu verlieren, verließ er wankend den Saal.

Die Magie musste ihn viel Kraft gekostet haben.

Das Mittel

Davin schloss die Tür ihres Zimmers, in das die beiden von den vier Wachmännern gebracht worden waren.

Sie waren allein und Leandra sah gedanklich noch immer die Bilder der beiden Magier vor sich. Zu gern hätte sie mehr gesehen und erfahren, doch das, was ihnen Levi gezeigt hatte, kreiste in ihrem Kopf.

Es gab also zwei Magier. Was jetzt auf alle Fälle feststand, war, dass die junge Frau in ihren Visionen Runa war. Was genau war mit der Magierin passiert?

„Das wird immer verwirrender, statt aufschlussreicher“, beschwerte sich Davin und ließ sich in einen der

Stühle fallen. Jemand war hier in ihrem Zimmer gewesen, der Sessel, der vorhin noch vor dem Fenster gelegen hatte, war wieder an seinem Platz.

„Wie kommen wir ins Archiv?“ Die Kriegerin humpelte auf das Bett zu und setzte sich auf den Rand.

„Du solltest dich erst einmal ausruhen“, befahl Davin, trat auf Leandra zu und schob ihre Beine ins Bett.

„Wie kommst du auf die Idee, dass ich jetzt schlafen könnte?“ Sie saß kerzengerade im Bett und versuchte, das Gesehene zu sortieren.

„Sollen wir darüber reden?“ Er streifte seine Schuhe ab.

Warum interessierte er sich so wenig dafür? Das waren wertvolle Informationen und sie kannten endlich den Ursprung der Geschichte. „Natürlich müssen wir darüber reden!“

„Ich fasse zusammen. Rafail und Runa wurden als sehr mächtige Magier geboren, aber von den Menschen gefürchtet. Wie wir schon vermutet haben, sind beide Nachkommen von dem früheren Alleinherrscher Nero. Somit –“

„– ist Rafail der wahre Thronerbe der neun Inseln“, unterbrach Leandra ihn.

„Falsch. Der zehn Inseln, die Großmeisterinsel hat früher dazugehört. Sie ist erst in Bewegung, seit die Geister der verstorbenen Schiffscrew sie über die Meere tragen.“

Leandra kamen die Bilder in den Kopf, als sie das erste Mal mit Xander die Insel betreten hatte und von den Geistern in ihren Bann gezogen worden war. „Runa hat ihr Schicksal angenommen und versucht, sich dem normalen Leben unterzuordnen. Sie hat den Bruder von Taras’ Ur-Großvater geheiratet und mit ihm eine Familie gegründet.“ Leandra schaute Davin an, der bestätigend nickte.

„Rafail hat sich einfach wild vermehrt", ergänzte er mit breitem Grinsen.

Leandra verdrehte die Augen. „Er wollte sich an den Menschen rächen und ihnen die Magie nehmen, was ihm fast bis zuletzt gelungen war. Wenn ich das Ganze jetzt mit meinen Visionen kombiniere, dann hat Runa es herausbekommen, bevor das letzte Buch gebannt wurde."

Davin nickte. „Wenn wir das annehmen, hatte sie vermutlich nur noch zwei Möglichkeiten: Ihren Bruder die Magie bannen lassen. Somit wäre dieser der mächtigste Mann aller Inseln geworden und hätte seinen Thronanspruch geltend gemacht. Und wer hätte ihm dann, als einziger Magier, widersprechen sollen?"

Leandra war hochkonzentriert und ging alles durch. Sie dachte an die Vision, als die Frau ihrem Mann erklärte, dass sie einen Bann über den bereits gesprochenen Bann legen müsse, weil es keine andere Möglichkeit gebe, ihn aufzuhalten. „Sie hat die andere Möglichkeit gewählt, einen mächtigeren Bann über Rafails bereits gesprochenen zu legen. Sie hat eines ihrer Kinder beauftragt, den Thronerben zu bewachen und er sollte als Einziger die Geschichte kennen und weitergeben."

Leandra musste an Julius Turmbau denken, der bekannteste Kindergeschichten-Schriftsteller der neun Inseln. Er hatte die Hinweise in Kindergeschichten versteckt. Auch ihn hatte sie in einer Vision gesehen. Ihr wurde schummrig. Alles ergab langsam, aber sicher einen Sinn und fügte sich Stück für Stück zusammen. „Runa hat sich mit dem letzten Buch selbst gebannt, deshalb ist sie uns noch nicht begegnet", sinnierte die Kriegerin.

„Aber wo?" Die Frage von Davin war mehr als berechtigt. Runa war ihr im Traum erschienen. Nicht wirklich sie, aber ihre Stimme. Leandra erinnerte sich. Vielleicht wollte die Magierin ihr ein Zeichen geben.

„Im Vulkan", flüsterte sie und erzählte Davin von ihrem Traum vor einigen Nächten.

„Der Vulkan ist hier." Der Krieger deutete zum Fenster.

Leandra schnürte sich der Hals zu. Warum war er ihr nicht aufgefallen? Sie hätte ihn beim Herfahren sehen müssen. So schnell es ihr möglich war, verließ sie das Bett und humpelte auf das Fenster zu.

Das Zimmer, das sie bewohnten, lag auf der Rückseite des Schlosses. Diesen Teil hatte die Kriegerin nicht gesehen, da sie auf der Anreise von der anderen Seite gekommen waren. Das Land war hügelig und bergig, sodass sie genau hinsehen musste, um den Berg zu erkennen, dessen Spitze Rauch ausstieß. Vermutlich waren es zu Fuß dreißig Minuten Laufstrecke. Wenn man zwei gesunde Füße hatte. Leandra schaute auf ihr verbundenes Bein.

„Wir müssen dorthin. Bestimmt war es Runa, die mir die Visionen geschickt hat. Sie hat mir auch die Bilder vom Vulkan geschickt und …" Leandra stockte und dann fiel es ihr wie Schuppen von den Augen. „Sie hat mir die Bilder geschickt. Der Dolch, der Würfel, das Schwert, die Ringe …" Ihre Beine wurden schwach, sie schwankte auf einen Stuhl zu und fing sich in letzter Sekunde ab.

Davin sprang sofort aus dem Bett und hob sie auf den Arm, um sie wieder auf die Kissen zu legen. Sie wehrte sich nicht. „Du brauchst eine Pause", murmelte er und Besorgnis breitete sich auf seinem Gesicht aus.

„Nein, was ich brauche, ist ein gesundes Bein! Die Schlüssel, Davin. Es sind die Gegenstände, mit denen wir die anderen Bücher befreit haben."

Der Krieger war bei den ersten Suchen nicht aktiv dabei gewesen. Leandra klopfte auf den freien Platz neben sich. „Tim hat für das erste Buch einen Dolch benutzt. Beim Elfenwald war es der Elfenwürfel, bei den Zwergen das Schwert der Treue und unsere Ringe bei den Kelpies." Glücksgefühle stiegen in ihr auf, sie glaubte es selbst kaum.

„Wo ist der Elfenwürfel?"

Leandra zog die Augenbrauen zusammen. Warum fragte er nur nach dem Würfel, auch alle anderen Sachen waren verschwunden. „Den Würfel hat Tamir." Noch beim Aussprechen des Namens war es ihr bewusst geworden. „Deshalb hat Tim ihn in seiner Gewalt. Das Schwert, das ich dir bei den Zwergen abgenommen habe, ist auf der Großmeisterinsel und den Dolch hat Tim vermutlich ebenfalls. Wir sind hier, weil wir die Ringe haben."

Ein Schatten huschte über Davins Gesicht. Sie hatten die Ringe und waren somit einer der Schlüssel dieses Rätsels.

„Aber was ist der letzte Schlüssel? Es war von fünf die Rede. Und eigentlich müsste es ein Raum voller Bücher sein. Im Vulkan würde doch alles verbrennen." Leandra gähnte und murmelte die Sätze zusammenhanglos vor sich her. Sie waren des Rätsels Lösung so nah, doch ihre Konzentration war auf dem Nullpunkt.

„Wir sollten uns jetzt erst einmal ausruhen und wenn wir eine Runde geschlafen haben, machen wir uns über den Rest Gedanken." Davin streckte sich auf dem Bett aus und legte sich einen Arm hinter den Kopf.

Er hatte recht, sie mussten sich beide dringend ausruhen. Die Reise war anstrengend und fordernd gewesen.

Ein Poltern weckte die Krieger am späten Nachmittag. Ein schmaler Mann mit filigranem Bart und akkurat gekämmtem Haar drückte sich durch die Tür, die einen Spaltbreit geöffnet war. Ihm folgte der Heiler, der Leandra auf der Reise versorgt hatte.

Ein lautes Gähnen entwich der Kriegerin und sie rieb sich die müden Augen.

„Der Magier verlässt den Raum“, zischte der Mann, ohne sich vorzustellen oder ein Hallo in den Raum zu werfen.

Leandra schaute sich um. Wen hatte er mit Magier betitelt?

„Hörst du schlecht?“, fragte er laut und stierte dabei Davin an.

„Hast du mich Magier genannt?“, brummte er und setzte sich ruckartig auf.

„Wen denn sonst?“, entgegnete der Mann, stiefelte auf Leandra zu und zog ihr die Decke weg.

„Hast du nicht mehr alle beisammen?“, knurrte der Krieger und drapierte die Decke wieder über Leandra. „Als Erstes lässt du mal deine Finger von meiner Frau und dann sagst du uns, wer du bist und was du hier willst!“

Ein Wachmann betrat das Zimmer und forderte Davin auf, mit ihm aus dem Raum zu gehen.

„Schon gut, geh. Er will sich sicher nur das Bein anschauen“, murmelte Leandra, griff nach Davins Hand und drückte sie sanft.

Widerwillig begleitete der Krieger den Wachmann.

„Mein Name ist Magnus. Ich bin der Heiler des Königs. Euer Majestät hat mir befohlen, dich zu untersuchen“, erklärte der Mann ruhig und zog die Decke, unter der Leandras Bein lag, zurück.

Sie hatte den Namen schon einmal gehört. Noch immer hatte sie Schmerzen, auch die anderen Wunden, die

Nora ihr zugefügt hatte, waren noch lange nicht verheilt. Der Heiler rollte den Verband ab und musterte das Bein von allen Seiten. Es hatte sich ein dunkler lilafarbener Bluterguss gebildet, der bei der Berührung von Magnus' Fingern schrecklich wehtat.

Leandra jedoch stierte den Mann intensiv an. Wo hatte sie diesen Namen schon gehört? Er selbst kam ihr nicht bekannt vor.

Auch alle anderen Verletzungen musterte er. „Es gibt eine Möglichkeit, um deine Wunden schneller heilen zu lassen", faselte er, während er die am Kopf näher betrachtete.

„Aber?" Leandra lugte zu seinem Lehrling, der den Meister genau beobachtete.

„Das funktioniert nur mit Magie." Er sagte das so leise und kryptisch, als wäre die Tatsache, dass sie existierte, eine Neuigkeit, die er nur Auserwählten zukommen ließ.

„Das ist aber keine Überraschung", flüsterte Leandra und unterdrückte ein Glucksen.

„Ich glaube, du verstehst nicht viel von Magie", entgegnete er und verschränkte die Arme vor der Brust.

Jetzt war die Kriegerin wirklich verwirrt. Liam hatte sie schon oft mit Magie geheilt, zumindest ihre Wunden verschlossen. „Was willst du mir denn mitteilen?", fragte Leandra genervt.

„Ich habe einen Trank, den ich dir geben kann. Du wärst innerhalb von Sekunden wieder vollkommen genesen."

„Und an wen bindet mich dieser Trank?", schoss es aus ihr heraus.

Der Mann hob bewundernd die Augenbrauen. „Du kennst dich besser aus, als ich dachte." Er streckte dem Jüngeren seine Hand entgegen und dieser legte ihm eine winzige unscheinbare Flasche hinein, die er aus einer kleinen Kiste geholt hatte.

„An Tim."

Leandra wurde warm und kalt zugleich. Tim war ihr Feind und wenn er starb, würde sie mit ihm gehen. Die Kriegerin schüttelte den Kopf. „In drei Wochen bin ich wieder fit, dann warten wir einfach so lang."

„Tims Magier versuchen genau in dieser Sekunde, euren geheimen Tempel anzugreifen. Sie haben es geschafft, in euer Elfendorf zu gelangen und alles zerstört, was sich dort befand. Die Zwerge kämpfen auf ihrer Seite und auch die Kelpies haben sie überzeugen können, sich ihnen anzuschließen."

Woher wusste dieser Mann das alles? „Und was heißt das?" Leandras Herz schlug schneller, sie hatte schwitzige Hände und ihr Magen zog sich zusammen.

„Er will das letzte Buch!"

Das war Leandra auch klar, aber sie wusste noch immer nicht, wo sie nach dem Buch suchen sollten. Außerdem hatte Tim den Elfenwürfel, das Schwert der Treue und den Dolch. Sie konnte das Buch nicht allein finden. Sie mussten ihm wohl oder übel gegenübertreten.

„Weder ich noch er kann das Buch allein bergen. So wie es aussieht, müssen wir zusammenarbeiten."

„Und genau da kommt der Plan des Königs ins Spiel."

Leandra runzelte die Stirn.

„Tim stärkt Rafail durch seine Magie. Rafail braucht Tim, um seine Magie zurückzubekommen. Binde dich an Tim. Er wird nicht zulassen, dass dir jemand etwas antut, weil er sich sonst selbst verletzt. Und auch Rafail wird nicht zulassen, dass man dir etwas antut, weil er Tim braucht."

Leandra wurde schwindelig. Die Magier waren aufeinander angewiesen. Liam hatte Mariellas und ihre

Verbindung trennen können, dazu hatten aber beide Anwesenden zusammenstehen müssen. Ein Gedanke jagte den nächsten.

Ein Schmerz zuckte durch ihr gebrochenes Bein und dann fiel es ihr auf. Das Ganze war von Anfang an genau so geplant! Sie hatten Nora aus mehreren Gründen geschickt. Xander würde seiner Schwester nie etwas antun. Aber die Gestörte war skrupellos genug, Leandra so schwer zu verletzen, dass sie keine andere Wahl hatte, als diesem verrückten Plan zuzustimmen. Und außerdem hörte Nora wie ein trainierter Hund. Wenn man sagte, sie durfte niemanden umbringen, tat sie das auch nicht. Und Davin! Ihn hatte Magnus rausgeschickt, weil er wusste, dass er diesem Plan nicht zustimmen würde. Jeder Schritt bis hierher war durchdacht.

„Meine Kameraden werden nicht zulassen, dass mir etwas passiert und somit würde Tim ebenso davonkommen."

„*Wenn* du es ihnen erzählst. Aber das solltest du dir überlegen." Die Stimme des Mannes klang mit einem Mal bedrohlich. „Manchmal muss man Opfer bringen und sei es das eigene Leben."

Tim

Magnus hatte das Zimmer verlassen, das Fläschchen mit dem bläulich sickernden Nebel darin allerdings nicht.

Leandra begutachtete es ehrfürchtig. Wenn sie es jetzt einnehmen würde, dann wäre sie in einigen Sekunden wieder fit und auf das Treffen mit Tim vorbereitet. Ohne den Trank würde Tim sie vermutlich umgehend umbringen lassen.

Davin polterte durch die Tür und unterbrach Leandras Gedanken. Er hatte zwei Teller in der Hand und jonglierte sie auf das Bett zu. Umgehend steckte sie das Mittel unter ihr Kissen und tat so, als wollte sie dieses zurechtrücken.

„Und was sagt der Heiler?“

Der Duft von gebratenen Eiern und Speck stieg der Kriegerin in die Nase. Dankend nahm sie Davin einen Teller ab. „Danke. Er kann mir helfen“, entgegnete sie knapp. Sie wusste nicht, ob sie Davin von dem Plan des Königs erzählen sollte. Sie vertraute ihm, doch er würde sicherlich etwas dagegen haben.

„Und wie hilft er dir?“ Davins Augen verengten sich bei der Frage.

Die Kriegerin wusste sofort, dass er ahnte, das was Größeres im Raum stand. Sie wollte ihn nicht belügen. Davin war der Mann an ihrer Seite und sie vertraute ihm in allen Punkten. Er hatte ein Recht, von dem Vorschlag zu erfahren. Sie stieß die Luft aus und stellte ihr unberührtes Essen auf die Bettdecke. Sie zögerte nicht und berichtete ihm, was der Heiler erzählt hatte und was ihre Vermutungen dazu waren.

Davin hörte aufmerksam zu und unterbrach sie nicht einmal. „Ist das der gleiche Trank, der dich an Mariella gebunden hat?“ Er klang weder besorgt noch verärgert. Er wirkte fast, als würde er schon das Für und Wider durchgehen.

„Ich denke, es ist der gleiche.“

„Dann könnte Liam die Verbindung wieder lösen?“

„Ich denke schon.“ Leandra zog ihren Teller zu sich und begann zu essen.

„Das Problem ist, dass du keine andere Wahl hast, als ihn zu nehmen. Wenn du ihn nicht nimmst, wird Lexi dich schneller umbringen, als du Hallo sagen kannst. Wenn du ihn nimmst, bist du wenigstens so lange geschützt, bis das Buch geborgen ist. Ich vermute allerdings, dass Rafail Tim selbst aus dem Weg räumt, sobald er wieder über seine gesamte Magie verfügt.“

Diese Idee war Leandra auch schon gekommen. Sie spielte an ihrem Ring. „Wenn die beiden seit der ersten Sekunde zusammenarbeiten, dann frage ich mich, warum Tim erst jetzt weiß, dass diese Gabe auf eine andere übertragen werden kann." Sie hatte das Gefühl, dass hinter dieser Auserwählten-Geschichte noch etwas anderes steckte. Sie hatte Lexi schon so oft gegenübergestanden, aber die Rothaarige hatte nie versucht, sie umzubringen. Zudem hatte es bei den Zwergen damals nicht so gewirkt, als wüsste Tim, wer Ray wirklich war. Tim hatte Ray Befehle erteilt und auch Lexi hatte sich ihm gegenüber erhaben aufgeführt.

„Wenn du es mir nicht sagen kannst, wer dann? Ich bin erst seit Kurzem dabei." Der Krieger stellte seinen Teller an die Seite und nahm auch Leandras entgegen. „Weißt du, vielleicht sollten wir uns ein paar Minuten von dem ganzen Thema ablenken", flüsterte er und zog sie in einen innigen Kuss.

Sofort tanzten die Schmetterlinge in ihrem Bauch und die Luft blieb ihr weg. Nicht einmal ein Grinsen konnte sie sich verkneifen, obwohl ihre Lippen gerade Besseres zu tun hatten. So leidenschaftlich war sie schon lange nicht mehr geküsst worden. Sie genoss die Zweisamkeit.

Vorsichtig glitten seine Finger in ihre Haare und berührten die notdürftig geflickte Wunde.

Ein Zischen entfuhr der Kriegerin und Davin zog die Hand sofort zurück. „O nein, es tut mir leid!" Er presste die Lippen aufeinander.

Leandra musste lachen. „Also ich habe schon schlimmere Schmerzen erlebt", flüsterte sie gegen seine Lippen, während sie ihn eilig zu sich zog. Ihre Finger schoben sich unter sein Oberteil und sie spürte seine Gänsehaut.

Jemand räusperte sich und die Verliebten fuhren erschrocken auseinander. „Das will nun wirklich keiner sehen und eigentlich solltest du auf dem Weg zur Bibliothek sein!“

Leandra setzte sich auf und tastete umgehend nach dem Fläschchen, das auf der Matratze neben ihr lag. „Tim“, stieß sie überrascht hervor.

Der Magier hatte sein langes Haar zu einem Zopf gebunden und trug einen grünen Umhang, der mit goldenen Mustern bestickt war. „So sieht man sich wieder“, flüsterte er in ruhigem Ton. Die letzten Male, als Leandra ihren einstigen Kameraden gesehen hatte, hatte Tim gestresst und ausgemergelt gewirkt.

Heute war es das genaue Gegenteil. Er war ausgeruht und entspannt.

„Wo ist Lexi?“ Leandras Stimme zitterte. Sie war aufgeregt und wusste nicht, was passieren würde.

„Sie holt das goldene Buch.“ Tim bewegte sich nicht, er stand unverändert vor ihrem Bett und hatte den Blick fest auf sie gerichtet.

Das goldene Buch musste bei Jolene liegen, Leandra hatte es bei ihren Sachen verstaut. Ihre Kehle schnürte sich zu, sie schluckte hart. Sie musste den richtigen Moment abpassen, um das Mittel einzunehmen. Vermutlich hielt Tim sie nur so lange in Schach, bis Lexi hier wäre, um sie umzubringen. Wenn er von dem Mittel erfuhr, würde er sie sicherlich an der Einnahme hindern.

„Dürfte ich erfahren, was du jetzt mit uns vorhast?“ Davin saß neben Leandra und auch er bewegte sich nicht mehr als nötig.

Die Tür flog auf und Tim wirbelte herum. Das war ihre Chance! Sie holte das Fläschchen hervor, entkorkte es und setzte es an die Lippen. Zu ihrer Überraschung waberte der nebelartige Dunst nur sehr langsam hervor und in ihre Nase.

Was zum … Die Kriegerin hatte keine Zeit für solche Spiele, sie setzte den Verschluss an die Nase, hielt sich das freie Nasenloch zu und sog den Nebel scharf ein.

Ein Schauer durchfuhr sie und ihr Herz fühlte sich an, als würde es doppelt schlagen. Ein dumpfer Aufschlag ließ sie hochschauen. Magnus und sein Gehilfe waren wie nasse Säcke umgefallen.

Tim drehte sich wieder zu der Kriegerin um und starrte erschrocken auf das Fläschchen in ihrer Hand. Ein Kribbeln machte sich in ihrem Kopf breit und ein starkes Pochen flutete ihr Bein.

„Was ist das?", wollte Tim wissen, ging auf sie zu und riss ihr die Flasche aus der Hand.

Leandras Herzschlag war unnatürlich stark und auch Tim schien etwas zu bemerken.

Er zuckte zusammen und drückte sich die Faust an die Brust. „Was hast du gemacht?" Er stöhnte auf.

Mit einem *Plopp* erschien Lexi mitten im Raum. Ihr rotes Haar stand wirr vom Kopf. Ihre Kindheitsfreundin schaute von Leandra zu Davin und dann zu Tim, der sich gerade aufrichtete. „Ich habe das Buch", gluckste sie fröhlich und hielt es fest umschlossen.

„Lexi, wo ist der zweite Heiltrunk, den du mir damals verabreicht hast?"

Die Magierin verstand Tim sofort. „Gut versteckt", murmelte sie und wurde mit jedem Buchstaben, den sie sprach, leiser. Sie hatte das Fläschchen in Leandras Hand sofort erkannt. „Das kann unmöglich sein …" Das Entsetzen war ihr ins Gesicht geschrieben.

„Wir sind verbunden", knurrte Tim.

Lexi schloss für einen Moment die Augen.

„Wie bist du an dieses Mittel gekommen?“, fauchte Tim sie an.

Aus den Augenwinkeln sah Leandra, wie sich Lexi Davin näherte. Sie schritt vorsichtig um das Bett und hatte eine Hand erhoben. Vermutlich würde sie ihn mit einem Fluch belegen, wenn er versuchen würde, sie anzugreifen.

„Dieser Magnus hat es mir gegeben“, erklärte Leandra wahrheitsgemäß und richtete den Blick auf Tim.

„Ich wusste, man kann ihnen nicht trauen! Lexi, ruf Ray“, befahl Tim.

Leandras Herz raste vor Aufregung. Sie war Ray schon so oft begegnet, doch immer in dem Glauben, einem jungen seltsamen Menschen gegenüberzustehen und nicht dem Mann, der vor über einhundert Jahren die Bücher hatte verschwinden lassen.

Lexi kramte einen Kristall aus ihrer Jackentasche und murmelte mit geschlossenen Augen vor sich hin. Die Rothaarige hielt inne und schaute von dem Kristall auf. Sie räusperte sich und startete die gleiche Prozedur.

„Was dauert da so lange?“, knurrte Tim, der noch immer die Augen starr auf Leandra gerichtet hatte.

„Es gab eine Störung“, wisperte sie und packte den Stein in ihre Manteltasche.

Fußgetrappel und das Klirren von Rüstungen waren zu hören. Über Tims Miene legte sich ein Schatten und Davin nutzte den Moment der Unachtsamkeit von Lexi, stürzte vom Bett und packte sie an beiden Handgelenken.

Tim wirbelte herum und schleuderte ihm einen Zauber entgegen, den Davin mit Lexis Körper abfing. Er hatte die Magierin so schnell vor sich gezogen, dass die Welle der Magie sie bewusstlos werden ließ.

Leandra zögerte nicht. Sie sprang auf und stürzte sich auf Tim, während Wachen durch die Tür traten.

„Erstellt den Schutzwall! Wir haben Tim", brüllte Levin durch die Flure.

Eine unsichtbare Macht zwang die Kriegerin auf den Boden und neben ihr landete Tim. Das alles passierte so schnell, dass Leandra nicht verstand, was hier gerade vor sich ging.

„Wir hatten einen Deal!", brüllte Tim. Sein Gesicht färbte sich rot und er stöhnte auf, als hätte er Schmerzen.

Obwohl Leandra mit ihm verbunden war, spürte und sah sie nichts, daher vermutete sie, dass ihn ein magischer Bann gefangen hielt.

War es möglich, dass Levin stärker war als Tim?

„Wir standen nie auf einer Seite", brummte Levin.

Leandras unsichtbare Fesseln lösten sich und sie konnte sich wieder bewegen. Langsam stellte sie sich auf und verschaffte sich einen Überblick.

Hier standen fünf Wachen mit gezückten Lanzen, Magnus und sein Lehrling lagen noch immer bewusstlos auf dem Boden. Levin war hier und legte Tim gerade Fesseln an. Len, der Bruder des Prinzen, band Lexi die Hände auf dem Rücken zusammen. Davin stand neben dem Bett und sah sich ebenso verwirrt um wie Leandra. Drei Frauen in roten Kleidern richteten ihre Hände auf Tim und Lexi. Ein Rabe saß auf der Lehne eines Stuhles.

„Ist das Rays Rabe?", fragte Leandra.

Levin schaute zu dem Tier, das in die Runde blickte. „Nein", entgegnete er und zog Tim auf die Beine. „Der gehört Runa –"

„Du bist tot", zischte Tim und versuchte, sich gegen die Fesseln zu wehren.

„Hm, große Worte für einen kleinen Zauberlehrling", zischte Levin.

Wer arbeitete jetzt für wen?

Zwei Wachen schnappten sich Tim sowie Lexi und brachten sie aus dem Zimmer. Auch der Rest folgte.

„Levin." Leandra hielt den Prinzen auf. Sie hatte tausend Fragen an den Thronerben, doch sie musste Vorsicht walten lassen. „Tim ist ein sehr starker Magier. Wie kommt es, dass du ihn einfach überwältigen konntest?"

Er blinzelte mehrfach. „Also bitte, er ist ein einfacher Junge, in ihm steckt kein Funken Magie", sagte der Prinz lachend und drehte sich schwungvoll um. Sein dünner Umhang, der über seiner stattlichen Uniform hing, wehte zur Seite und entblößte das Schwert, das in der Scheide daran hing.

Leandras Unbehagen wuchs. Sie war sich sicher, sie hätte es unter Hunderten Schwertern wiedererkannt.

„Hier ist noch viel mehr im Busch, als wir dachten", murmelte Davin, nachdem Wachen Magnus und seinen Lehrling rausgeschafft hatten.

„Er hat das Schwert der Treue", zischte Leandra und Davin fuhr sich gedankenverloren durchs Haar.

„Heute Nacht werden wir einen kleinen Spaziergang machen."

Die Tür

Mit einem leisen Poltern brachen die beiden Wachen in den Gemächern von Leandra und Davin zusammen.

Die Kriegerin hatte sie unter einem Vorwand in das Zimmer gelockt und ihr Gefährte sie hinterrücks erschlagen.

„Das war zu einfach", zischte Leandra, weil sie sich nicht vorstellen konnte, dass sie nur zwei Wachen von solch niederer Intelligenz vor ihren Türen positioniert hatten.

„Wir werden es sehen." Davin warf ihr eines der Schwerter zu und steckte sich selbst eines an den Gürtel. Die beiden hievten die Wachen ins Bett und deckten sie zu, sodass es aussah, als würden sie darin schlafen.

„Das wird niemals gut gehen“, keuchte Leandra und schob den einen Wachmann näher an den anderen.

„Das muss es auch nicht, doch wir bekommen ein wenig Zeit, um uns hier etwas umzusehen.“ Davin schlich voraus und die Kriegerin folgte ihm lautlos.

Sie passierten Flure und versteckten sich bei jedem Aufleuchten von Laternen. Das Schloss war gut bewacht, doch ihr Fehlen war noch nicht aufgefallen, zumindest hatte noch niemand Alarm geschlagen.

„Vielleicht sollten wir Tim einen Besuch abstatten?“, schlug Leandra vor. Sie hätten ihn fragen können, wie er mit Levin, Ray oder den Großmeistern zusammenarbeitete.

„Und du denkst, er wird sich mit uns austauschen?“ Davin blieb stehen und signalisierte Leandra, still zu sein.

Ein Wachmann streifte durch den gegenüberliegenden Gang.

„Nein, oder vielleicht doch. Er kann offensichtlich keine Magie mehr wirken und ohne Hilfe sitzt er hier in der Falle. Wir könnten ihn erpressen.“

„Archiv oben oder unten?“, fragte der Krieger und deutete auf zwei Treppen, die in entgegengesetzte Richtungen verliefen.

Er hatte ihre Frage einfach ignoriert. Da allerdings die Kerker unten lagen, zumindest war das in den meisten Schlössern der Fall, zeigte sie nach unten. Leise stiegen sie die steinerne Treppe hinab und verloren sich beinahe gänzlich in der Dunkelheit. Keine einzige Fackel war entzündet oder eine Laterne aufgestellt. Sie mussten aufpassen, wohin sie traten.

Hier entlang …

Leandra schrak zusammen. „Hast du das auch gehört?“

Sie sah den Krieger nicht mehr. Die Dunkelheit hatte ihn vollkommen verschluckt. „Davin", zischte sie, doch es kam keine Antwort.

Ihr Herzschlag wurde schneller. Langsam streckte sie die Finger nach vorn, um zu fühlen, ob er irgendwo in der Nähe war. Nichts.

Folge meiner Stimme …

Hitze stieg auf und sie wusste nicht, was sie machen sollte. Ein Blick über ihre Schulter ließ sie wissen, dass sie auch nicht mehr zurückkommen würde, dort war es genauso dunkel wie geradeaus.

Sie könnte schreien und auf sich aufmerksam machen, doch dann würde man sie zurück in ihr Zimmer bringen. Wo war ihr Gefährte? „Davin", rief sie jetzt etwas lauter. Keine Reaktion.

Wo war der Krieger hin? Er konnte sich nicht in Luft aufgelöst haben.

Folge mir …

Wieder diese Stimme. Langsam wurde es unheimlich. Sie klang gedämpft und doch waren die Worte klar.

„Wer bist du?" Leandra zitterte. Ihr war nicht wohl in ihrer Haut und sie wollte hier weg.

Ich bringe dich zur Tür …

Was für eine Tür? Der Ausgang? Sollte sie der Stimme folgen? Wenn es eine Falle wäre, würde niemand wissen, wo sie sich befand. Leandra spielte nervös an ihrem Ring und tastete erneut nach vorn. Auch zu den Seiten bekam sie nichts zu fassen.

Das war unmöglich. Eben noch war sie mit Davin eine dunkle Treppe hinabgestiegen.

„Hallo!", brüllte sie jetzt aus voller Kehle und ihr Echo wurde in die Tiefe getragen. Sie musste in einem langen Flur sein. Aber wie war sie hierhergekommen?

Jetzt komm zu mir ...

Was sollte sie tun? Sie war ohnehin aufgeschmissen. Wäre sie noch in Hörweite der Wachen, hätten diese bereits Alarm geschlagen.

„Meine Name sein Flipp. Dürfen ich Euren Hand halten?"

Leandra erschrak fürchterlich, als sich dürre Finger in ihre Hand schoben. „Fass mich nicht an", entgegnete sie und ging einen Schritt zurück. Ihr Herz schlug bis zum Hals und erschwerte das Atmen. Was sollte sie machen? Von Panik getrieben rannte sie los. Sie hob eine Hand vor sich, falls ein Hindernis auftauchen würde.

Wer war das denn jetzt? Was war hier los? Ihre Gedanken überschlugen sich. Die Kriegerin rannte und rannte.

Sie wusste schon gar nicht mehr, wie lange sie dem dunklen Weg folgte, als plötzlich ein Lichtschimmer in der Ferne auftauchte.

„Davin?"

Keine Reaktion.

Ihre Schritte verlangsamten sich. Der Schweiß rann ihr in Strömen über Gesicht und Rücken.

Die Luft hier unten war stickig und heiß. Wo war sie denn jetzt gelandet?

Der Lichtschimmer kam unter einer Tür hervor. Er reichte gerade so aus, um zu sehen, dass der Gang, durch den sie eben noch gerannt war, voller Bücher stand.

Die Wände zu ihrer Rechten und Linken waren umgeben von hohen Regalen. Die Buchrücken waren dicht an dicht gestellt, kein Platz war unbesetzt.

Wo war die Kriegerin nur gelandet? Verbarg sich hinter der Tür eine Bibliothek? Ein Schauer fuhr ihr über den Rücken.

„Ist hier jemand?“ Leandras Worte hallten von den Wänden wider, doch sie bekam keine Antwort.

Eins stand fest, sie wollte augenblicklich aus der Dunkelheit heraus. Ihr Blick fiel auf die braune Holztür, deren Knauf einladend wirkte.

Verdammt, was hatte sie zu verlieren? Sie wollte hier weg.

Mit einer leichten Drehbewegung und einem schrägen Quietschen öffnete sich die Tür.

„Willkommen in meinem bescheidenen Heim …“

Der Plan

Liam war vor weniger als einer Stunde in Jolenes Haus eingetroffen. Er hatte keine Zeit verschwendet und die Krieger über die Nachricht, die er von Davin erhalten hatte, informiert.

Brian machte sich große Sorgen um Leandra. Er war froh, dass es Davin gelungen war, mit dem Magier aus ihren Reihen Kontakt aufzunehmen. Jetzt hatten sie endlich einen Anhaltspunkt für die weitere Suche.

„Zumindest wissen wir jetzt, wo sie sich aufhalten“, knurrte Xander und fixierte allerhand Dolche, Wurfsterne und andere Waffen an seinen Gürtel. Brian beobachtete seinen ehemaligen Meister aufmerksam.

„Sie sind mit Lexi und Tim allein?“, hakte Jerry noch einmal bei Liam nach.

„Es war eine sehr kurze Nachricht, aber ja“, bestätigte Liam noch einmal.

„Wir reisen mit dem Zirkel zum Vulkan und von dort aus werden wir sie rausholen“, versicherte Taras.

Er war noch immer nicht fit, der Sturz aus dem Fenster hatte ihm beinahe das Leben gekostet. Brian hatte mit Joe und der bewusstlosen Melissa am Eingang zum Glockenturm gewartet, als Taras durch eines der obersten Fenster direkt in einen Wagen voller Fischabfälle gefallen war.

Jolene hatte sich dem Krieger angenommen und ihn zuallererst betäubt, um sich dann seiner Wunden annehmen zu können.

Leandra war seither wie vom Erdboden verschluckt. Brians Herz zog sich bei diesem Gedanken zusammen.

„Wichtig ist, dass sie Leandra nicht auf die Großmeisterinsel mitnehmen!“, trichterte Liam ihnen noch einmal ein. „Sollte das Buch verloren gehen, ist das zweitrangig, Leandra ist an Tim gebunden und nur ich kann dieses Band lösen.“

Vermutlich konnte es Rafail auch, aber was scherte es den alten Magier, was aus Leandra und Tim würde, wenn er erst einmal das letzte Buch in den Händen hielt?

Sie saßen seit Ewigkeiten alle wieder zusammen und schmiedeten Pläne. Vielleicht waren es die letzten, die sie ausheckten, vielleicht würde es die letzte Schlacht. Vielleicht lagen sie bald alle tot nebeneinander und keiner würde sich an sie erinnern, weil sie versagt hatten. So viele Gedanken gingen Brian durch den Kopf und doch lag seine Hauptsorge bei Leandra. Er hatte diese Frau wirklich geliebt. Auch wenn sie sich für einen anderen entschieden hatte, würde er ihr beistehen und für sie kämpfen.

Jolene war gerade in der Küche und holte Gläser und Wein, um alle zu versorgen. Es schien eine lange Nacht zu werden, denn sie hatten einiges zu besprechen.

Xander ärgerte sich über alle Maßen, Nora nicht in die Finger bekommen zu haben. Das hatte er mehrfach betont.

Liam hatte erzählt, dass König Richard von Calixto in einem friedlichen Verhältnis zu Tavis stand, weshalb dieser hoffte, mit Richard ein Treffen auszumachen. Er wollte die Häuser im Kampf gegen Tim vereinen. Brian glaubte nicht mehr an den Einfluss der Krone. Wenn Magie herrschte, war eine Krone nichts mehr wert.

„Tims Gefolgschaft hat versucht, den Tempel zu stürmen, und ich weiß, dass sie noch mal euer altes Lager aufgesucht haben." Der Magier klang beunruhigt und das zu Recht. Liam rollte eine Karte auf dem Tisch aus und markierte Punkte rund um den Vulkan, um den sich der Zirkel aufstellen sollte.

Eine alte Legende besagte, dass sich unter dem Vulkan eine riesige Bibliothek befinde. Liam war sich sicher, dass dies der Ort war, an dem das letzte Buch versteckt lag. Brian fuhr ein Schauer über den Rücken. Ihm wurde immer bewusster, dass sie ohne Liam oder den Zirkel keine Chance gegen Tim und seine Anhänger hätten.

Sein alter Meister stellte sich an die Balkontür, er war nachdenklich und wirkte müde.

Brian hätte zu gern gewusst, was in seinem Kopf vor sich ging. Er beobachtete, wie sich Taras dem Krieger näherte.

„Ich glaube, der richtige Kampf wird erst noch kommen", murmelte Taras und legte seinem ältesten Freund die Hand auf die Schulter.

Xander nickte mit einem tiefen Schnaufen.

Glossar

Atara:
Erste große Liebe von Xander und Mutter seines Sohnes Liam.

Bastian:
Kindheitsfreund von Leandra und Davin. Hat einen Sohn mit Selena. Noras Opfer.

Brian:
Gefährte und ehemaliger Mitschüler von Leandra. Er hilft bei der Büchersuche und war Leandras erster Freund.

Cliff, Zac und John:
Ehemalige Mitschüler Leandras. Haben die Ausbildung bei Xander beendet.

Davin:
Kindheitsfreund von Leandra. Wurde von dem Großmeister Ullrich ausgebildet und stand einige Jahre auf der Gegenseite von Leandra. Er ist ein Nachkomme Rafails und trägt einen Hauch Magie in sich. Er ist mit Leandra verheiratet und war der Bruder von Dexter.

Dexter:
Kindheitsfreund von Leandra und Davins Bruder. Gefallen im Kampf mit Tim.

Falk und Merle:
Ehepaar, Gründer der Ausbildung der Großmeister.

Felizitas:
Geliebte Taras. Mutter Mariellas und ehemalige Heilerin des Königshauses von Milva. Ex-Frau von Magnus.

Ilona:
Jerrys rechte Hand und Kindheitsfreundin.

Jerry:
Gefährte von Leandra. Er war zeitgleich mit Leandra und Brian Schüler bei Xander. Gründer einer neuen Ausbildungsstätte.

Jolene:
Schwester von Xander. Schmiedin.

Julius Turmbau:
Kindergeschichten-Schreiber, Großcousin Xanders. Nachfahre Runas.

König Richard:
König von Calixto. Verheiratet mit Königin Olivia, Nachkommin von Rafail.

König Tavis:
König von Abiona. Zwillingsbruder von Taras. Vater von Luna.

König Theodor:
König von Lys. Verschwagert mit dem Königshaus von Calixto. Verheiratet mit Königin Marlena, Nachkommin von Rafail.

Leandra:
Kriegerin, ehemalige Schülerin von Xander, war mit Brian zusammen, ist mit Davin verheiratet. Sie ist die Auserwählte, die die magischen Bücher bergen kann. Schwester von Silas, Enkelin des Großmeisters Silvan.

Levin:
Thronerbe von Calixto, Nachkomme von Rafail.

Lexi:
Kindheitsfreundin von Leandra und Davin. Arbeitet mit Tim zusammen.

Liam:
Sohn von Xander und Atara. Er ist zurzeit der größte Magier der neun Inseln. Ihm wurde mit Magie das Leben gerettet. Er ist Anführer eines Zirkels und leitet einen Tempel. Er ist mit Luna, der Thronerbin Abionas verlobt.

Lillien:
Meisterin, heimliche Geliebte von Xander und Mutter seiner Tochter Lina. War mit Xander zusammen in der Meisterausbildung. Fiel im Kampf mit den Großmeistern.

Lira:
Elfe, die in Brian verliebt ist.

Luna:
Prinzessin und Thronerbin von Abiona. Verlobte von Liam. Tochter von Tavis.

Magnus:
Heiler des Königshauses von Calixto. Ex-Mann von Felizitas.

Melissa:
Kindheitsfreundin von Brian.

Melvin und Melina:
Zwillinge, Großmeister. Gestorben im Kampf mit Leandra und Davin.

Nora:
Halbschwester von Xander. Auftragsmörderin.

Rafail:
Magier, der vor einhundertneunzehn Jahren die magischen Bücher bannte. Bruder von Runa. Auch bekannt als Ray.

Runa:
Magierin, die mit der Bannung des letzten Buches ihren Bruder Rafail und sich selbst bannte.

Sculley und Jesse:
Ehemalige Gefährten von Xander, die die Truppe im Hintergrund unterstützen.

Selena:
Kindheitsfreundin von Leandra und Davin. Mutter von Bastians Sohn. Geliebte König Theodors und Silas. Geköpft von Davin.

Silas:
Bruder von Leandra. Ehemaliger Geliebter Selenas und Enkel des Großmeister Silvan. Kämpft für König Theodor.

Silvan:
Großmeister. Großvater Leandras und Silas.

Sim-Sala:
Märchenerzählerin von Abiona.

Tamir:
König der Elfen, Verbündeter von Xander und den Gefährten.

Taras:
Ehemaliger Spion der Großmeister. Eigentlicher Thronerbe von Abiona. Bruder von Tavis und Vater von Tarik, Mariella und den Zwillingen Natalie und Nathaniel. Er hat eine besondere Bindung zu Felizitas. Mit Xander bestritt er bei Ullrich die Ausbildung.

Tim:
Ehemaliger Mitschüler von Leandra. Magier, der die Bücher finden will, und Rafails Werkzeug.

Torben:
König der Kelpies.

Ullrich:
Großmeister und Ausbilder. Arbeitet mit Tim zusammen.

Viggo:
Kapitän und Schiffbauer. Halb-Brownie.

Wotan:
Leandras Wolpertinger, der im Kampf gegen Tim gefallen ist.

Xander:
Ehemaliger Meister. Er ist der Ur-Ur-Enkel Runas. Bester Freund von Taras. Hat mit Atara Liam zum Sohn und mit Lillien Lina zur Tochter. Er wurde von dem Großmeister Ullrich ausgebildet und hat mit Lillien zusammen die Meisterprüfung abgelegt.

Danke

Hey, du hast es bis hierhin mit uns ausgehalten! Somit gilt mein erster und größter Dank dir, mein*e liebe*r Leser*in.
Ich freue mich, dass du mir schon so lange die Treue hältst, mit Leandra und ihren Kameraden mitfieberst, mit ihnen lachst und kämpfst. Das bedeutet mir unfassbar viel.
Bald werden wir ein letztes Mal zusammen in den Kampf ziehen und ich hoffe von ganzem Herzen, dass du uns auch beim letzten Buch begleiten wirst. Denn ohne dich wären die Kriegerin und ihre Verbündeten niemals so weit gekommen.

Ich danke meiner kleinen wachsenden Instagram- und Facebook-Gemeinschaft. Durch das Teilen, Liken und Kommentieren meiner Beiträge wachse ich weiter und wir geben Leandra und ihren Freunden die Chance, gesehen und gelesen zu werden.

Ich danke meinem lieben Team, Jacky, Ria und Bibi, für diese wertvolle, harmonische und zauberhafte Zusammenarbeit. Schon vier Bücher haben wir geschafft! Das letzte schaffen wir auch noch gemeinsam! Wir sind schon 'ne sau coole Truppe!

Ich danke meiner Familie, die rücksichts- und verständnisvoll ist. Meinem Mann, der diese Zeile vermutlich niemals zu Gesicht bekommen wird, weil er keine Bücher liest :-) Dennoch möchte ich ihm danken, weil er meine große Stütze ist. Oft schafft er mir am Wochenende Freiraum, damit ich konzentriert arbeiten kann. Mit vier Kindern ist Freizeit ein sehr geringes Gut.

Max und Yvi! Wie immer habt ihr als Erstes einen Blick ins Manuskript werfen dürfen und mir erklärt, warum man nicht neben Gurken einschlafen und Tomaten aufwachen kann.

Manchmal reichen auch wenige Worte, daher gilt mein letzter Dank einfach allen, die mich bis hierher unterstützt haben und es auch weiterhin tun. Allen, die mich nicht nur belächeln, sondern an mich glauben. Jene, die mir mit Rat und Tat zur Seite stehen, mit mir lachen, besorgt sind und mit denen ich gemeinsam nach Lösungen suchen kann.

Chrissy Em Rose ist Mama von vier Kindern
und lebt im schönen Odenwald.
Neben Haus, Hof, Garten und Kindern ist sie
leidenschaftliche Theaterspielerin.
Schreiben ist ihre Flucht aus dem Alltag.
Du möchtest gerne mehr erfahren?
Schau bei ihrer Homepage vorbei
www.chrissy-em-rose.de
oder besuche sie auf Instagram oder
Facebook: chrissy_em_rose

Lightning Source UK Ltd.
Milton Keynes UK
UKHW010627140621
385483UK00001B/297

9 783753 496481